LA VIOLENCE DES FEMMES

© Max Milo Éditions, Paris, 2011
www.maxmilo.com
ISBN : 978-2-31500-142-2

CHRISTOPHE REGINA

LA VIOLENCE DES FEMMES

HISTOIRE D'UN TABOU SOCIAL

Max Milo
L'Inconnu

À Jérémy.

Avertissement

Traiter de la violence n'est pas une entreprise aisée, mais celle qui se rapporte à la violence commise par les femmes l'est encore moins. Il est nécessaire d'expliquer la motivation m'ayant amené à concevoir un tel ouvrage. Il y a, dans un premier temps, un préalable qu'il me semble essentiel de souligner. Aussi polémique que puisse paraître le sujet, celui-ci n'en reste pas moins au centre d'analyses, de réflexions et de tentatives d'interprétations multiples et variables qui méritent d'être exposées. Les femmes violentes constituent un sujet d'étude comme un autre.

Ce travail n'est pas une recherche de type misogyne, mais un travail féministe. Le débat sur l'égalité des sexes est plus que jamais au cœur de l'actualité, et, à mon goût, toute prétention à l'égalité se doit d'être totale. C'est en ce sens que je revendique un travail féministe, peut-être résolument plus féministe que ceux et celles qui se définissent comme tel. Élisabeth Badinter, la première, s'est essayée à une telle entreprise dans son ouvrage *Fausse Route* qui ne fut pas, hélas, compris de certains [1]. La levée de boucliers qu'il suscita indique cependant la difficulté qu'il existe à parler des femmes et de la violence.

L'objet de ce travail n'est pas de stigmatiser un sexe plus que l'autre, mais de montrer que ce qui semble l'apanage d'un seul n'est pas une vérité. On me reprochera la disproportion des usages de la violence, affirmant la suprématie des hommes dans l'art d'en faire usage. Je dirai que savoir qui des deux sexes s'avère le plus violent au final m'importe assez peu. Ce qui est au

---

1. BADINTER (Élisabeth), *Fausse Route*, Paris, Odile Jacob, 2003.

cœur de cette réflexion, point de départ d'un travail qui reste à faire, n'est donc pas de qualifier la violence en termes de proportion, voire de responsabilités, mais plutôt en termes de pratiques. Un phénomène jugé minoritaire doit-il être exclu des champs de réflexion ? J'en doute. Il est évident que, de par le monde, nombreuses sont les femmes qui sont en souffrance, réalité qui a été particulièrement bien montrée par des travaux en grand nombre qui ont attiré l'attention du public et ont permis de tirer la sonnette d'alarme. Je suis le premier à être révolté et scandalisé par le traitement que bien des femmes subissent au quotidien sous couvert de justifications religieuses fallacieuses ou de croyances d'un autre âge. Mais toutes les femmes ne sont pas des victimes, et c'est bien là qu'il faut se montrer vigilant. « Il est autant de mégères que de brutes. [2] » L'association inconsciente de la féminité à la victime nous conduit très souvent sur une fausse route. C'est en ce sens qu'Élisabeth Badinter évoque les femmes.

Un tel essai risque de ne pas être compris ou d'être mésinterprété. Certains y verront peut-être un travail machiste ; d'autres, l'occasion de dénoncer les femmes. Dans les deux cas, ces personnes auront tort, car le sujet traité ici se veut ouvert à la réflexion et à la discussion, loin des partis pris. Évoquer les liens entre les femmes et la violence ne suppose pas de vouloir entacher la cause des femmes, mais, au contraire, de leur restituer la place qui leur revient au sein des sociétés contemporaines. La présente recherche se propose, d'ailleurs, de montrer comment la réalité de la violence des femmes a toujours été évacuée, transformée, détournée, voire niée. Mais on ne met pas à plat plusieurs milliers d'années de mensonges dans un seul ouvrage. On essaye tout au plus de montrer l'existence invisible, mais réelle, d'une pratique. La voie vers l'égalité totale ne peut pas se faire seulement sur la base de critères jugés positifs pour servir une cause. Le « genre », que je réifie volontairement ici au genre humain, est la matrice originelle de l'égalité à côté de laquelle nous continuons de passer et d'où, pourtant, devra un jour sortir l'égalité des sexes.

---

2. CHESNAIS (Jean-Claude), *Histoire de la violence en Occident de 1800 à nos jours*, Paris, Robert Laffont, 1981, p. 103.

« Ainsi pour mettre cette affaire dans le point de vue le plus clair, il sera bon de dégager nos idées de tout ce qu'elles ont de confus & d'embrouillé, en séparant l'imaginaire du réel, l'obscur de l'évident, le faux d'avec le vrai, la supposition d'avec le fait, les vraisemblances d'avec les entités, la pratique d'avec le principe, l'opinion d'avec la persuasion, le doute d'avec la certitude, l'intérêt et le préjugé d'avec la justice, & le jugement exact. [3] »

3. Ce texte existe sous trois formes à la BnF : Dissertation dans laquelle on prouve que la femme n'est pas inférieure à l'homme, BnF, texte imprimé (S. l. n. d.), p. 22. DE PUISSIEUX (Madeleine), DE PUISSIEUX (Philippe-Florent), Le triomphe des dames, traduit de l'anglois de Miledi P****, Londres, 1751. DE PUISSIEUX (Madeleine), DE PUISSIEUX (Philippe-Florent), La femme n'est pas inférieure à l'homme, traduit de l'anglois, Londres, 1751.

INTRODUCTION

« Le féminisme brandit toujours le spectre de la femme victime et de l'homme agresseur. Ça m'agace souverainement. Le préjugé de base que les femmes ne sont pas violentes est extrêmement enraciné. Notre biais de départ, c'est que le gars n'est pas correct et que la fille fait donc pitié. Mais le mal n'a pas été donné qu'aux hommes et la bonté qu'aux femmes exclusivement ![4] »

Comme l'a souligné Rachel Verdon, ce qu'elle nomme mal, qui pour moi est avant tout violence, anime les deux sexes. Nous partons du principe selon lequel la violence est inhérente aux Hommes[5] et profondément ancrée en eux. Nous devons à la civilisation et à son essor son recul, mais nullement sa disparition. Le débat entre une violence prétendument naturelle et une autre qui serait culturelle n'est toujours pas, à l'heure actuelle, tranché. La violence est difficilement appréhendable de façon stricte et définitive tant il est vrai que d'une société à une autre et d'un temps à un autre, les manières de la définir sont fluctuantes. Mais ce qui est certain, c'est que la violence n'a jamais cessé d'avoir une incidence dans l'histoire de l'humanité. Elle s'est contentée d'évoluer et de s'adapter aux avancées et aux progrès de chaque société. Il n'a jamais existé, il n'existe – et il n'existera probablement jamais – aucune société sans violence.

Les tentations de conceptualisation de la violence sont grandes, mais toutes se heurtent à une même réalité. La violence se joue des typologies qui, à peine établies, sont rendues vaines par la démonstration d'autres

---

4. Propos de VERDON (Rachel), réalisatrice, cités dans la *Gazette des femmes*, Québec, publiée par le Conseil du Statut de la femme, vol. 27, N° 3, novembre-décembre 2005, pp. 22-28.

5. Hommes, c'est-à-dire l'humanité incluant aussi bien les hommes que les femmes.

formes de violence[6]. Toutes les civilisations qui se sont succédées et se succèderont tentent de les canaliser. Cette volonté de maîtrise se double d'un bouillonnement intense de réflexions qui, pourtant, ne parviennent pas à extirper une réalité, aujourd'hui encore source de discussion dans le monde entier. La violence, en tant qu'entité protéiforme et composite, se laisse approcher par fragments, mais jamais dans sa globalité.

Que dire alors de la violence des femmes ? L'évoquer relève à la fois du truisme et du tabou, révélateur de l'ambigüité que nourrit la société vis-à-vis de ce Janus féminin, réifié aux stigmates des clichés, marqué par une longue tradition constitutive d'une prétendue nature féminine, de laquelle, contrairement à ce que l'on pense, nous ne sommes pas totalement délivrés. La femme violente est à la fois présente et absente, montrée du doigt et invisible, dénoncée et singularisée, trahissant de fait le malaise social et moral qu'elle induit. La place des femmes violentes en tant qu'objet de recherche est tributaire de ce malaise, quelle que soit la discipline des sciences humaines qui traite de la question. S'interroger sur le sujet revient à étudier, à comprendre et à caractériser, dans la longue durée, dans quelle mesure une réalité qui passe pour évidente ne l'est plus, voire devient un objet de refoulement ou de rationalisation.

Nous n'avons pas la prétention de refaire l'histoire de ce refoulement ici, mais plutôt d'attirer l'attention sur une question essentielle, source de traumas sociaux impliquant les deux sexes, qui partagent l'exercice de cette violence, fédératrice et destructrice. Le nœud gordien de l'ambigüe violence relève d'une reconnaissance aux deux sexes à l'exercer, quels qu'en soient les moyens, les formes et les fins.

Il convient alors de considérer les violences féminines sous l'angle historique, sociétal et « moral ». La complexité de la question est impossible à épuiser. En revanche, il est envisageable de proposer un questionnement sur cette réalité. Il est possible d'établir les projections respectives qu'induisent les sexes dans leurs aspects sociaux, moraux et

---

6. Sur l'utilisation du concept de violence, voir MEYRAN (Régis), *Les mécanismes de la Violence. États, institutions, individu*, Paris, Sciences Humaines, 2006. Voir aussi PEWZNER (Évelyne), *Temps et Espaces de la Violence*, Paris, Sciences en situation « Sens critique », 2006.

humains. Comment violence et féminité sont-elles articulées ? Quelle place la société accorde-t-elle aux violences féminines ?

Pour tenter d'apporter des éléments de réponses, nous adopterons une démarche méthodologique plurielle, essentiellement historienne, complétée et enrichie à l'aune du savoir des autres sciences sociales. Historien avant tout, je me réfère en priorité à la période de l'Ancien Régime que j'étudie dans le cadre de recherches consacrées aux violences féminines à Marseille, et qui constituent l'un des points d'ancrage de mon analyse. Pour étudier la conflictualité féminine, j'exploite les fonds judiciaires du tribunal de la sénéchaussée, véritable mémoire des violences du quotidien. Les violences féminines sont également étudiées en amont et en aval de cette période, afin de tenter de circonscrire et d'identifier des permanences, ainsi que d'éventuelles ruptures dans le processus d'identification des formes de la violence féminine. Cette volonté de réinscrire dans le temps long la question me portera à réfléchir sur son actualité, les problématiques que se pose l'historien lui étant imposées par son présent.

Devant l'immensité et la complexité du sujet, des choix ont dû être effectués. Il m'a semblé pertinent de reconsidérer les clichés qui sont traditionnellement attachés aux femmes violentes, tels l'Amazone, la sorcière, l'infanticide et un ensemble d'autres formes, moins évidentes mais présentes. Depuis l'émancipation féminine, on assiste à la concrétisation de ces stéréotypes isolés qui tendent à être non pas plus nombreux, mais plus visibles. Afin d'approcher au mieux cette réalité des femmes violentes, il a été nécessaire de considérer les autres sciences sociales, les savoirs et les méthodes que celles-ci ont conçus, dans l'intention de multiplier les approches et les regards sur une réalité d'une extrême complexité. L'histoire, la littérature, le droit, la sociologie ont ainsi été mis à contribution dans ce travail pour soutenir l'effort qu'engage une telle réflexion. Effort, parce qu'il ne s'agit pas d'une violence admise de tous.

CHAPITRE 1

UNE IMPOSSIBLE DÉFINITION DE LA VIOLENCE ?

Il convient d'abord de considérer l'étymologie du terme « violence » pour proposer une réflexion.

Le mot « violence » vient du latin *violentia*, *vis* qui désigne un usage abusif de la force ou un caractère emporté, ainsi que le déchaînement des éléments naturels, la force du vent, l'ardeur du soleil ou la rigueur de l'hiver. La violence naturelle, c'est avant tout la violence des éléments. Le terme « violence » renvoie également à *violare*, qu'il faut saisir comme l'action de violer une loi ou d'enfreindre le respect dû à une personne. La notion grecque de « démesure », ou d'*hybris*, enrichit la signification déjà donnée et la définit à la fois comme une profanation de la nature et comme une transgression des lois. Cette idée d'*hybris*, quelle que soit la période considérée, qu'il s'agisse du Moyen Âge ou de l'Ancien Régime, a souvent été associée aux clichés dont les femmes font l'objet, clichés provenant de cette fameuse « nature féminine » fortement tributaire de l'irrationnel et du subjectif. Pourtant, la violence en tant qu'excès n'est pas sexuée.

Nous retiendrons cette image de démesure, mais dans son sens proprement grec de transgression des lois, que nous tenons à compléter par l'idée d'une transgression des valeurs. L'étymologie nous permet de comprendre l'origine de la violence, appréhendée comme une forme d'attentat à l'ordre, qu'il soit public ou moral. La violence n'est pas statique, elle s'enrichit et se complexifie au fil des siècles. D'une violence originelle, proche de la nature, on passe peu à peu, au gré des évolutions sémantiques, à une proximité plus grande entre une violence humanisée, construite, voire élaborée.

Quelle est la définition donnée sous l'Ancien Régime ? L'idée du renforcement des liens entre la violence et les Hommes peut être cernée à travers la définition offerte par Furetière qui qualifie la violence comme :

> « la force dont on use envers quelqu'un pour luy faire quelque injustice, ou quelque dommage. Les violences sont deffenduës en tous les Estats policés. Une chose dont on jouït par violence ne se peut prescrire. Les Tyrans ne se maintiennent que par la violence & par les armes. [...] Quand cet homme fait bien, il se fait violence à luy-même. VIOLENCE, se dit figurément en choses morales. La violence de la passion oste une partie de la volonté [...]. Il faut se faire une grande violence pour retenir sa colere, quand on reçoit un affront. [7] »

Aussi, selon Furetière, les violences s'inscrivent-elles dans une double perspective, celle de la « force » et celle de l'« injustice ». La maxime de La Fontaine, d'après laquelle la « raison du plus fort est toujours la meilleure [8] », pourrait désigner le *leitmotiv* qui a longtemps animé et anime toujours, pour une large part, le quotidien des Hommes. Le fragile équilibre, que l'on désignera par commodité par le mot « paix », est chroniquement mis à mal et rompu par l'introduction du conflit, qui est une forme de violence. Cette rupture de l'équilibre se lit aussi bien dans les plaintes du XVIIIe siècle, sur lesquelles je travaille, que dans les plaintes actuelles qui mettent « en scène » tout ce qui a provoqué la rupture.

La violence se joue et se représente, se figure et se manifeste, mais, dans tous les cas, c'est la justice qui orchestre le retour à l'équilibre et à l'ordre. Cette dernière se propose d'incarner le rôle de régulateur social, rôle qui,

---

7. FURETIÈRE (Antoine), *Dictionnaire universel*, La Haye, A. et R. Leers, 1690.
8. LA FONTAINE (Jean DE), « Le loup et l'agneau », *Fables*, Paris, Le Livre de Poche « Classiques de poche », 2002, p. 72.

dans la réalité des faits, lui est âprement disputé par la violence elle-même. Autour des mots de « force » et d'« injustice », tels qu'ils apparaissent chez Furetière, il faut bel et bien considérer la violence comme un élément constitutif du système social.

Par rapport aux lexicographes, le point de vue des juristes sous l'Ancien Régime s'avère plus nuancé. Certes, comme eux, ils définissent l'acte violent avant tout comme une rupture de l'ordre public et situent la violence dans le réel sociohistorique. Mais à leurs yeux, sur un autre niveau, qui est plus moral, cette rupture trouve aussi son origine dans la fameuse « nature humaine ». Ainsi, comme le dit François Dareau, criminaliste français du XVIIIe siècle :

> « Rien ne seroit plus agréable que le commerce de la vie, si les hommes entr'eux savoient être sages et tranquilles. Mais par malheur ils ne semblent réunis que pour se déchirer impitoyablement, et se nuire dans presque toutes les occasions qui peuvent se rencontrer. [9] »

Le constat de Dareau semble pessimiste, mais particulièrement éclairant. Il n'invente rien et ne fait que réaffirmer une position finalement très manichéenne du monde. La violence est une force irrésistible et quasi primitive que les sociétés qui se sont succédé ont essayé de policer, normaliser et canaliser [10].

L'État et la justice doivent être considérés comme étant des supplétifs possibles aux comportements violents sanctionnés par une peine. La peine peut être tenue pour une forme de violence produite dans l'intention d'annuler toutes autres violences qui, n'émanant pas de l'État, passent pour illégitimes. René Girard [11] a montré comment les sociétés, de l'Antiquité à

---

9. DAREAU (François), *Traité des injures dans l'ordre judiciaire, ouvrage qui renferme particuliè-rement la jurisprudence du Petit-Criminel*, Paris, Prault père, 1775.

10. GAUVARD (Claude), *Violence et ordre public au Moyen Âge*, Paris, Picard « Les Médiévistes français », 2005.

11. GIRARD (René), *La violence et le sacré*, Paris, Hachette « Pluriel », 1995, p. 24.

nos jours, ont tenté de maîtriser les violences individuelles, afin de les rendre compatibles avec la conception de l'ordre social, en faisant autorité dans chacune des sociétés considérées, sans pourtant parvenir à les faire disparaître.

Les déclinaisons possibles de la violence

> « La violence n'est pas une mais multiple. Mouvante, souvent insaisissable, toujours changeante, elle désigne – suivant les lieux, les époques, les circonstances, voire les milieux – des réalités très différentes. (…) Vouloir l'enfermer dans une définition fixe, simple, c'est s'exposer à la réduire et à mal comprendre l'évolution de sa spécificité historique. [12] »

La violence présente un caractère malléable, non préhensible et échappe à toute tentative de conceptualisation stricte, forcément réductrice. « La violence est un concept spéculaire, au sens de *speculum* le miroir, c'est-à-dire qu'elle est le reflet de notre identité morale, de ce que nous jugeons inacceptable au titre de violence [13] ». Philosophes, historiens, sociologues, psychiatres, entre autres, ont tenté d'apporter à ce macro-concept une définition soit en s'inclinant devant sa polysémie, soit en la réduisant à certains aspects singuliers. Pour éviter ce genre d'écueils, Johan Galtung a inventé le concept de « violence structurelle » qu'il applique aux violences politiques, mais qui peut être étendue à la violence de façon plus générale, dans la mesure où il permet d'éviter l'un des travers traditionnels dans lequel versent parfois les sciences humaines, à savoir d'analyser la violence uniquement dans ses formes visibles et directes [14]. Pour Johan Galtung, il importe d'envisager la violence dans ses formes visibles et invisibles.

---

12. CHESNAIS (Jean-Claude), *Histoire de la violence en Occident de 1800 à nos jours, op. cit.*
13. HUNYADI (Mark), *Violences d'aujourd'hui, violence de toujours.* XXXVIIes Rencontres internationales de Genève, 1999 ; textes des conférences et des débats, GIRARD (René), DE BAECQUE (Antoine), WIEVIORKA (Michel), GLUZMAN (Semyon), RICŒUR (Paul), Lausanne ; [Paris] : L'Âge d'homme, 2000, p. 219.
14. GALTUNG (Johan), *Des mondes pour la paix*, Caen, Le Mémorial pour la paix, 2003.

Nous posons comme postulat que la violence n'est jamais gratuite. Il y a toujours, à la source d'une violence, une idée, rationnelle ou non, qui joue le rôle de déclencheur, comparable à l'étincelle à l'origine d'un incendie.

> « Sans doute l'homme se différencie de l'animal par les qualités de son esprit, par son intelligence créatrice, par son jugement, son appréciation morale, par sa vie intérieure, par la réflexion sur soi-même qui lui permet, par la grâce, d'appréhender le divin, mais n'oublions pas que l'animal, lui aussi, possède une activité psychique déterminée et que dans l'homme le plus achevé aussi bien que chez l'animal le plus humble, semble-t-il, nous retrouvons à la source de leur activité, ou si l'on veut employer un terme plus moderne de leur comportement, des instincts. N'hésitons donc pas à nous pencher d'abord sur le monde animal si nous voulons essayer de comprendre les éléments qui sont à l'origine de nos conduites individuelles, familiales et sociales. [15] »

On retrouve ici les idées de Konrad Lorenz sur les parallèles qu'il est possible d'établir entre la vie animale et les comportements humains. Il y a dans l'instinct une forme d'intelligence pratique qui stimule les êtres à adopter un comportement plus qu'un autre en situation de crise ou de menace. Cette mémoire instinctive, réponse aux stimuli externes, induit un travail de perception et de décodage producteur du comportement. La violence gratuite n'existe pas au sens strict en ce qu'elle est toujours motivée. Cela revient à considérer au-delà des simples formes de cette dernière, les mécanismes qui poussent à la violence.

La violence est un système complexe qui se fonde donc sur l'intention, consciente ou non, sur le désir et sur la volonté d'agir. Cette mécanique ternaire ne réduit en rien l'ampleur prise par la violence telle qu'elle se laisse saisir. Aux sources des violences, les mots, qui contribuent très

---

15. *Amour et violence*, collectif, Paris, Desclée de Brouwer, « Études carmélitaines », 1946, p. 11.

fortement à leur exacerbation et à leur application sur soi-même, sur autrui ou sur la société en tant que telle.

La violence verbale est la forme de violence la plus commune. Dans son récent ouvrage, Hervé Vautrelle[16], reprenant Chesnais, exclut de sa tentative de définition de la violence les mots qui, pour lui, n'exercent pas de violences physiques et ne sont donc pas de véritables violences. Nous ne sommes pas d'accord avec cette exclusion des mots qui, dans la plupart des cas, précèdent, attisent et justifient les maux. Il peut arriver fréquemment qu'un conflit réalisé verbalement puisse se solder par la mort. Des mots violents peuvent effectivement engendrer des crises cardiaques, des dépressions et d'autres désordres physiologiques qu'il ne faut nullement sous-estimer. La violence verbale, que l'on retiendra, préfigure le plus souvent la violence physique qu'elle conditionne. Un comportement violent sera d'autant plus vivace, que l'association des mots et des idées interprétées par celui ou celle qui les entend réactive un trauma ou en instaure un nouveau. Lorsque Sartre évoquait dans *Huis clos* sa célèbre désignation de l'enfer, à savoir les « autres », il renvoyait déjà à cette idée que la violence telle qu'elle s'exerce est toujours le fruit d'une interaction avec autrui, une forme de réponse qui n'a pas trouvé d'autre exutoire. La violence n'est pas l'objet d'un défaut d'humanité ou la faillite des sociétés, elle est au contraire, comme le pensait Engels, « l'accoucheuse de l'histoire ».

Qu'elle soit verbale ou physique, la violence joue un rôle social inéluctable, comme l'a souligné Simmel[17]. C'est parce qu'il y a une certaine familiarité dans sa proximité que la violence parvient à s'imposer chez bon nombre de personnes.

La violence verbale peut s'exprimer à différents niveaux et, notamment, servir la violence étatique par le biais de la propagande qui la relaie. Il n'est pas utile de passer en détail tous les usages qui ont pu être

---

16. VAUTRELLE (Hervé), *Qu'est-ce que la violence ?*, Paris, Vrin, « Chemins philosophiques », 2009.

17. SIMMEL (Georg), *Le conflit*, Dijon, Circé, « Poche », 2003.

faits de la violence du discours, entre autres dans les machines totalitaires et fascistes, étudiés par Hannah Arendt[18]. Elle peut déboucher sur des violences physiques extrêmes qui s'échelonnent de la vexation la plus élémentaire au harcèlement moral, à l'emprisonnement, voire au meurtre politique. Néanmoins, il faut garder à l'esprit que cette pratique méthodique d'une violence politique n'est pas une invention de nos sociétés contemporaines. La violence est indissociable de toutes organisations politiques, y compris dans les régimes démocratiques, les exemples étant innombrables. Aussi les pratiques curiales à Byzance, qui fut souvent le théâtre d'intrigues et de complots, sont-elles intéressantes à cet égard. Aucune loi de succession n'ayant jamais été clairement établie, il n'était pas assuré que le successeur légitime au trône puisse y accéder automatiquement. Le choix était confié à la volonté divine, quels que fussent les moyens et les fins employés pour asseoir sur le trône le nouvel empereur. Mais tous les moyens étaient bons pour forcer le destin, l'exil pour les plus chanceux, le meurtre pour les autres. Sur les quatre-vingt-huit empereurs ayant régné, entre l'avènement de Constantin Ier en 324 et la chute de l'Empire byzantin en 1453, vingt-neuf moururent de mort violente (poignardés, décapités, aveuglés, etc.) suite à un complot et treize prirent le chemin de l'exil dans un monastère.

Violence sociale, politique, religieuse, morale

S'il est impossible de circonscrire définitivement la violence, l'étude du *Décalogue* s'avère particulièrement utile pour établir un début de typologie des violences.

En effet, chacun des commandements proscrit une manifestation de la violence qu'il est possible de regrouper en quatre grands types :

---

18. ARENDT (Hannah), *Du mensonge à la violence*, Paris, Pocket, 1989. Du même auteur, voir aussi *Condition de l'homme moderne*, Paris, Pocket, 1992 et *Les origines du totalitarisme*, Paris, Seuil, 2005.

- Violence spirituelle : les trois premiers commandements interdisent le polythéisme, le culte des images et, de façon générale, l'idolâtrie. L'imposition de ces commandements rend perceptible le souci d'unité.
- Violence physique : proscription du meurtre (VIᵉ commandement), mais aussi des violences que nous pouvons nous infliger nous-mêmes (IVᵉ commandement). Le jour du repos, au-delà de l'hommage rendu au repos du créateur, a pour but d'imposer aux corps un rythme nécessaire à l'apaisement. Les corps malmenés et surmenés sont des corps désordonnés et, donc, potentiellement sources de violence.
- Violences symbolique et morale : dans les Vᵉ, VIIᵉ et IXᵉ commandements figurent les injonctions nécessaires au maintien du bon fonctionnement des familles, à savoir le respect de ses parents et des conjoints, ainsi que le maintien de la société par le refus du mensonge destructeur des formes élémentaires de sociabilité.
- Violence sur les biens : les VIIIᵉ et Xᵉ commandements interdisent le vol et la convoitise des biens de son prochain.

« Nous savons qu'on n'interdit jamais que ce que vers quoi les hommes sont fortement portés. On est bien contraint de supposer, derrière l'interdit du meurtre, une violente tentation dans l'histoire des hommes, de tuer l'autre [19] ». Les Dix commandements formalisent les principales manifestations des violences qui, par la suite, seront objet de débats et de réflexions chez tous les penseurs qui s'y sont intéressés. Violence naturelle, violence culturelle, violence fondatrice, toutes peuvent s'abolir dans le moule du *Décalogue*, lequel met en garde les hommes contre leur nature (pulsions sexuelles, désir de puissance, reproductions) et leur culture (appât du gain, désir de posséder toujours plus, et plus que son voisin, qui relèvent à proprement parler du culturel, etc.). Le *Décalogue* témoigne d'une description visionnaire et pessimiste de l'humanité, mais, à l'heure de la société de consommation, qui n'est qu'une forme exacerbée des sociétés de

---

19. ADERT (Laurent), *Violences d'aujourd'hui, violence de toujours.* XXXVIIᵉˢ Rencontres internationales de Genève, 1999 ; textes des conférences et des débats, GIRARD (René), DE BAECQUE (Antoine), WIEVIORKA (Michel), GLUZMAN (Semyon), RICŒUR (Paul), Lausanne-Paris, L'Âge d'Homme, 2000.

consommation plus anciennes[20], on ne peut que constater cette immua-
bilité[21]. Les violences sociales actuelles ont des origines et des réalités
multiples, mais la plupart d'entre elles rendent compte d'un désordre initial,
qu'il soit familial ou mental, qui justifie en partie les comportements et
autres débordements violents.

Le Xe commandement, « Tu ne convoiteras point la maison de ton
prochain ; tu ne convoiteras point la femme de ton prochain, ni son
serviteur, ni sa servante, ni son bœuf, ni son âne, ni aucune chose qui
appartienne à ton prochain », est particulièrement représentatif, à notre
avis, de la frustration de notre société. Selon Bergson, l'« origine de la
guerre est la propriété, individuelle ou collective, et comme l'humanité est
prédestinée à la propriété par sa structure, la guerre est naturelle.
L'instinct guerrier est si fort qu'il est le premier à apparaître quand on
gratte la civilisation pour retrouver la nature[22] ». La pensée bergsonienne
rejoint ainsi celle de Girard qui se fonde sur l'imitation du désir d'autrui.
Dès que nous voyons une personne désirer quelque chose, nous nous
sentons irrémédiablement poussés, nous aussi, à le désirer et à vouloir le
posséder. La violence humaine serait alors une violence fondée sur le désir
de convoitise. Les violences essentielles mises à jour dans le *Décalogue*

---

20. La consommation à outrance telle que nous pouvons la connaître n'est pas une nouveauté.
Ce que nous appelons aujourd'hui « consommation », fut longtemps dénommé « cupidité ». La
cupidité n'est pas autre chose que l'amour exagéré de la possession. La plupart des grandes
conquêtes n'ont pas eu d'autres finalités que celles d'assouvir des désirs de gloire et de puissance.
L'exemple de la conquête du Nouveau Monde par les Espagnols est à ce titre éclairant. Très rapidement, aux aspirations d'explorer le monde et d'en percer ses mystères, succéda l'envie de
posséder l'or des Amériques. Le pouvoir qu'il conférait supplanta les motivations premières des
conquistadors. L'accroissement de la masse monétaire liée à l'arrivée des métaux d'Amérique
entraîna en Europe une hausse de la consommation et la spécialisation d'espaces tournés vers le
commerce avec le Nouveau Monde. Voir MORINEAU (Michel), *Incroyables gazettes et fabuleux
métaux. Les retours des trésors américains d'après les gazettes hollandaises, XVI*-*XVIII*e *siècles*,
Londres-New York-Sydney, Cambridge University Press-Maison des Sciences de l'Homme,
Paris, 1985 (22e éd.).
21. DAHAN (Gilbert), « Histoire de l'exégèse chrétienne au Moyen Âge », *Annuaire de l'École
pratique des hautes études (EPHE), Section des sciences religieuses*, 115 (2008), pp. 255-261.
22. BERGSON (Henri), Les deux sources de la morale et de la religion, *chapitre IV*, Paris, PUF,
« Quadrige Grands textes » *Œuvres*, p. 1217.

Une impossible définition de la violence ?

trouvent également un prolongement dans l'énoncé des péchés capitaux qui renvoient à l'idée de convoitise. L'acédie (ou paresse spirituelle), l'orgueil, la gourmandise, la luxure, l'avarice, la colère et l'envie, dans la pensée thomiste, sont les vices essentiels desquels découlent tous les autres. La plupart des violences procèdent de l'un de ces vices tels que saint Thomas d'Aquin les présente. On trouve chez Edgar Morin l'idée selon laquelle l'« homo sapiens est beaucoup plus porté à l'excès que ses prédécesseurs et son règne correspond à un débordement de l'onirisme, de l'éros, de l'affectivité, de la violence[23] ». Nous rejoignons ici les analyses freudiennes de la violence[24].

Aujourd'hui, les formes modernes de la violence à grande échelle sont à rechercher du côté des fondamentalismes religieux. Le spirituel, les croyances, bref les pratiques religieuses ont toujours été objet de discorde entre les hommes et l'Histoire fournit de nombreux exemples de telles violences. Il ne faut pas perdre de vue que tout conflit spirituel est avant tout une guerre des idées[25]. Ces affrontements religieux violents nous invitent à nous interroger sur la tolérance. Les conflits d'ordre spirituel trahissent la difficulté que les hommes ont à tolérer et à accepter ce qui ne relève pas de leurs propres convictions. Si c'est la raison qui distingue l'humanité de l'animalité, nous sommes alors en droit de nous demander quels usages sont faits du logos par les hommes en cas de conflits religieux. Selon Erich Fromm, la cruauté et la passion n'appartiennent qu'aux Hommes seuls, c'est ce qui fonde la supériorité de l'espèce

---

23. MORIN (Edgar), *Le paradigme perdu : la nature humaine*, Paris, Seuil, 1991, p. 124.

24. FREUD (Sigmund), *Abrégé de psychanalyse*, Paris, PUF, 1970 : « Le but de l'autre instinct (thanatos) est de briser tous les rapports donc de détruire toute chose. Il nous est permis de penser de l'instinct de destruction que son but final est de ramener ce qui vit à l'état inorganique, et c'est pourquoi nous l'appelons instinct de mort », p. 7.

25. MORIN (Edgar), *La Méthode*, Paris, Seuil, 1981 : « De même que les dieux, les idées se livrent bataille à travers les hommes, et les idées les plus virulentes ont des aptitudes exterminatrices qui dépassent celles des dieux les plus cruels… Les faits sont têtus disait Lénine. Les idées sont encore plus têtues et les faits se brisent sur elles plus souvent qu'elles ne se brisent sur eux », p. 121.

humaine sur les animaux[26]. Il nous semble très clairement que le fanatisme religieux, sous couvert de violence sacrée, de lutte contre l'infidèle, exercée pour la gloire divine, s'avère être l'une des plus hypocrites explications avancées par les fanatiques tous azimuts, afin de justifier leurs actes. Mais personne n'est dupe. La violence religieuse est avant tout une violence d'intérêts et, derrière tous conflits de cet ordre, préexistent des causes et des justifications moins avouables. Il faut être très prudent sur un tel sujet et éviter de faire du religieux l'origine des violences, alors qu'il n'est que trop souvent un simple prête-nom. Les impératives distinctions à faire dans l'analyse de tout conflit religieux relèvent aussi bien de l'histoire que de la sociologie, du droit, de la géographie, lesquels sont autant de causes que de conséquences à ces luttes spirituelles.

Enfin, pour tenter de compléter la notion de violence, il reste à évoquer deux grandes thèses philosophiques sur l'origine de la violence, qui s'affrontent. Pour la première, étayée par Machiavel, Hobbes[27] ou Hegel, la violence est intrinsèquement liée aux Hommes. Pour la seconde, portée par Rousseau et Proudhon, la violence ne serait pas inhérente à l'Homme, mais directement liée à la vie sociale et à ses contraintes. C'est la société dans sa globalité qui conditionnerait les comportements, les affects et les relations interpersonnelles. C'est la seconde thèse qui nous semble la plus adaptée en regard des violences telles que nos sociétés actuelles les produisent. En effet, l'environnement, les difficultés matérielles, le nécessaire « vivre-ensemble » conditionnent fortement les comportements et les liens interpersonnels. La complexité est à rechercher dans ce rapport aux autres et à l'environnement, qui déterminent les comportements sociaux.

---

26. FROMM (Erich), *The Anatomy of Human Destructiveness*, Londres, Jonathan Cape, 1973.

27. HOBBES (Thomas) et AUBREY (John), *De Cive ou les Fondements de la politique*, Paris, Sirey, « Publications de la Sorbonne. Série Documents ; 32 Philosophie politique », 1981 : « De la sorte, nous pouvons trouver dans la nature humaine trois causes principales de querelles : premièrement, la rivalité ; deuxièmement, la méfiance ; troisièmement, la fierté… Dans le premier cas ils usent de violence pour se rendre maîtres de la personne d'autres hommes, de leurs femmes, de leurs enfants, de leurs biens », p. 122.

Envisager les violences, c'est aussi considérer les victimes. Dans tout acte de violence, il y a nécessairement quelqu'un ou quelque chose qui subit une contrainte plus ou moins forte. La victime a toujours joué et occupé une place primordiale dans la plupart des sociétés, parce qu'elle est à la fois objet et source de violence. Si Hélène fut victime de l'enlèvement de Pâris, elle n'en fut pas moins la cause de la guerre de Troie. La victime a plusieurs visages, au moins aussi nombreux que ceux de la violence. Elle est en effet objet de justice, de morale, de socialité et de sociabilité. C'est son rapport à la société qui nous permet d'apprécier au plus près les liens que la violence entretient avec les hommes. Pour René Girard, la victime idéale, celle qu'il désigne sous le nom du « bouc-émissaire », catalyse le mécontentement et la vindicte de tout un groupe qui, dans le sacrifice cathartique, permet de rétablir, pour un temps au moins, le *statu quo* essentiel à la vie en communauté. À chaque type de violence, sa victime. L'existence de la victime sous-tend en amont la nécessité de pouvoir assurer la défense de cette dernière. L'usage de la violence peut alors se justifier par l'impératif besoin de protection, tout en supposant qu'il y a forcément des individus plus forts qui se doivent d'assurer le secours aux plus faibles. En la matière, les femmes occupent une place de première importance, proclamées depuis très longtemps (et encore aujourd'hui), victimes par excellence.

La violence mise en question par les sciences sociales

Les sociologues établissent une sociologie pratique de la violence qui s'occupe principalement de comprendre, du point de vue des stratégies sociales, comment une situation de violence peut exister à un moment donné et quelles sont les formes que cette dernière peut incarner. Il s'agit de mettre en évidence de quelles manières des effets de structures autorisent et rendent possible le coup de force, la violence symbolique, ainsi que le conditionnement psychologique. Chaque acteur est considéré comme l'élément d'un système, dont il faut démanteler le fonctionnement, l'individu étant observé dans un réseau d'échanges, et non en tant qu'individualité. L'explication de la violence est indissociable de la notion d'altérité. La violence est possible, parce que le rapport à l'autre dans l'acte violent permet le transfert d'une souffrance personnelle sur l'autre, qui catalyse alors le mal-être exorcisé. Georges Gusdorf, dans son livre, *La Vertu de force*, souligne que :

« la violence est une impatience dans le rapport avec autrui, qui désespère d'avoir raison par raison et choisit le moyen court pour forcer l'adhésion. Si l'ordre humain est l'ordre de la parole échangée, de l'entente par la communication, il est clair que le violent désespère de l'humain, et rompt le pacte de cette entente entre les personnes où le respect de chacun se fonde sur la reconnaissance d'un même arbitrage en esprit et en valeur. La raison du plus fort nie l'existence d'autrui en prétendant l'asservir : la conscience faible doit devenir conscience serve, et le corps le moins fort doit être soumis à celui qui le domine. Convaincre par légitime persuasion, c'est respecter une liberté fraternelle, contribuer à l'édification de l'autre, se soumettre au droit jugement de l'interlocuteur dans le moment où on lui demande d'accepter une opinion, une préférence qu'il n'avait pas entrevue. Un déséquilibre s'est introduit avec la violence, une sorte de désespoir, qui veut, en l'absence d'une communauté de dénomination, nier l'espace à deux ou à plusieurs, pour faire prévaloir une structure moniste. L'intelligibilité librement débattue de l'entretien se resserre, les positions se durcissent ; seule demeure possible l'alternative de l'un ou l'autre. L'échec du dialogue introduit à un nouveau domaine, où l'intensivité affective se substitue à la bonne volonté partagée. La colère, la haine, la vengeance, la brutalité se déchaînent selon les rythmes d'une causalité par explosion où rode la menace de mort corporelle et spirituelle.

La violence se situe à l'opposé de la force, car l'énergie qu'elle met en œuvre n'est que l'énergie du désespoir. Le violent se laisse emporter dans une sorte de fuite en avant, aveuglé sur l'autre et sur lui-même. Il enlève à l'autre son droit à la disposition de lui-même, et le traite en mineur. Mouvement naturel peut-être, s'il est vrai, comme le prétend Hegel, que chaque conscience veut la mort de l'autre ; mais cet instinct de mort une fois déchaîné se retourne contre celui-là même qui s'y abandonne. Toute violence, par-delà le meurtre du prochain, poursuit son propre suicide. Elle est en effet destruction de soi ; les Anciens savaient déjà que la colère est une courte folie. La violence suppose un échappement au contrôle : l'explosion émotive se libère en déchaînements paroxystiques, cris et gesticulations, qui attestent l'échec de toutes les disciplines personnelles. Le violent, incapable de se contenir, recherche dans sa propre frénésie, une sorte d'apaisement magique, comme si en augmentant le volume et l'intensité de sa voix, en enflant les muscles, il retrouvait cette majorité qu'il sent, devant l'obstacle, confusément perdue. La décharge affective et musculaire peut au surplus procurer le retour au calme, et d'ailleurs le regret de l'excès commis, la honte pour s'être conduit comme un enfant. [28] »

Pour Gusdorf, l'expression de la violence figure comme un échec du dialogue, une démonstration de force et un asservissement de l'autre par la contrainte. Cet asservissement se fait par les gestes, mais aussi par les mots. La philosophie, qui se pose comme refus de la violence, tente de la conceptualiser en tant que démesure. Héraclite d'Éphèse, à la fin du IVe siècle avant J.-C., conçoit l'Être comme traversé et animé par le feu du conflit (*polemos*). On retrouve une telle idée dans la *Phénoménologie de l'Esprit* de Hegel [29], puis dans le marxisme, d'une violence au cœur de l'Être. L'« Être » philosophique ou sociologique n'induit pas de singularisation sexuée. Il a une portée globalisante.

D'un point de vue sociologique, les violences féminines permettent d'appréhender les différentes représentations de la femme et des rôles dans lesquels la société les attend. La violence joue un rôle social et contribue à dynamiser l'espace public dans la réciprocité des sexes. Envisager les violences féminines induit de considérer aussi les hommes, non plus forcément dans une logique de dominant/dominé, mais dans le cadre d'une analyse des violences exercées dans la réciprocité. Il ne faut pas individualiser la violence. Les récents travaux de Pierrette Verlaan [30] commencent à mettre en lumière la part jouée par des adolescentes et des

---

28. GUSDORF (Georges), *La Vertu de force*, Paris, PUF, 1957, pp. 80-83.

29. HEGEL (Georg Wilhelm Friedrich), *Phénoménologie de l'Esprit*, Paris, PUF, « Revue de Métaphysique et de Morale », 2007.

30. VERLAAN (Pierrette), DÉRY (Michèle) (dir.), (Farzaneh) PAHLAVAN, (Thérèse) BESNARD, *Les conduites antisociales des filles. Comprendre pour mieux agir*, Québec, PU Québec, « Travail social », 2006.

jeunes femmes dans les comportements antisociaux. Si elle demeure prudente en soulignant la proportion moindre des filles dans ce type de comportements, elle insiste néanmoins sur leur existence.

La violence moderne de ces filles qui s'organisent en bande serait propre à nos sociétés contemporaines. S'il y a, dans la constitution de ces groupes d'adolescentes, une reconfiguration des forces, il n'y a pas cependant la découverte de l'exercice de la violence. L'Histoire abonde d'exemples de femmes qui unissent leurs énergies dans un but violent. L'épisode de la Révolution française est riche d'actions féminines violentes. Comment les historiens abordent-ils donc la question ?

Panorama historiographique et scientifique de la question des violences féminines

Les travaux historiens sur les femmes remontent seulement à quelques décennies. Récemment, un intense travail de redécouverte des itinéraires féminins, dans tous les domaines et à tous les moments de notre histoire, a permis de restituer aux femmes la place qui leur a fait pendant si longtemps défaut. Venu des États-Unis, le courant historiographique des Gender Studies privilégie non plus une histoire dissociée des sexes, mais plutôt une histoire fondée sur l'interaction du masculin et du féminin. Pendant longtemps, sous l'égide d'historiennes américaines[31], le Gender a surtout cherché à caractériser les rapports hommes-femmes sous l'angle de la domination, alimentée par une violence exercée sur les femmes. L'Histoire serait le fruit d'une aliénation des femmes, dans laquelle le féminin aurait été totalement subordonné au masculin. Si aujourd'hui les champs d'analyses se sont élargis – et nous sommes revenus de cette idée –, la logique du dominant-dominé se maintient, parfois, dans la façon d'appréhender les rapports hommes-femmes.

---

31. VAN DIJK (Susan) *et alii*, *Writing the History of Women's Writing. Toward an International Approach*, Amsterdam, Royal Netherlands Academy of Arts and Sciences, 2001.

Une impossible définition de la violence ?

L'Histoire a une position ambiguë vis-à-vis des femmes violentes. Les travaux sur ce sujet ont donné lieu, surtout au XIXᵉ siècle, à la production d'une importante réflexion clinique de l'hystérie. En revanche, le XXᵉ siècle s'est beaucoup plus focalisé sur les violences exercées sur les femmes. Entre ces deux époques, on édulcore presque la possible violence comme option comportementale féminine. La femme serait violente par pathologie ou serait victime. Ces orientations historiographiques caricaturales négligent un aspect important du sujet : la construction de la féminité dans le tissu sociétal figure comme un des piliers essentiels de la réflexion sur la violence féminine. En effet, la réalité du quotidien forge les caractères, conditionne les comportements, infléchit les rapports à autrui. De ce point de vue, pour tenter d'appréhender au plus près la relation femme/violence et pour combler ce qui manque encore cruellement aux études historiennes sur cette question, il est évident qu'il faut considérer les différents apports des sciences sociales.

Il est également nécessaire de prendre en considération les acquis d'autres traditions historiographiques[32]. L'historienne Joan Scott définit la *gender history* comme un élément constitutif des rapports sociaux fondés sur les différences perçues entre les sexes, ainsi qu'une façon de signifier les rapports de pouvoir et d'inégalité. Le genre a permis de se dégager de l'aspect biologique du hiatus entre histoire des femmes et histoire des hommes, saisies alors de façon totalement indépendante, et il est devenu un outil pour les articuler[33]. Par ailleurs, le genre a favorisé une remise en cause de l'idée naturaliste du sexe, c'est-à-dire qu'il a permis d'éviter l'identification immédiate entre sexe et sexualité. Au fond,

---

32. THEBAUD (Françoise), *Écrire l'histoire des femmes et du genre*, Fontenay-aux-Roses, ENS éditions, 1998, p. 114. Elle définit le « genre » comme étant « en quelque sorte le sexe social ou la différence des sexes construite socialement, ensemble dynamique de pratiques et de représentations, avec des activités et des rôles assignés, des attributs psychologiques, un système de croyance ». Voir l'article de (Michèle) RIOT-SARCEY, « L'historiographie française et le concept de genre », *Revue d'histoire moderne et contemporaine*, 4 (2000), pp. 805-814.

33. MARUANI (Margaret) (dir.), *Femmes, genre et sociétés. L'état des savoirs*, Paris, La Découverte, 2005.

le genre a autorisé une histoire de la réciprocité des sexes, en faisant reposer sa démarche sur une réflexion entre les liens qui unissent les hommes et les femmes[34].

Cependant, les violences féminines n'ont été que timidement abordées par les historiens et les historiennes du genre. La bibliographie consacrée à la question, pour l'Ancien Régime sur lequel je travaille, est mince, alors que les travaux sur les violences dont les femmes sont victimes s'enrichissent toujours[35]. La pratique de la violence est pourtant loin d'être le seul apanage des hommes.

À cet égard, l'examen des préjugés et, plus généralement des représentations, apporte un éclairage supplémentaire fort utile pour comprendre la violence, en particulier féminine. L'image de la femme violente abonde dans la littérature de colportage qui la met volontiers en scène sous les traits des mères *genitrix*, des épouses infidèles, meurtrières, voire dévoreuses. Cette violence romancée a une valeur quasi expiatoire. Par le biais de la caricature et de la monstruosité, ce type de littérature tend à évacuer une réalité dérangeante, parce qu'elle est opposée aux représentations culturelles qui réduisent la femme à ses fonctions maternelles et, souvent, à une prétendue douceur.

De ce point de vue, la violence féminine reste une transgression sociale par excellence, car elle rompt non seulement avec les règles du jeu social, mais aussi avec l'image que la société se fait de la femme. Porteuse de vie, rien ne devrait la destiner à se perdre dans des attitudes agressives et des

---

34. Voir *Historiens & Géographes*, dossier « Histoire des femmes », extraits des numéros 392, 393, 395. Ce numéro spécial dédié à l'histoire des femmes brosse un très riche panorama historiographique de la question des femmes et du genre.

35. D'CRUZ (Shani), *Violence, Vulnerability and Embodiment : Gender and History*, Londres, Blackwell, 2005. Voir aussi LASPARD (Maryse), *Les violences contre les femmes*, Paris, La Découverte « Repères : sociologie », 2005 et *Progrès et violence au XVIII⁰ siècle*, actes du séminaire Est-Ouest tenu en 1997, éd. par COSSY (Valérie) et DEIDRE (Dawson), Paris ; H. Champion « Études internationales sur le dix-huitième siècle », 2001 ; (Danièle) HAASE-DUBOSC, *Femmes et pouvoirs sous l'Ancien Régime*, Marseille, Rivages, 1991 ; VISSIÈRE (Isabelle), *Procès de femmes au temps des philosophes ou la violence masculine au XVIII⁰ siècle*, Paris, éditions des Femmes, 1985.

Une impossible définition de la violence ?

comportements destructeurs. Dès lors, comment appréhender un phénomène renvoyé au ponctuel ?

La microhistoire sociale, développée par Giovanni Levi[36], fournit à l'historien des outils conceptuels et méthodologiques susceptibles de restituer la cohérence de l'apparent univers restreint des violences féminines en faisant varier les angles de vue. Conjuguée à la microhistoire culturelle, principalement impulsée par Carlo Ginzburg[37] et Carlo Poni[38], autour du « paradigme de l'indice », la microhistoire jouant volontiers des jeux d'échelles propose d'établir une lecture de la société par l'étude de cas isolés. Si la démarche des microhistoriens ne fait pas l'unanimité, elle a cependant le mérite d'attirer l'attention sur le singulier, afin de démontrer qu'il ne l'est pas. La démarche microhistorienne rejoint ici la démarche sociologique qui, avec ses outils propres et communs, propose une lecture de la société en caractérisant un groupe constitutif de cette même société. La transdisciplinarité à la fois méthodologique et scientifique s'avère ainsi un impératif.

L'historiographie relative aux violences féminines est assez significative du malaise ambigu que suscite l'historicisation d'un tabou qui traverse la société dans sa totalité. Les rares travaux consacrés à la question traduisent la difficulté qu'impose l'appréhension d'un objet polémique et, paradoxalement, dont on parle peu ou avec difficulté.

En effet, l'objet « femme violente » est très (trop) souvent supplanté par l'objet « femme violentée », instituant par là même une mise à l'écart du problème. L'histoire des femmes, très longtemps influencée par les mouvements féministes américains, a surtout associé féminité et domination comme une évidence péremptoire, niant toute latitude aux

---

36. LEVI (Giovanni), *Le pouvoir au village. Histoire d'un exorciste dans le Piémont du XVIIᵉ siècle*, Paris, Gallimard, 1989 (1ʳᵉ éd. 1985).

37. GINZBURG (Carlo), *Le fromage et les vers. L'univers d'un meunier du XVIᵉ siècle*, Paris, Aubier, 1980 (1ʳᵉ éd. 1976).

38. GINZBURG (Carlo), PONI (Carlo), « Le nom et la manière : marché historiographique et échange inégal », *Le Débat*, 17 (1981), pp. 133-136.

femmes à parler d'elles-mêmes autrement que comme des victimes de l'autre sexe. L'ouvrage courageux et avant-gardiste d'Arlette Farge et de Cécile Dauphin, intitulé *De la violence et des femmes*, souligne, dans l'introduction, que :

> « penser la violence des femmes semble assez impensable dans une société qui véhicule l'idée d'une femme passive et meurtrie, victime de la violence des hommes, incompatible dans sa génération. L'idée que la femme puisse être porteuse de violence n'est pas une évidence pure. Or les femmes sont violentes. Certains pourraient penser que des travaux sur la violence des femmes pourraient entacher la cause des femmes, ce n'est pas le cas. [39] »

Arlette Farge indique d'ailleurs que « l'objet violence et femmes est un objet complexe, difficile à manier [40] ». Cet essai, fruit d'une collaboration entre plusieurs historiennes, propose d'envisager les violences exercées *par* les femmes, mais traite beaucoup plus des violences exercées *sur* les femmes, ce qui montre que la violence féminine en tant que forme caractérisée et possible de la violence semble problématique. L'individualisation de la violence féminine demeure dans cet ouvrage finalement quelque peu minimisée. Chaque article prend soin de ne pas dissocier violences féminines et violences masculines, sans pour autant dégager une spécificité des violences féminines, si spécificité il y a. Seuls les articles de Pauline Schmitt-Pantel [41], pour l'Antiquité grecque, et de Dominique Godineau [42], pour la Révolution française, montrent comment la violence des femmes s'illustre et se signale. Le reste de l'ouvrage se recentre rapidement sur les violences faites aux femmes, que ce soit dans le contexte des violences de guerre ou dans celui des rapts de séduction.

---

39. DAUPHIN (Cécile), FARGE (Arlette) (dir.), *De la violence et des femmes*, Paris, Pocket, 1999, pp. 11-15.

40. *Ibid.*

41. SCHMITT-PANTEL (Pauline), « De la construction de la violence en Grèce ancienne : femmes meurtrières et hommes séducteurs », (Cécile) DAUPHIN, (Arlette) FARGE (dir.), *op. cit.*, pp. 19-32.

42. GODINEAU (Dominique), « Citoyennes, boutefeux et furies de guillotine », *op. cit.*, pp. 33-49.

Une impossible définition de la violence ?

La qualification de la violence féminine, par souci de ne pas « entacher la cause des femmes[43] », reste en définitive assez incertaine, dans la mesure où les auteurs n'affirment pas assez la capacité de la femme à être violente. On indique qu'elle peut l'être, mais uniquement dans des situations particulières, spéciales, forcées, qui font que la violence au quotidien n'est pas naturelle. Celle-ci serait donc seulement conjoncturelle, et non structurelle ?

La présence en Histoire des femmes violentes est à rechercher du côté des recherches sur les femmes criminelles. La plupart des travaux historiens consacrés à la question des violences associent violence et criminalité, la violence étant toujours en ce cas singularisée dans la marginalité criminelle[44]. Les violences politiques des femmes qui ont été étudiées par Dominique Gaudineau[45], ainsi que par Martine Lapied et Jacques Guilhaumou[46], n'échappent pas à ce phénomène de singularisation. Il n'y a pas de violence féminine globalisante, il n'y aurait qu'une violence séquentielle et ponctuelle, rationalisable, car singulière et dans des domaines spécifiques. Pourtant, la violence politique n'est pas à singulariser, mais à réinscrire au contraire dans le cadre plus général des violences féminines. Les violences politiques et les actions criminelles ne sont que des facettes d'une réalité plus complexe.

---

43. FARGE (Arlette), *op. cit.*

44. Le récent ouvrage dirigé par TSIKOUNIS (Myriam), *Éternelles coupables. Les femmes criminelles de l'Antiquité à nos jours*, Paris, Autrement, 2008, qui a le mérite de prendre de la distance vis-à-vis de ce schéma trop attendu de domination en focalisant véritablement son propos sur les femmes criminelles en tant que telles.

45. GODINEAU (Dominique), *Citoyennes tricoteuses : les femmes du peuple à Paris pendant la Révolution française*, Paris, Perrin « Femmes et Révolution », 2004.

46. LAPIED (Martine), « Les femmes entre espace public et espace privé pendant la Révolution française », *Georges Duby, regards croisés sur l'œuvre – Femmes et féodalité*, BLETON-RUGET (Annie) et RUBELLIN (Michel) (dir.), Presses universitaires de Lyon, 2000 ; Ead, « Les femmes dans les archives des comités de surveillance des Bouches-du-Rhône », avec GUILHAUMOU (Jacques), *Femmes entre ombre et lumière. Recherches sur la visibilité sociale (XVIᵉ-XXᵉ siècles)*, Paris, Publisud, 2000.

Reste à savoir de quelle manière la violence dynamise les rapports hommes-femmes et comment, en l'absence de typologie précise, il faut les appréhender. L'objet « femme violente » échappe donc encore quelque peu aux historiens, parce qu'elle est socialement et moralement antinomique d'une image marquée par la « nature » et, plus encore, par la culture.

Pendant longtemps, les femmes d'exception n'ont pas été étudiées parce qu'elles étaient femmes, mais plutôt pour le caractère exceptionnel de leurs actes ou de leur existence, virilisées d'ailleurs sous la plume des historiens, et ce jusqu'à ce qu'il n'y a pas si longtemps. Le recours à la violence est alors doublement exceptionnel. Parce que, dans une société dite « civilisée », la violence ne serait pas une alternative et, d'autre part, une violence portée par la femme ne serait rien d'autre que l'expression d'un dérèglement.

À l'heure des prétendues parité et égalité des sexes, il semble curieux de voir qu'un domaine comme celui de la violence n'est pas reconnu comme un espace d'expression de cette égalité. La question est de savoir jusqu'à quel point il convient de revendiquer l'égalitarisme, et si on le souhaite total, en admettant la reconnaissance de l'exercice de la violence, tant chez les hommes que chez les femmes. Les violences féminines, en tant qu'objet d'histoire, sont donc encore, somme toute, relativement neuves. Les sociologues et les anthropologues sont, de leur côté, plus en avance.

Françoise Couchard[47], par exemple, s'est intéressée aux infanticides, qui demeurent la manifestation la plus diabolisée et la plus condamnée de la violence féminine. Elle analyse les mécanismes susceptibles de conduire la mère au meurtre de l'enfant, lorsqu'elle ne supporte plus que ce dernier lui échappe ou ne lui ressemble pas suffisamment. La perspective psychanalytique de l'ouvrage, illustrée de nombreux cas cliniques, est également renforcée par de nombreux emprunts à l'histoire des mentalités et à l'anthropologie.

---

47. COUCHARD (Françoise), *Emprise et violence maternelles : étude d'anthropologie psychanalytique*, Paris, Dunod, « Psychismes », 2003.

Anne Besnier, quant à elle, a publié un ouvrage intitulé *La violence féminine, du vécu au transmis*[48], dans lequel elle propose une réflexion sur la question des violences féminines, en prêtant attention à leurs circonstances et à leurs motivations. Néanmoins, l'ouvrage ne sort pas de l'image de la mère terrible et abusive, réifiant de fait l'expressivité violente des femmes à des violences maternelles. En effet, son étude place la mère au « carrefour de la transmission intergénérationnelle des valeurs dont elle hérite par expérience ou dressage », et en fait « la principale pourvoyeuse de violences intrafamiliales[49] ». La violence féminine serait ainsi, selon Anne Besnier, liée à la capacité de transmettre la vie, les valeurs et la construction des limites. Elle ajoute – et nous la rejoignons en revanche sur ce point – que « l'ordre sociétal les [femmes violentes] fabrique, et leur violence est inhérente à leur rôle social[50] ».

Cette idée de rôle social comme vecteur et source des violences féminines nous a semblé particulièrement intéressante, parce qu'elle nous délivre quelque peu de ce préjugé si répandu qui associe violence féminine et maternité. Elle suggère que la place dans la société et dans la sociabilité induit des options de violence et des champs d'action autres que la seule violence infrafamiliale.

Parallèlement, c'est du côté de la psychiatrie qu'il a fallu porter l'attention, pour voir s'affirmer la question des violences féminines. En mars 2004 s'est tenu, à Val-d'Isère, un séminaire francophone de psychiatrie et de psychologie légales, sur le thème : « Femmes et Criminalités[51] ». Dans le cadre de cette thématique fut abordée la question des femmes violentes « batteuses d'hommes et d'enfants ». L'objet de cette rencontre scientifique fut de montrer qu'il existe à l'heure actuelle une

---

48. BESNIER (Anne), *La violence féminine, du vécu au transmis*, Paris, L'Harmattan, 2004.

49. BESNIER (Anne), *La violence féminine*, *op. cit.*, p. 37.

50. *Ibid.*, p. 40.

51. Séminaire du 30 mars 2004 à Val-d'Isère, animé par (Jean-Pierre) VOUCHE, directeur clinique de la LFSM, psychothérapeute dans le cadre de consultations ambulatoires pour familles en difficulté, violences conjugales en Picardie et en région parisienne. Clinicien à l'Antenne de Psychiatrie et de Psychologie légales de la Garenne-Colombes, Antenne LFSM de Beauvais.

lourde chape de non-dits sur la question des violences féminines exercées sur les hommes. Soulignons que s'il y a dans ces recherches l'introduction du problème des hommes violentés, on conserve celui des mères violentes. Méthodologiquement, la démarche analytique clinicienne est très intéressante, parce qu'elle propose une typologie des formes de violences que les femmes sont susceptibles d'exercer.

Cette proximité femme/violence/criminalité nous a également conduits à nous tourner vers le discours des criminologues qui s'intéressent de plus en plus à la question. Ainsi, Robert Cario, professeur de sciences criminelles à l'université de Pau, dans son ouvrage *Les femmes résistent au crime*[52], indique que les femmes jouissent « d'une personnalité orientée vers la sociabilité, la douceur ; celles qui deviennent criminelles présentent des défaillances psychoculturelles et sociales profondes[53] ». La criminalité, qui est une forme exacerbée de la violence, traduirait-elle une défaillance ? Objectons que le postulat d'une femme naturellement orientée vers la sociabilité et la douceur est infondé, voire discutable, parce qu'il est sévèrement enclin à des « a priori » et à des lieux communs, dont les femmes ne se départissent qu'avec difficulté. Cependant, nous rejoignons M. Cario sur l'idée d'une défaillance, quoiqu'il faille s'entendre sur la nature de cette défaillance. L'introduction de la violence dans les rapports interpersonnels traduit effectivement une défaillance ou une rupture des rapports initiaux. Les violences féminines ont très souvent l'aspect de l'acte gratuit, mais ont toujours des causes plus profondes et des motivations particulières.

Il s'agit dès lors de s'interroger sur cette question d'une violence ponctuelle ou d'une violence endémique, voire répandue. En suivant le fil du destin particulier d'un individu ou d'un petit groupe d'individus, est-il possible d'éclairer les caractéristiques du monde qui l'entoure ? Les violences féminines présentées comme ponctuelles sont-elles en fait révélatrices d'un phénomène beaucoup plus répandu ?

---

52. CARIO (Robert), *Les femmes résistent au crime*, Paris, L'Harmattan, 1997.

53. CARIO (Robert), *La criminalité féminine. Approche différentielle*, thèse de doctorat, Sciences criminelles, Pau, 1985, ex. dactylographié.

Pour tenter d'apporter des éléments de réponses à ces multiples questions, nous avons organisé ce travail en deux temps. Dans une première partie et de façon chronologique, nous nous sommes efforcés de considérer au travers d'exemples divers tirés de l'Histoire, la genèse de la femme violente. Entre anecdotes et réflexions, une violence stéréotypée des femmes s'est construite, autour d'images emblématiques sur lesquelles nous nous sommes proposé de revenir.

Dans une seconde partie, c'est davantage sur l'actualité de la question que notre propos s'est recentré. Y a-t-il, entre la mémoire des violences féminines et celles observées aujourd'hui, rupture ? Permanence ? La mémoire de la violence féminine, telle que l'Histoire nous l'a transmise, est-elle encore vivace ?

CHAPITRE 2

LA VIOLENCE DES FEMMES ET L'HISTOIRE

La question de la place et du rôle des femmes s'est posée dans toutes les sociétés, des plus anciennes aux plus modernes, des plus primitives aux plus complexes. Il n'y a pas, dans cette affirmation, d'aspect anhistorique, mais une simple évidence dissimulée. C'est une question universellement partagée par l'ensemble des peuples qui ont cherché, et cherchent encore, à définir quels sont les rôles des femmes, comme s'il était impératif d'assigner à chacun des deux sexes des devoirs et des fonctions spécifiques, nécessaires à la bonne marche de toute société. Ce désir d'attribuer un rôle, de répartir les tâches entre les sexes, est à l'origine de la longue marche inégalitaire et de la fonction subalterne dans laquelle les femmes ont été rangées. La répartition sexuée des rôles ne procède pas uniquement d'une conséquence de domination induite par l'instauration de systèmes patriarcaux, mais, au contraire, d'une logique plus complexe d'intériorisation de cette distribution sexuée des espaces propres aux deux sexes.

Il existe une genèse de cette répartition des sexes, comme l'ont montré Élisabeth Badinter ou Marija Gimbutas[54]. Il ne s'agit pas de commenter une telle distribution des rôles, mais d'en souligner les effets sur la longue durée, notamment en ce qui concerne l'exercice de la violence par les

---

54. GIMBUTAS (Marija), archéologue et anthropologue, initiatrice des travaux sur les sociétés « matristiques ». Voir GIMBUTAS (Marija), *Le langage de la déesse*, Paris, Des femmes, DL, 2005. Voir également le très intéressant ouvrage de THÉRY (Irène), *La distinction de sexe. Une nouvelle approche de l'égalité*, Paris, Odile Jacob, 2007.

femmes. La négation ou le refoulement de la capacité des femmes à utiliser la violence procède de cette individuation des attentes que la société fait peser sur ceux et celles qui la font exister, prospérer et, *a priori*, progresser. L'objet de cette partie sera de mettre en évidence l'éloignement manifeste existant entre la femme rêvée, sublimée, bref la femme telle qu'elle a été formalisée, et la femme telle qu'elle est vraiment, maîtresse de la résilience, du contournement et de l'adaptation. Très rapidement, les femmes se sont affranchies du carcan des rôles et des scénarios déterminés pour lesquels elles étaient pressenties et destinées. Cette violence qu'on leur interdit, parce qu'elle est tenue pour inadéquate avec les fonctions maternelles auxquelles, de façon ridicule, elles sont réifiées, est pourtant réelle, manifeste et visible au quotidien. C'est par le biais du travestissement, tant langagier que social, que les violences féminines sont explicitées, singularisées, voire « taxinomisées ». On immortalise la mémoire de ces hapax pour en réguler la portée, instrumentaliser l'essence et maitriser les finalités. L'Histoire est ponctuée de grands noms féminins qui, dirons-nous de façon provocatrice, ne sont que de nombreux arbres dissimulant bien mal de vastes forêts…

Les gloires de certaines sont, la plupart du temps, des gloires véritables, cependant des gloires édifiées par la société comme modèles à ne pas imiter, parce que l'exceptionnel interdit au plus grand nombre d'y souscrire. Ainsi, pour ne pas être à notre tour gagné par l'exceptionnel et par ces figures féminines marmoréennes qui se sont distinguées par des actes de bravoure et de courage ou par des gestes odieux et cruels, nous poserons également notre regard sur ces femmes du commun, celles qui n'ont *a priori* rien d'extraordinaire, englouties dans un anonymat qui les écarte sans les faire taire, les dissimule sans les faire disparaître. Et pour cause, l'exercice de la violence se joue de la naissance et des inégalités sociales, et défie les schémas et les idées qui semblent aller de soi.

Le mensonge originel : Ève, Lilith et Pandore

L'image de la féminité, de ses attributs et de ses fonctions a été, pour une large partie, forgée par les Grecs et par la tradition judéo-chrétienne. De ce point de vue, c'est plus la Culture que la Nature qui a permis d'investir les femmes de leur fameuse nature. Élisabeth Badinter, dans son ouvrage *L'Un est l'autre*[55], a montré comment la répartition des rôles entre le masculin et le féminin s'est insinuée très tôt au sein des sociétés de chasseurs-cueilleurs. La féminité codifiée est le résultat d'un syncrétisme culturel qui se fonde sur les figures emblématiques d'Ève, de Lilith et de Pandore.

C'est dans la Bible qu'il nous faut donc dans un premier temps nous arrêter, plus particulièrement dans le récit de la création de l'univers, où se trouvent exprimés les fondements et les justifications d'une prétendue « nature féminine ». On peut lire dans le texte de la *Genèse* (1, 27) : « Et Dieu créa l'homme à son image ; il le créa à l'image de Dieu ; il le créa mâle et femelle[56] ». Mise à part la distinction sexuée qui est établie avec l'arrière-plan de la perpétuation et de la filiation en devenir, il n'y a, à aucun moment, primauté de l'un des deux sexes, tous deux semblables à la perfection divine. Il y a, dans l'acte de création, équité, un sexe n'étant pas asservi à l'autre. Le premier homme façonné par Dieu n'est d'ailleurs ni masculin ni féminin. Les saintes Écritures laissent reposer ici une certaine ambigüité. Comme l'indique Vanessa Rousseau :

> « L'Adam créé à la fois homme et femme ne rencontra le passage de la virtualité à la réalité (de l'être androgyne en son principe à un couple sexuellement différencié) que par l'intermédiaire de la solitude. Dieu, constatant qu'il n'est pas bon que l'homme soit seul lui amène tous les animaux puis « anime » Ève. Cette dernière est tirée, puis façonnée à partir de la côte de l'homme primordial. La femme se présente dans le

---

55. BADINTER (Élisabeth), *L'Un est l'autre, des relations entre hommes et femmes, op. cit.*

56. Traduction de MARTIN (David), *La Sainte Bible, qui contient le Vieux et le Nouveau Testament...*, Amsterdam, 1707. SEGOND (Louis), quant à lui, traduit ce passage de la Genèse par « Dieu créa l'homme à son image, il le créa à l'image de Dieu, il créa l'homme et la femme ». Cette traduction peut créer une ambigüité. En effet, dans l'expression « Dieu créa l'homme à son image », faut-il y voir une désignation de l'ensemble du genre humain ou de l'homme seul ? S'il agit de l'homme seul, la suite de la traduction pourrait ne pas sembler logique « il le créa à l'image de Dieu, il créa l'homme et la femme ». Il faut comprendre ici que Dieu créa l'homme à son image et, de cet homme, il tira l'humanité, le masculin et le féminin.

récit comme la version destinée à occuper l'adâm mâle et son « être au monde ». Ève est à l'origine d'une double constatation : celle d'une unité originelle (elle est de même chair qu'Adam) et celle d'une césure fondamentale entraînant un face-à-face dans l'union et dans la séparation spécifique aux genres sexués. [57] »

Si la création d'Ève instaure une distinction sexuée de l'humanité, il existe désormais l'homme et la femme, qui induit l'idée d'une complémentarité et d'une réciprocité. Les débats théologiques, qui nourrissent la question de la suprématie de l'homme sur la femme en réfléchissant sur la supériorité d'un sexe sur l'autre par la primauté de la Création, l'homme ayant été créé par Dieu en premier, s'avèrent tous vains. La Création originelle relève de l'établissement premier de l'égalité des sexes derrière laquelle nous vivons encore. On trouve dans la *Genèse* (2, 4b-25), une autre présentation de la Création. C'est le fameux épisode de la création de la femme tirée d'une côte d'Adam. On perd ici la simultanéité de la Création, la femme devenant seconde dans l'œuvre créatrice de Dieu. Albert Hari rappelle que le premier récit de la Création placé au début de la Bible est en réalité postérieur à l'épisode de la côte de laquelle fut extraite Ève [58]. Néanmoins, toutes les exégèses qui suivent n'ont pas d'autres finalités que celles d'instaurer au sein du couple une autorité au profit des hommes en se fondant sur le second récit.

Le péché originel, dont Ève serait la source, constitue un temps de rupture et peut être assimilé à la première forme de violence féminine pour les chrétiens. Nous précisons « pour les chrétiens », car la symbolique de l'Ève chrétienne est différente de celle de la tradition juive qui, dans différents recueils de *Midrashim*, donne une autre origine, une autre personnalité et un autre comportement à celle qui n'est pas désignée

---

57. ROUSSEAU (Vanessa), « Ève et Lilith. Deux genres féminins de l'engendrement », *Diogène*, 208 (2004), pp. 108-113.

58. HARI (Albert), *op. cit.*, p. 25 : « Il est instructif de lire ces deux textes dans leur ordre historique : d'abord le récit de *Genèse 2* puis le poème de *Genèse 1*. On appréciera alors le progrès réalisé concernant la dignité de l'être humain, l'unité de l'humanité et la place de la femme. Elle est créée en même temps et à égalité avec l'homme, à l'image et à la ressemblance de Dieu, et investie avec lui d'une même mission. »

comme Ève, mais comme Lilith, démon féminin complexe et première compagne d'Adam. En cédant à la tentation du serpent, l'Ève chrétienne a brisé l'équilibre de la vie simple et de la plénitude du jardin d'Éden. Le pouvoir de la connaissance qu'elle s'est arrogée en croquant la pomme peut être considéré comme la violence fondatrice, celle qui a précipité l'humanité dans les turpitudes de la vie terrestre. Il est intéressant de remarquer que les théologiens n'ont nullement glosé l'épisode de la pomme, sinon pour incriminer Ève [59]. Personne ne s'est risqué à souligner que, puisqu'Ève avait mordu la première dans la pomme, elle était logiquement supérieure intellectuellement à Adam. La création première d'Adam justifie, sous la plume des théologiens, la supériorité de l'homme sur la femme, mais la réciproque en matière de connaissance est impensée. On retrouve dans la tradition augustinienne des échos à ces débats.

Dans son traité sur l'origine des âmes [60], Saint Augustin s'interroge sur celle de la femme et se demande si elle est formée à partir de celle de l'homme, puisque la femme a été créée à partir d'une côte d'Adam. Il lui semble légitime d'y réfléchir et de se poser la question de l'origine de l'âme des femmes, la prééminence d'un sexe sur l'autre suscitant une intense réflexion. La « criminalité » du geste premier constitue non seulement le premier chef d'accusation, mais aussi le postulat tout trouvé pour justifier la nécessaire surveillance dans laquelle les femmes sont confinées, et, ainsi, entériner l'autorité masculine. De cet impératif de surveillance émerge la stricte répartition des rôles au sein du couple. Il serait intéressant de compiler l'ensemble de ces commentaires sur les inégalités ou sur les différences qui scindent la perfection originelle de l'œuvre divine en deux sexes, dont l'un cherchant à affirmer sa primauté

---

59. CHIANTARETTO (Jean-François), « À propos de la première transgression », *Topiques*, pp. 111-125.

60. SAINT AUGUSTIN, « Traité de l'immortalité de l'âme », in *Œuvres complètes*, Bar-le-Duc, L. Guérin, 1864-1873, 17 vol., vol. 3, pp. 157-168. Voir aussi SAINT AUGUSTIN, *Rétractations*, livre Ier, chapitre Ier, « Contre les académiciens » : « Quant à ce qui regarde l'origine de l'âme et la manière dont elle se trouve dans le corps, vient-elle de celui qui le premier a été créé et fait âme vivante ; en est-il créé une pour chaque homme ? Je l'ignorais alors et je ne le sais point encore aujourd'hui », traduction de DE RIANCEY (Henry) (site de l'abbaye Saint-Benoît de Port-Valais : http://www.abbaye-saint-benoit.ch/saints/augustin/retractationes/index.htm#_Toc524190768).

sur l'autre. Le serpent suggéra à Ève une autre forme de liberté et de pouvoir par le biais du savoir et la tentation première n'est pas celle d'une vie libérée de tout souci, mais celle d'une soif de s'affirmer en dehors du paradis conçu par Dieu, un paradis qui apparaît à Ève comme une prison inavouée. Ève n'est donc pas aussi douce et soumise que l'on pourrait le croire. L'épisode métaphorique de la pomme met en lumière le pouvoir qui est lié à la connaissance. La mise à l'écart des femmes, pendant longtemps, de l'accès au savoir est une conséquence du geste d'Ève.

La figure de Lilith est plus complexe que celle d'Ève. Elle est aussi à l'origine de la figure et de la condition d'Ève, une version épurée et remaniée de Lilith[61].

Lilith permet de rendre intelligible la crainte que les femmes exercent sur les hommes et de comprendre ainsi pour quelles raisons sa figure est rejetée de la tradition judéo-chrétienne. Lilith fut créée en même temps qu'Adam[62]. Les sources qui évoquent sa venue au monde livrent des informations différentes, certaines indiquant qu'elle fut modelée à partir d'immondices et d'autres, au contraire, avec la même argile qui servit à donner vie à Adam. La question de la création de la femme en regard de celle de l'homme ne pose plus ici de problème, sinon celui de la différence matérielle. Il existe, selon les versions, une origine noble et une origine moins glorieuse de la création du couple originel. Dans le premier cas, on souhaite en effet distinguer la création parfaite de l'homme de celle de la femme, puisqu'il a été modelé dans l'argile, alors que la femme, quant à elle, ne le fut qu'à partir d'un tas d'immondices ; et, dans le second, c'est au contraire un souci d'égalité entre le masculin et le féminin qui s'impose, puisque tous deux auraient été formés à partir d'un même et unique matériau. C'est par le biais d'un recueil écrit entre le VIIIe et le

61. HALPERN (Catherine) et BITTON (Michèle), *Lilith, l'épouse de Satan*, Paris, Larousse, « Dieux, mythes et Héros », 2010.

62. DESCAMPS (Marc-Alain), « Lilith ou la permanence d'un mythe », *Imaginaire & Inconscient*, n° 7, 2002, pp. 77-86.

Xe siècle après J.-C., *L'alphabet de Ben Sira*[63], que l'image de Lilith se précise. On y apprend qu'elle est tirée de la même argile qu'Adam, faisant d'elle son égal. *L'alphabet de Ben Sira* insiste sur cette égalité première qui constitue la source des travers reprochés à Lilith. En effet, Lilith refuse tout acte pouvant la placer dans une position d'asservissement ou dans une situation de rupture de l'égalité première.

Ainsi elle refuse, lorsqu'elle fait l'amour avec Adam, d'être placée dans une position de soumission, l'acte sexuel devant être à ses yeux un autre espace d'égalité. Ces revendications permanentes sont la source de tensions et de conflits au sein du couple. Elle sollicite Dieu qui lui accorde des ailes grâce auxquelles elle parvient à quitter l'Éden, laissant derrière elle un Adam seul et dépité. Sensible aux suppliques d'Adam, Dieu dépêche des anges pour convaincre Lilith de revenir auprès de son époux, ce qu'elle refuse catégoriquement. Ce refus excite la vindicte divine. Aussi Dieu la condamne-t-il à voir mourir tous ses enfants les uns après les autres, dès leur naissance. Lilith fait alors la rencontre du démon Sammaël qu'elle épouse et avec lequel elle s'installe dans la Géhenne[64]. Elle devient à ce moment-là l'incarnation de la vengeance et s'apparente dans une certaine mesure aux Erinyes, la vengeance étant très souvent personnifiée sous des traits féminins.

Selon *L'Alphabet de Ben Sira*, Lilith devient le serpent qui entraîne la chute d'Ève. C'est encore elle qui pousse Caïn au fratricide. Lilith incarne donc la première version manquée de la femme, parce qu'elle refusa toute forme d'asservissement. Le maintien de cet ordre égalitaire se traduit par une translation démoniaque. La femme qui souhaite rester libre et l'alter ego de son époux est obligée de changer de condition. Ce changement, présenté comme maléfique, place Lilith du côté de l'obscur, de l'irrationnel, de l'incompréhensible. C'est ce changement de nature qui dénature, en

---

63. MOPSIK (Charles) (traducteur), *La Sagesse de ben Sira*, Rieux-en-Val, Verdier, « Les Dix paroles », 2004. Voir aussi MICHAUD (Robert), *Ben Sira et le judaïsme*, Paris, Le Cerf « Lire la Bible », 1988. Voir aussi le site de la BnF : http://catalogue.bnf.fr/servlet/biblio?idNœud= 1&ID=38862966&SN1=0&SN2=0&host=catalogue

64. Dans la littérature rabbinique, désigne l'antichambre de toutes les âmes. Dans le Nouveau Testament, désigne l'enfer.

La violence des femmes et l'Histoire

quelque sorte, l'œuvre originelle autorisant, par la suite, la surveillance étroite d'Ève qui succède à Lilith auprès d'Adam. Mais là encore, la féminité est de nouveau présentée comme incontrôlable, puisqu'Ève, à l'instar de Lilith, déroge à l'autorité divine. La tradition judéo-chrétienne est allée chercher les modèles qui lui ont permis de construire l'image de ces deux femmes. Dans l'élaboration du récit biblique, il y a une réappropriation de traditions plus anciennes qui avaient déjà tenté, à leur manière, de dénoncer le féminin comme incertain, imprévisible, voire maléfique.

Qu'il s'agisse de Lilith ou d'Ève, il existe, dans les deux cas, une réappropriation de figures féminines ambiguës et paradoxales, arrachées à des traditions anciennes, afin de justifier la vision biblique des femmes. L'image de Lilith, par exemple, aurait été élaborée par les Hébreux au moment de leur captivité à Babylone. Ces derniers s'inspirèrent d'un démon femelle sumérien, puis babylonien, connu sous le nom de Lilitû ou Ardat Lili, qu'il ne faut cependant pas confondre[65]. Ardat-lilī est une démone issue de la mythologie mésopotamienne et s'apparente à une sorte de succube, c'est-à-dire à un démon nocturne venant tourmenter ses victimes dans leur sommeil. La figure de la femme néfaste, et par extension violente, procède du système des vases culturels communiquants, ce que nous désignons par le syncrétisme. Les civilisations de la même aire géographique partagent, échangent et formalisent les croyances et autres pratiques des autres peuples avec lesquels elles sont en contact. La Lilith biblique tiendrait, d'ailleurs, de cette démone mésopotamienne, puis sumérienne et, enfin, babylonienne, quelques-unes de ses caractéristiques les plus significatives, reprises pendant longtemps, voire jusqu'à ce jour. Cet usage des attributs démoniaques de Lilith n'est pas innocent.

En effet, on transfère d'abord sur Ève, ensuite sur l'ensemble des femmes, ces attributs maléfiques qui serviront par la suite aux pères de l'Église et aux théologiens à diaboliser la femme et à justifier son contrôle tout autant que les méfiances qu'elle suscite. Lilith est présentée comme

---

65. BLACK (Jeremy), GREEN (Anthony), *Gods, Demons and Symbols of Ancient Mesopotamia*, London, British museum press for the Trustees of the British museum, 1992.

un être libidineux, dont l'appétit sexuel est insatiable. Grande séductrice, elle s'en prend aux hommes qu'elle souhaite transformer en conjoint tout en leur étant nuisible. Cette transposition des attributs diaboliques étendus de façon plus générale aux femmes, filles d'Ève mais aussi de Lilith, contribue à nourrir les craintes et les incompréhensions qu'elles suscitent. C'est parce que les femmes seraient imprévisibles et mauvaises qu'elles doivent faire objet de contrôle.

La construction des liens hommes-femmes se fonde donc sur la méfiance des sexes, laquelle instille ce qui est, dès les temps bibliques, en germe : la nature féminine. C'est l'établissement, la codification et l'imposition d'une nature normée et normative qui entraîne *ipso facto* une mise à l'écart des femmes dans certains domaines. Les hommes se sont arrogé le pouvoir divin de la Création, pour recréer la femme telle qu'ils la voudraient.

Les femmes ne seraient pas par nature violentes. Celles qui se risquent à faire usage de la violence ne seraient que des cas isolés, des femmes qui, à l'instar de Lilith, changeraient de nature. Alors, si elles ne sont pas des démones, que sont donc les femmes violentes ? La violence féminine procède de cette logique de la mauvaise femme et du paradoxe de la nature féminine forgée par les hommes pour guérir la démone. Féminité et violence seraient incompatibles par nature. Ce raccourci volontairement provocateur n'a d'autre but que d'attirer l'attention sur un tabou absolu qui demeure presque intact à l'heure actuelle.

La violence féminine soulève un malaise moral et social. Pour y remédier, on a imaginé l'idée d'une faiblesse de la femme, fondée sur une discrimination physique, puisqu'elle serait moins puissante que l'homme. Cette prétendue faiblesse a été une des bases de l'affirmation de son infériorité. De l'infériorité physique a découlé l'infériorité morale, voire mentale pendant de nombreux siècles. C'est sur ce substrat ancien que l'image et le rôle d'Ève sont ainsi venus s'agréger. Les maux des hommes ne pouvaient advenir que par le biais d'une femme, cette dernière étant naturellement encline à la faiblesse. De cette erreur première est née la culpabilité des femmes ou, du moins, la culpabilité dont les sociétés patriarcales tentèrent de les convaincre. Cette culpabilité n'est pas autre chose qu'un prolongement de cette intériorisation d'une prétendue infériorité.

Le crime d'Ève est métaphorique et révélateur. Ce fruit défendu, ce fruit de la connaissance qui aurait rendu Adam et Ève conscients de leur nudité, de leur humanité, les a surtout rendus conscients de leur égalité. Comme le souligne à juste titre Olivier Cair-Hélion, le « récit » biblique « n'a pas pour but de raconter des faits mais d'expliquer la nature humaine telle que Dieu l'a conçue, voulue ou créée [66] » Les pères de l'Église ont contribué à diaboliser la femme pour travestir cette problématique prise de conscience qu'il fallait écarter. La femme a été, dès lors, largement rendue néfaste par les discours patristiques. De cette diabolisation ont découlé tous les travers moraux et physiques dont les femmes ont été affublées.

La maternité est la seule vertu reconnue aux femmes, une vertu néanmoins fragile en regard de tous les travers dont elles sont accusées. La femme qui engendre la vie est assimilée de façon inconsciente chez les Anciens à la cosmogonie de la Création que l'on tente de comprendre et d'expliquer à grand renfort de mythes et de légendes. Cette méconnaissance originelle, qui excite les peurs et les méfiances, et l'accouchement de l'univers par des forces supérieures et potentiellement destructrices sont transférés sur les femmes qui partagent ce pouvoir de vie, mais aussi de mort à l'image des dieux, libres d'anéantir leur œuvre. La femme/mère n'est donc qu'un des aspects de la complexité du féminin.

Pour les Grecs par exemple, à l'origine il n'y avait que le chaos et c'est de ce chaos qu'émergea la terre, Gaia [67]. Cette terreur ineffable et silencieuse nourrit les imaginaires et attise les peurs. La femme est malgré elle le double de cette matrice méconnue qui engendra l'univers et ses

---

66. CAIR-HÉLION (Olivier), *Les femmes de la Bible*, Gerfaut, 2009, p. 30.
67. On retrouve aussi dans la cosmogonie égyptienne à l'origine de la création du monde le Noun, l'océan primordial source de vie et de mort.

maux. La femme est crainte tout autant qu'indispensable. Il faut donc apaiser, révérer ou au contraire détruire le mystère de la matrice. Gravite autour de l'image de la mère l'ensemble des attributs qui justifient un contrôle nécessaire des femmes dans l'idée des pères de l'Église d'abord, et des hommes ensuite. Ce schéma volontairement réducteur n'introduit pourtant pas la rupture qui a toujours existé entre le discours tenu sur les femmes et sur la réalité. Il traduit les grands âges métaphoriques d'une féminité incomprise et régulée.

À ce titre, un parallèle entre Ève et Pandore peut être établi, en ce qu'il témoigne de l'intemporalité et de l'aspect transculturel du « mystère » de la féminité. En ouvrant la jarre qui lui avait été confiée, Pandore a libéré les maux de l'humanité, la vieillesse, la maladie, la guerre, la famine, la misère, la folie, le vice, la tromperie et la passion, seule l'espérance n'eut pas le temps de jaillir. En déversant sur le monde le contenu de cette jarre, Pandore, la première femme dans la mythologie grecque, a touché aussi bien les hommes que les femmes. Le fait d'avoir confié à une femme la responsabilité des malheurs de l'humanité n'est pas innocent[68]. On retrouve là une convergence entre Ève et Pandore, toutes deux responsables des calamités des Hommes, de la violence et des souffrances, fruits de leur trop grande curiosité. La violence symbolique de gestes simples (croquer une pomme, ouvrir une jarre) met en évidence le potentiel violent de tout acte. C'est parce que le geste est potentiellement violent qu'il est impossible de définir de façon catégorique la violence au sens le plus large. Le geste simple et anodin, dont les conséquences sont terribles, est assimilable à « l'effet papillon », un battement d'ailes déchaînant les éléments. La douceur, la patience, la tempérance, qui constituent les vertus reconnues habituellement aux femmes, partagent donc une grande proximité avec le vice, et il n'y a qu'un pas qui sépare l'honnête de la mauvaise femme. C'est ce qu'une partie de la littérature

---

68. Est-il utile de rappeler que Pandore, tout comme Lilith, fut créée par la volonté divine de Zeus qui voulait se venger des hommes pour lesquels Prométhée vola le feu ? Elle fut ainsi modelée dans de l'argile par Héphaïstos.

misogyne a tenté d'établir : même dans la vertu des femmes, il fallait y voir le vice. Parmi les textes orduriers et les plus acerbes, on peut donner en exemple un passage du livre de Jacques Olivier, *Alphabet de l'imperfection et malice des femmes* :

> « À la plus mauvaise Femme du monde,
> Si ton esprit altier et volage pouvait connaître le sort de ta misère et la vanité de ta condition, tu fuirais la lumière du soleil, chercherais les ténèbres, entrerais dans les grottes et cavernes, maudirais ta fortune, regretterais ta naissance, et aurais horreur de toi-même : mais l'aveuglement extrême que t'ôte cette connaissance, fait que tu demeures dans le monde, la plus imparfaite créature de l'univers, l'écume de la nature, le séminaire des malheurs, la source des querelles, le jouet des insensés, le fléau de la sagesse, le tison d'enfer, l'allumette du vice, la sentine d'ordure, un monstre en nature, un mal nécessaire, une chimère multiforme, un plaisir dommageable, l'hameçon du diable, l'ennemi des anges, et le momon de la divinité, contrefaisant et réformant la sapience du même Dieu qui t'a créée : car si la laideur te déplaît, les fards, les affiquets, les crêpes, et autres fadaises du péché ne te manquent point pour forger une artificielle beauté. [69] »

Les femmes conscientes d'elles-mêmes, des discours tenus à leur endroit et des travers qui leur sont reprochés, ont composé avec ces derniers pour accéder à tous les domaines qui leur étaient arbitrairement refusés. Les cas de femmes dont la violence est manifeste et incontestable paraissent comme des aberrations, ne serait-ce que dans la simple formulation de l'idée. Les femmes d'exception, celles qui se sont distinguées par leurs mérites, ou par leur cruauté, sont singularisées, marginalisées, déféminisées, étant la plupart du temps virilisées. Le cas de Jeanne d'Arc est assez emblématique de ce changement de nature, puisqu'elle se battait « comme un homme ». Cette singularisation par l'exception de certaines femmes n'a d'autre finalité que d'interdire et de nier aux autres la capacité à exister sur les territoires attribués de façon

---

69. OLIVIER (Jacques), *Alphabet de l'imperfection et malice des femmes*, Paris, chez la veuve de R. Daré, 1658.

péremptoire aux hommes. Concéder aux femmes la capacité à la violence reviendrait à achever d'admettre l'égalité la plus totale entre les sexes. Cette non-reconnaissance trahit les traumas que suppose l'acceptation d'une violence féminine autre que celle relevant du singulier et/ou du pathologique. Paradoxalement, le seul champ de violence à la fois admis, reconnu et honni concerne les affaires d'infanticides.

Quelle que soit l'époque envisagée, il est frappant de constater à quel point la violence des femmes semble ponctuelle, voire particulière. La perception de ces violences n'a pas toujours était linéaire. Si l'on rassemble les pièces d'un puzzle épars, on se rend compte que la violence des femmes constitue une constante de toutes les sociétés, y compris celles de l'Antiquité, jusqu'à nos jours. La plupart de ces violences sont tues ou investies d'une finalité, tant politique que morale, bref toujours soumises à un discours ayant pour objet de les rationaliser.

Les femmes et la violence dans l'Antiquité : l'image ambiguë de l'Amazone.

Lorsque l'on pense à la mythologie grecque et à la féminité guerrière, c'est tout naturellement vers l'image de l'Amazone que les esprits se portent[70]. La figure de l'Amazone est devenue aujourd'hui un topos systématiquement utilisé pour désigner les femmes fortes capables de se distinguer aussi bien par leur force de caractère que par leurs aptitudes physiques. L'Amazone est mise à tous les goûts, et l'utilisation d'une figure mythologique pour qualifier les femmes s'avère, comme nous allons le voir, plus problématique qu'il ne paraît de prime abord. Mais qui étaient les Amazones ?

Peuplant les rives de la mer Noire, la figure des Amazones aurait été inspirée par les guerrières Scythes et Sauromates (qui donnèrent plus tard

---

70. ALMEIDA-TOPOR (Hélène DE), *Les Amazones. Une armée de femme dans l'Afrique précoloniale*, Paris, éditions Rochevignes, 1984.

leur nom aux Sarmates) [71]. On trouve les premières mentions de ces guerrières chez Homère. D'après Eudoxe de Rhodes, les Sauromates considéraient les femmes comme leurs égales, des guerrières et des chasseresses tout comme eux, aucune discrimination sexuée dans l'exercice de la violence n'ayant caractérisé ces sociétés. Une fille ne pouvait se marier tant qu'elle n'avait pas tué un homme à la guerre. Filles du dieu de la guerre Arès et de la nymphe des forêts Harmonie, les Amazones, guerrières à cheval, rebelles au mariage, sont très présentes dans l'imaginaire grec. L'origine de leur nom est trouble, et les diverses étymologies qu'on rapporte donnent lieu à des interprétations différentes. Pour certains auteurs, le nom « Amazones » désigne celles qui « portent la ceinture », laquelle est, en effet, un de leurs attributs, symbole de virginité en Grèce et en Orient.

Une autre interprétation signifierait « tueuses d'hommes ». Selon Hérodote, les Scythes nommaient les Amazones « Oiorpata » que l'on peut traduire par « avides du sang des hommes » (*oior* veut dire en scythe « homme » et *pata* « tuer ») [72]. Enfin, le sens d'Amazone a pu être interprété comme « femmes aux seins coupés ». Quelle que soit l'acception que l'on attribue à cette étymologie, l'idée d'une féminité indépendante et libre de toute autorité masculine fait jour.

Selon la tradition, les Amazones vivaient essentiellement dans leur cité principale, Thémiscyre, sur les bords de la mer Noire, à l'embouchure du Thermodon [73]. Farouchement opposées au mariage, elles utilisaient les guerriers les plus puissants pour assurer la pérennité de leur peuple. Seules les filles étaient élevées et éduquées aux arts de la guerre et du combat. Selon l'historien romain Justin, si le nouveau-né était un garçon, les Amazones le supprimaient en l'étouffant, ou, selon Diodore de Sicile, elles leur tordaient les jambes et les bras pour les rendre inhabiles aux

---

71. KOUZNETSOV (Vladimir) et LEBEDYNSKY (Iaroslav), *Les Alains : cavaliers des steppes, seigneurs du Caucase, Ier-XVe siècles apr. J.-C.*, Errance, 1997.

72. HÉRODOTE, THUCYDIDE, *Œuvres complètes*, Paris, Gallimard, « La Pléiade », 1964, pp. 324-327.

73. Selon Hérodote, les Amazones « tueuses d'hommes » vivaient à l'est du Palus Maiotis, actuelle mer d'Azov, une mer intracontinentale reliée à la mer Noire par le détroit de Kertch.

sciences militaires. En revanche, Quinte-Curce nuance la cruauté des Amazones en indiquant que les moins féroces renvoyaient à leurs pères les garçons. Afin de pouvoir manier l'arc avec plus d'aisance, les Anciens rapportent que, dès l'âge de 8 ans, une attention toute particulière était accordée au sein droit qu'il fallait soit faire disparaître, soit rendre le moins gênant possible. Plusieurs moyens sont évoqués, dont l'ablation, mais encore le dessèchement du sein par le fer chaud, ou la compression par bandage serré censée limiter la croissance du sein. Habiles dans les arts de la guerre, les Amazones avaient la réputation de manier avec une grande dextérité les lances, les haches, ainsi que leurs célèbres boucliers en forme de croissant de lune.

L'abbé Guyon, dans son *Histoire des Amazones anciennes et modernes*[74], rapporte de quelle manière les Amazones soumirent les uns après les autres les peuples voisins, après avoir au préalable massacré leurs propres époux. Ce fut « de jeter les fondements d'une monarchie, qui établit la gloire de leur sexe, en faisant voir que des femmes étaient capables d'honorer le sceptre et la couronne, par la manière dont elles sauraient les porter ». Ce qui est intéressant ici, c'est le discours que les hommes portent sur les Amazones, ces femmes qui utilisent la violence pour asservir les peuples dans l'intention d'asseoir leur autorité. Puis, plus loin, l'abbé Guyon rapporte que « les Amazones (…) subjuguèrent ces nations, qui faisaient la terreur de l'Asie méridionale. Elles les forcèrent de les reconnaître pour leurs souveraines, et de leur obéir, quoique la plupart eussent des rois redoutables à tout autre ennemi, mais qui devinrent vassaux des Amazones. (…) Des guerriers formidables étaient tombés sous la domination de femmes… ». Et, effectivement, les Amazones furent des adversaires redoutables, y compris pour les héros de la mythologie grecque qui eurent l'audace de les défier. Bellérophon, Hercule, Hippolyte, Achille (ennemi, meurtrier puis amant du cadavre de celle qu'il tua, la reine Penthésilée) et Thésée, ainsi que la reine Antiope, tous eurent à en

74. GUYON (Claude-Marie) (abbé), *Histoire des Amazones anciennes et modernes*, Paris, 1740, 2 vol., Bruxelles, 1741, traduit en allemand par KRUNITZ (J. G.), Berlin, 1763, chap. 4.

La violence des femmes et l'Histoire

découdre avec les Amazones. Au-delà du constat de la puissance de telles guerrières, les trois points de suspension laissent rêveur aussi bien l'auteur que le lecteur, et sont lourds de sous-entendus.

Des fouilles furent conduites en 1987 au Kazakhstan, à l'endroit même où Hérodote situait les Amazones, dans l'intention d'établir autrement que par les textes la légitimité de leur existence. Ces fouilles ont permis d'exhumer de nombreuses tombes féminines qui associaient armes et éléments de harnachement aux miroirs et à d'autres bijoux.

Au IIe siècle, la reine Sarmate Amagê, personnage quelque peu oublié, a fait probablement partie des figures emblématiques ayant contribué à nourrir le mythe des Amazones. Épouse du souverain Médosac, roi peu concerné par ses prérogatives, Amagê aurait pris la direction du royaume. Les Scythes appelaient les femmes Sarmates les « seigneurs des hommes ». Elle rétablit l'ordre au sein de ses armées et dans les tribunaux, et parvint peu à peu à imposer son autorité. En tant que femme et Sarmate, l'égale du roi Médosac, elle pouvait prétendre exercer le pouvoir, prit la tête des armées et repoussa les incursions des peuples ennemis. Très rapidement, sa renommée s'étendit à toute la Scythie au sein de laquelle son prestige lui permit de devenir un puissant arbitre des tensions entre les peuples. Ainsi les peuples de la Chersonèse-Taurique, l'actuelle presqu'île de Crimée, vinrent solliciter son aide contre leur propre souverain tenu pour un tyran. Diplomate avisée, Amagê intercéda en faveur des peuples de la Chersonèse-Taurique auprès de leur roi qui ne voulut rien entendre. Elle prit alors la tête de son armée et conduisit une expédition punitive contre le souverain qu'elle supprima elle-même, en même temps que les ministres du tyran. Elle mit sur le trône le fils du tyran en lui faisant promettre de gouverner avec justice, afin de ne pas subir le même sort que son père. La figure d'Amagê a pu être l'une des sources d'inspiration du mythe des Amazones et ainsi permettre de donner vie à la célèbre reine Penthésilée.

Il n'est pas utile ici de pousser plus en avant l'histoire des Amazones, ni d'entrer dans le détail de la vie des puissantes souveraines de cet empire féminin qui sut asservir à son pouvoir et rallier à sa cause les peuples les plus féroces et les plus belliqueux. Mais ce développement sur la figure de l'Amazone nous a semblé essentiel. En effet, celle-ci, de l'Antiquité à nos jours, a servi de prête-nom à la violence guerrière des femmes, retranchée derrière ces figures illustres et hautement symboliques d'une féminité violente.

L'héritage mythologique et symbolique des Amazones permet de distinguer d'autres femmes guerrières illustres tout au long de l'Histoire, qui font d'elles, à l'instar de leurs prestigieuses ancêtres, non pas des femmes sorties de leur condition, mais des femmes d'exception, dignes d'être objets de légende et de gloire littéraire. Cette métamorphose de la femme faite Amazone n'a d'autre finalité que de singulariser, de délimiter et, finalement, de marginaliser celles qui endossent un comportement inhabituel, non conforme à la répartition des rôles.

Les Amazones furent à la fois dangereuses pour les hommes, dont elles assujettirent les nations, et pour l'imaginaire qui entoure les femmes violentes ou qui font usage de la violence. Dans un cas comme dans l'autre, il s'agit d'une violence particulière, non régulière, dictée par un impératif spécifique, et non par une inclination naturelle.

On trouve sous la plume de Plutarque, dans « Vie de Caius Marius [75] », une très intéressante digression sur le comportement des femmes ambrons au cours de la bataille qui opposa les troupes romaines de Marius aux peuples germains (Teutons et Ambrons) près d'Aix-en-Provence sur la commune de Pourrières en 102 av. J.-C. Marius fit périr, selon Plutarque, plus de 100 000 Teutons durant la bataille. Plutarque, à deux reprises, fait ressortir le courage et l'intransigeance des Germaines qui, dans la débâcle, refusent de se livrer aux vainqueurs et qui :

« se jetant à leur rencontre avec des épées et des haches et poussant des cris aigus de colère et de rage, s'efforçaient de repousser à la fois les fuyards et leurs poursuivants, les uns comme traîtres, les autres comme ennemis. Elles se mêlaient aux combattants ; de leurs mains nues elles

---

75. PLUTARQUE, « Vie de Caius Marius », *Les vies des hommes illustres*, 19, 8-9, trad. par FLACE-LIÈRE (Robert) et CHAMBRY (Émile), Paris, Les Belles Lettres, 1969.

arrachaient les boucliers des Romains et saisissaient leurs épées, en supportant les blessures qui déchiraient leur corps avec un courage invincible jusqu'à la fin. [76] »

Leur courage montre par une mise en abyme la férocité et la vaillance de tout un peuple. Plutarque loue aussi bien le courage de ces dernières que leur initiative, des femmes qui sortent de leur condition et s'écartent du modèle promu par la société romaine. Le bellicisme des femmes ambrons héroïsé, mais aussi extrémisé sous la plume de Plutarque, nous montre le visage d'une féminité redoutable et inflexible qui, dans la bataille, refuse tout compromis. Le manque de courage des fuyards est puni au même titre que l'assaut des soldats romains qui veulent écraser l'ennemi. À l'instar des Amazones qui se débarrassent des hommes dont elles ne voulaient dépendre, les femmes des Ambrons livrent bataille jusqu'au bout.

La bravoure des femmes dans les conflits est non seulement un topos de la littérature épique, mais aussi de l'Histoire qui, de l'Antiquité à nos jours, glorifie le soutien féminin dans les conflits. Il convient de remarquer qu'elles sont très rarement singularisées, et ce sont toujours les femmes, et non des femmes, qui sont glorifiées par les auteurs qui évoquent leur mémoire. Ainsi les Béotiennes, les Spartiates, les Athéniennes sont louées pour leur courage, alors qu'aucune figure féminine en tant que telle n'émerge de la masse indéterminée des femmes qui font corps, mais qui ne s'incarnent nullement dans l'image d'une seule. Par une telle indétermination, un procédé de mise à distance et d'anonymisation s'opère pour ne pas donner plus d'importance à ces actes de courage qui sont aussi des actes de violence, afin de ne pas discréditer ou minimiser l'importance et la prégnance du masculin dans les succès et les triomphes. On en revient à l'éternelle convention des rôles et des états, dont il est tacitement interdit aux femmes de s'évader. Plutarque souligne ainsi que :

---

76. *Ibid.*

« les Romains, quand ils eurent repoussé les fuyards jusqu'à leurs retranchements, assistèrent aux scènes les plus tragiques : les femmes, vêtues de noir, dressées sur les chariots, tuaient leurs maris, leurs frères ou leurs pères qui fuyaient, puis, étouffant de leurs mains leurs enfants en bas âge, elles les jetaient sous les roues des chariots et sous les pieds des bêtes de somme avant de s'égorger elles-mêmes. On dit que l'une d'elles se pendit à l'extrémité d'un timon après avoir attaché à chacune de ses chevilles une corde enserrant le cou de ses enfants et que les hommes, faute d'arbres, se pendaient par la gorge aux cornes ou aux pattes des bœufs, puis, en les piquant de l'aiguillon, les faisaient bondir ; ils périssaient ainsi, traînés et piétinés par ces bêtes [77]. »

La violence portée à son paroxysme est totale et féminine. On retrouve ici des pratiques plus volontiers admises comme exercées par les femmes telles que les infanticides ou les violences pouvant intervenir dans le cadre immédiat de la sphère familiale. Malgré la tension tragique de la scène, Plutarque reprend à son compte, dans la narration du massacre, un récit finalement très classique des violences féminines. Après avoir, dans un premier temps, souligné le courage de ces femmes guerrières, le tragique de la scène, comme il l'indique, réside dans la négation des liens de parenté qui s'abolissent dans la préservation de l'honneur et le refus de se soumettre aux vainqueurs. Cette intransigeance féminine n'est pas sans évoquer d'autres figures emblématiques de la littérature grecque, telles Electre et autre Antigone qui, dans une même soif de justice, refusent le compromis.

Plutarque hellénise quelque peu le courage des barbares : le récit de la bataille d'Aix fonctionne selon le même principe que la légende des Amazones, dont les vertus et les courages sont transférés à ces femmes. C'est parce qu'elles sont barbares, qu'elles sont issues d'un autre âge et d'une culture différente, qu'elles peuvent exprimer une violence « virile », *a priori* en contradiction avec l'imaginaire des femmes qui encombre les esprits. On peut supposer que le courage héroïque des femmes dans les

---

77. *Ibid.*

mots de Plutarque est avant tout un moyen de faire ressortir un certain manque de courage de la part des Ambrons par opposition à la vaillance romaine. Alors que les armées des Ambrons se délitent sous la percée des légions, seules les femmes maintiennent leur position, sortent de leur « nature », dépassent leur condition pour livrer bataille. Mais très rapidement, l'apparent salut rendu par Plutarque au courage des femmes de l'ennemi s'édulcore, voire s'assombrit, dans le récit pathétique et tragique de la folie et de la déraison qui conduisent aux massacres intrafamiliaux. La légitimité des violences féminines est, à nouveau, tributaire de la fascination et de la manipulation rhétorique. Se pose alors de nouveau le problème de l'ambiguïté qui lie violence, féminité et masculinité. Le suicide héroïque de ces femmes nous invite à nous interroger sur la finalité d'une telle violence.

Dans une autre œuvre de Plutarque intitulée *Conduites méritoires des femmes*, on trouve une intéressante série de portraits féminins, le plus souvent anonymes, comme c'est très souvent le cas lorsqu'il s'agit de caractériser l'action guerrière des femmes au combat[78]. En effet, il s'agit surtout, à l'instar des Germaines évoquées, de valoriser le courage collectif plutôt que de singulariser une violence féminine spécifique. Parmi ces récits de bravoure, l'attention qu'il porte aux Argiennes n'est pas sans rappeler les exploits des Germaines. Derrière la figure emblématique de la poétesse argienne Télésilla, qui fut le chef de file des femmes résistantes contre les Spartiates, émergent les valeurs et les vertus que l'on retrouve dans le récit du courage des guerrières germaines. Il existe une continuité des valeurs reconnues à ces femmes depuis les Argiennes au Ve siècle av. J.-C. et jusqu'aux Germaines au IIe siècle av. J.-C. Plutarque rapporte en ces termes l'aventure des Argiennes :

> « Aucun des exploits réalisés collectivement par des femmes n'est plus illustre que le combat qu'elles [les Argiennes] menèrent contre Cléomène

---

78. PLUTARQUE, « Conduites méritoires des femmes », *Œuvres morales*, Paris, Les Belles Lettres, tome 4, 2002, pp. 46-47. Cette histoire est une invention littéraire des Argiens à partir du récit d'Hérodote. C'est bien davantage la façon de percevoir l'épisode que sa véracité qui nous importe ici.

pour la défense d'Argos à l'instigation de la poétesse Télésilla. Celle-ci, dit-on, appartenait à une illustre maison, mais était d'une constitution maladive, aussi envoya-t-elle consulter la déesse sur sa santé ; et comme l'oracle lui répondit de servir les Muses, elle obéit à la déesse et se consacra au chant et à l'harmonie musicale, si bien qu'elle fut vite délivrée de son mal et que son talent poétique lui valut l'admiration des femmes.

Lorsque Cléomène, roi de Sparte, après avoir tué un grand nombre d'Argiens (non, certes, sept mille sept cent soixante-dix-sept, selon les fables de quelques-uns), marcha sur leur cité, un élan d'audace divine incita les femmes qui étaient dans la force de l'âge à s'efforcer de repousser l'ennemi pour défendre la patrie. Sous la conduite de Télésilla, elles prirent des armes et, se tenant près des créneaux, elles couronnèrent le cercle des remparts, à la stupéfaction de l'ennemi. Le résultat fut qu'elles refoulèrent Cléomène en lui infligeant de grandes pertes et qu'elles chassèrent le second roi, Démarate, qui, selon Socrate[79], avait réussi à entrer et à occuper le Pamphyliacon. La cité ayant ainsi trouvé son salut, on enterra sur la Voie argienne les femmes tombées au combat et il fut donné aux survivantes, pour commémorer leur vaillance, d'ériger la statue d'Enyalios. Le combat eut lieu, selon les uns, le septième jour, selon les autres, le premier de ce qui est maintenant chez les Argiens le quatrième mois, mais était autrefois le mois Hermaïos. Ce jour-là, ils célèbrent jusqu'à présent la Fête de l'Insolence, pendant laquelle ils font revêtir aux femmes des tuniques et des casaques d'hommes et aux hommes des robes et des voiles de femmes.

Lorsque d'autre part ils cherchèrent à remédier au manque d'hommes, ce n'est pas aux esclaves, comme le rapporte Hérodote, qu'ils donnèrent les femmes en mariage, mais aux plus nobles des périèques, après leur avoir accordé le droit de cité. Or, même ceux-ci, elles paraissaient les mépriser et les dédaigner dans les relations conjugales, les tenants pour des inférieurs. Voilà pourquoi ils établirent une coutume qui prescrit aux femmes mariées l'obligation de porter une barbe pour dormir avec leur époux.[80] »

---

79. Historien d'Argos d'époque inconnue.
80. PLUTARQUE, « Conduites méritoires des femmes », *Œuvres morales, op. cit.*, pp. 46-47.

Parce qu'il s'agit de Grecques, l'*hybris* des barbares disparaît ici. C'est une poétesse qui guide l'assaut défensif des femmes ou, en d'autres termes, la vertu des arts qui s'incarne dans la féminité au combat. Si le courage des Argiennes est mis en avant sur un mode plus discret que celui des Germaines, la finalité est néanmoins proche, à savoir celle de magnifier l'action héroïque féminine, du moins en apparence. La « fête de l'Insolence », dont Plutarque livre le principe – celui d'une inversion des valeurs –, souligne la contradiction et la monstruosité de cet acte guerrier féminin. Il y a déjà ici, comme c'est le cas tout au long de l'Histoire, la réappropriation d'une situation jugée anormale et la réappropriation collective de cette dernière avec une finalité spécifique, celle de confisquer une initiative potentiellement dangereuse pour l'équilibre du groupe. En tournant en dérision l'acte de courage des femmes, sous couvert de festivités, les Argiens, et donc Plutarque, dépossèdent les femmes de la noblesse de leur geste[81].

Les femmes en armes et celles qui prennent les armes sont deux entités opposées, les premières relevant de l'exceptionnel mythologique, alors que les secondes tiennent de l'hors normalité. L'entreprise littéraire de Plutarque n'est donc pas à proprement parler une réhabilitation de la mémoire de ces femmes ou une dénonciation, quelle qu'elle soit, du statut féminin dans l'Antiquité. Il s'agit en réalité de l'élaboration d'un mythe national à valeur exemplaire, censé fédérer les Argiens dans le partage d'un souvenir commun mémorable, dont la mémoire est entretenue et facilitée par l'institution de festivités. La mémoire de ce geste courageux fut prolongée à Argos par l'érection d'une statue à la

---

81. PLUTARQUE, « Conduites méritoires des femmes », *Œuvres morales, op. cit.*, p. 287. Texte établi et traduit par Jacques Boulogne : « Cette fête se rapporte vraisemblablement au mariage. Elle a lieu à la nouvelle lune (…) date considérée comme particulièrement propices aux noces. Elle se déroule au mois de Gamélion et s'accompagne d'un échange de vêtements entre les sexes, rite fréquent semble-t-il (…). Plutarque lui-même relate des rites de relations sexuelles du même genre. À Argos, on rendait à Aphrodite Ourania un culte accompagné de rites voisins. L'Aphrodite androgyne de Chypre est honorée de la même manière (…), il s'agit de rites magiques destinés à tromper les puissances malfaisantes par le déguisement et à rendre possible la rupture des tabous sexuels sans danger. Ils hâteraient également l'accouchement par l'espèce de sympathie créée entre les époux par l'échange des vêtements. »

gloire de la poétesse. Il ne s'agissait plus dès lors du courage des femmes, mais de celle de leur *leader* Télésilla. Le souvenir courageux des femmes s'abolit dans celui d'une seule. On immortalise dans la pierre cet épisode de l'histoire argienne commuant la dynamique du combat en un acte qui se perd dans la longue durée.

Des guerrières, des Amazones ou des femmes ?

S'il existe un champ de violence resté jusqu'à ce jour typiquement masculin, c'est celui de la guerre. La science militaire, jugée hautement masculine, ne pouvait être enseignée aux femmes. Pourtant, paradoxalement, les femmes ont très souvent joué un rôle non négligeable dans les conflits armés, tant du point de vue symbolique, au travers des nombreuses personnifications de la nation en armes sous les traits d'une femme, que dans le cadre d'une participation active aux conflits par la prise des armes. Nous nous proposons ici de questionner cette réalité quelque peu contradictoire.

Les femmes sont toujours présentes, mais rarement mentionnées, toujours victimes, souffrantes et courageuses, mais jamais violentes. On trouve dans un texte du XVIIᵉ siècle du jésuite Pierre Le Moyne, célèbre pour ses *Peintures morales*, tiré de son ouvrage *La Gallerie des femmes fortes*, une réflexion sur les femmes et la guerre, intéressante parce qu'elle se fonde sur les justifications traditionnellement avancées pour écarter les femmes des batailles, alors qu'elle introduit l'idée que ce n'est pas en vertu d'une incapacité physique que les arts de la guerre ne leur sont pas permis, mais seulement parce que leur rôle n'est pas là. Chaque portrait de femme forte donne l'occasion, ensuite, à l'auteur de poser une « question morale ». À celle de savoir « Si les femmes sont capables de vertus militaires », il répond :

> « Je ne dispute pas icy contre l'usage universel ; ny ne pretens faire casser d'autorité privée, un Reglement immemorial, & une Politique aussi ancienne que la Nature. Encore moins est-ce mon dessein, de publier un ban, par lequel toutes les femmes soient appellées à la guerre. Elles se doivent tenir à la distribution que la Nature & le Droit ont faite, & que

la Coûtume a receuë : & se contenter de la part qui leur a esté assignée dans l'oeconomie & dans le ménage. Je dis seulement que ce droit commun qui leur a osté les armes, ne leur a pas ôté le cœur ny couppé les mains : que les Vertus militaires se sont ny trop fortes ny trop rudes pour elles ; & que si c'étoit le bon plaisir de la Coûtume les Vaillantes & les Victorieuses ne seroient pas contées, comme elles sont entre les prodiges de leur Sexe. Le nombre en seroit si grand, & les exemples aussi vulgaires, que Sages & des Pudiques. Premièrement, le Cœur est la partie essentielle des Vaillans : c'est luy qui commence tous les assauts & tous les combats : qui va le premier à la charge, & en retourne le dernier : & on ne pourra nier, que le Cœur de la Femme ne soit aussi fort, & d'aussi bonne trempe que celuy de l'Homme ; si l'on considère qu'il a esté fait de même main & formé de même matière. Encore trouvera t'on lieu de croire, qu'il peut estre plus fort & de meilleur trempe ; si l'on se souvient, que la première Femme fut faite d'une matière déjà solide, & qui eût besoin d'estre amolie. Davantage, comme l'acier quelque dureté qu'il ait receuë de la Nature, ne peut devenir un fer de lance ny une épée, qu'il n'est émoulu ; de mesme la Force est grossiere & materielle, immobile & sans action, avant qu'elle soit aiguisée : & c'est à la Colere, selon le mot du Philosophe, qu'elle veut estre aiguisée, afin qu'elle devienne Vaillance & qu'elle serve à la Guerre. Or il est certain, & l'experience le montre, que cette Colere, qui aiguise la Force, & luy donne le fil, de la Vaillance, est plus vive et plus soudaine dans les Femmes que dans les Hommes : & par consequent, si la Coûtume leur a osté la Vaillance acquise & d'habitude, elle ne leur a pas osté la Vaillance naturelle, & cet esprit de bile, qui est un esprit de combat, & la dernière teinture de l'humeur qui fait les braves. On m'opposera icy la delicatesse de leur complexion, & la tendresse de leur temperament. On me demandera quelle valeur il se peut faire, d'une main qui peut estre blessée d'un gan mal cousu, ou d'une bague mal polie ? D'une teste qui suë sous la soye, & qui plie sous un bouquet ; d'un corps qui peut estre percé d'un rayon de Soleil, & qu'un grain de gréle peut abattre ? À cela on peut répondre premierement, que cette foiblesse est de la mauvaise nourriture des Femmes, & non pas de leur temperament : Et Platon observe fort judicieusement à ce propos, que si l'excez d'humidité qui détrempe leur vigueur, & les rend plus molles que les Hommes, estoit dessechée par un exercice modéré ; leur complexion estant reduite par-là à une égalité plus juste & plus exacte que la nostre ; leurs corps en seroient plus robustes & plus agiles, & auroient le mouvement plus libre & de plus longue durée. Sur quoy, pour ne sembler pas debiter une proposition gratuite & sans preuve, il faut remarquer qu'en toutes les Especes des Animaux de proye, les Femelles ont la course plus viste & le vol plus roide, & combattent plus courageusement & avec plus de vigueur que les Masles. En second lieu, il faut répondre que la vaillance ne demande pas des bras d'acier ny des mains de fers : que les anciens Heros n'étoient pas des Statües de bronze : qu'ils n'étoient pas tous de la complexion de ce fameux Grec, qui luttoit contre les plus grands chesnes : & qu'encores aujourd'huy, ce ne sont pas des hommes sechez au Soleil, & durcis à la gelée, qui gagnent les batailles. Ajoûtons pour troisième réponse, que la delicatesse n'est pas si timide qu'on la fait, ny si incompatible avec la valeur. Les Roses qui sont si belles naissent toutes armées ; & pour être délicates ne laissent pas de piquer. Les Abeilles qui vivent dans le miel & qui sont nourries de l'esprit des fleurs, ont aiguillons & vont à la guerre. L'Escriture sainte parle d'une Colombe, qui n'estoit pas moins redoutable que les Aigles : Et pour n'aller si loin, le cœur luy mesme, qui est le siège de la valeur, est la plus tendre partie du Corps : il est d'une chair sans nerfs et sans os, & n'a ny dents ny ongles qui le fortifient. Il peut donc bien y avoir des Esprits genereux & des Ames fortes en Corps delicats ; comme il y a de bonnes épées en des fourreaux de veloux ; comme il se void des mains victorieuses en des gans musquez ; comme il loge des Conquerans sous des tentes peintes & dorées. [82] »

L'argumentation de Le Moyne repose sur la théorie galénique des humeurs comme en atteste le champ lexical : « complexion », « humeur », « tempérament », « bile »… L'auteur jésuite démontre que, par nature, les femmes n'ont rien de faible, mais qu'elles ont en puissance toute la vaillance qu'on s'obstine à ne pas leur reconnaître, puisque corporellement, physiquement, physiologiquement elles ont tout ce qu'il faut. On peut affirmer que Le Moyne s'engage également dans l'ancien

---

82. LE MOYNE (Pierre), *La Gallerie des femmes fortes*, Lyon, Les libraires de la Compagnie de Jésus, 1677, « Zénobie », pp. 167-187.

La violence des femmes et l'Histoire

débat nature/culture. La vaillance des femmes n'est pas à remettre en cause. Le début du texte est imposé aux lecteurs pour la forme : il ne faut pas heurter, par des idées trop neuves, des conceptions séculaires qui confinent les femmes à jouer un rôle actif au sein des économies domestiques et les hommes à qui reviennent la gloire des armes. Le débat que suggère Le Moyne pourrait être parfaitement transposé aux sociétés actuelles qui, dès l'enfance, conditionnent les filles à la maternité et à l'entretien du foyer par le biais de leurs jouets tout autant que les garçons sont invités à admirer l'art de la guerre et les symboles de l'ordre que peuvent véhiculer l'armée ou la police. Mais qu'adviendrait-il si l'on inversait les rôles, si les garçons étaient conditionnés par le jeu et les poupées à entretenir les foyers, à élever les enfants que les filles auraient mis au monde ?

C'est, à nouveau, la répartition des rôles qui empêche les femmes de témoigner de leurs aptitudes au combat et d'exceller dans les arts militaires. Se fondant sur les idées platoniciennes, Le Moyne remet en cause les prétendues incapacités physiques des femmes en soulignant qu'il suffirait de donner au quotidien des femmes un tour résolument plus masculin, afin de voir s'opérer en elles toutes les transformations nécessaires à l'accomplissement des prouesses physiques qui leur feraient défauts. Une fois ce constat établi, Le Moyne place, néanmoins, ailleurs l'excellence et la vaillance féminines. Il assoit la force suprême de ces dernières dans le cœur qui commande le courage, met en mouvements le corps et autorise tous les dépassements de soi possibles et imaginables. La comparaison établie entre les humains et le règne animal n'a d'autre finalité que de souligner le plus juste équilibre des forces qui s'imposent en mettant en évidence la vélocité des femelles et leur acharnement au combat. Parce que, dans le règne animal, seule la fonction de génération distingue profondément les mâles des femelles, Le Moyne, par une comparaison à peine dissimulée, indique que, sans attribution arbitraire de rôles selon les sexes, les impératifs suscités par la nature, telle la chasse, la préservation de la race ou la défense des petits, font que les femelles n'ont rien à envier aux mâles. C'est l'essor de la civilisation, de la socialisation et de l'étatisation des sociétés qui a engendré des inégalités progressives, inégalités traduites dans un premier temps physiquement, puis intellectuellement. Pendant longtemps, les femmes ont vu leurs capacités intellectuelles méprisées, voire niées. Du règne animal, Le Moyne glisse dans un même élan comparatiste vers le monde végétal. Comparée à la rose, la femme est une guerrière qui cultive la douceur et la douleur, suscite du contentement par son parfum tout autant qu'elle inflige des douleurs par ses épines. L'armure végétale qui orne la rose n'est pas uniquement un système défensif, les épines étant autant d'épées dont la nature l'a dotée. La métaphore filée de la femme animale, fleur mais aussi insecte, achève le cycle des vertus guerrières de la femme avec l'image de l'aiguillon des abeilles à la guerre. La force physique ne peut rien contre la force d'un cœur vaillant.

L'héritage des Amazones a été très lourd pour les femmes, dont les actes héroïques procédant d'une pratique de la violence furent aseptisés. La bravoure, le courage qui sont exaltés chez ces héroïnes forment un héritage de vertus, de valeurs et autant d'exemples d'abnégation qui sont confisqués pour glorifier, au travers de l'icône de la guerrière, la force d'une ville, voire d'une nation.

La fonction émotionnelle et le symbolisme patriotique que peuvent inspirer les femmes ont joué un rôle important dans la progression des nationalismes au XIXᵉ siècle. Cette progression est assez symptomatique d'une prise de conscience de la part du politique quant à l'usage de ces femmes emblématiques, vidées de leur féminité, mythifiées et allégorisées sous les traits du sauveur en temps de troubles à l'instar de Jeanne d'Arc. Si l'on considère le cas des femmes guerrières françaises qui ont peuplé l'histoire de France et l'imagerie d'Épinal, il est frappant de constater les permanences et les similitudes des récits, des forces de caractère et de la ferveur religieuse qui cimentent ce panthéon de néo-Amazones, dont le pouvoir symbolique transcende les conditions, les âges et les provinces françaises. La sacro-sainte image de la Vierge Marie, de sa pureté et de sa perfection à laquelle aucune femme ne peut prétendre, se voit complétée par ce panthéon mi-profane, mi-spirituel, dont ces guerrières se trouvent investies. Là encore, les violences procèdent d'une reconstruction mythique et idéologique servant à exalter la gloire d'une communauté par-delà une figure féminine toute désignée.

Les chroniques et les autres récits de siège concèdent aux femmes un rôle actif dans les combats en qualité soit de petites mains, soit de combattantes à part entière. Dans le second cas, se pose alors la question de la justification des violences, au-delà du symbole et de la réappropriation tant symbolique qu'idéologique en devenir. Car avant de sculpter pour la postérité l'image de l'héroïne, il faut justifier son action et sa force qui ne peut être uniquement une force d'esprit. L'une des solutions consista à viriliser l'action de ces femmes qui, en situation exceptionnelle, adoptent un comportement exceptionnel. Cette singularité n'a d'autres finalités que de nier une réalité inavouable, celle du potentiel féminin violent et de leur violence effective. Non, ce n'est pas un état de grâce ou une situation désespérée qui confère à ces femmes la force d'agir et l'esprit d'initiative, mais bel et bien une capacité à la violence, habituellement maîtrisée par les lois et la sociabilité, toutefois très souvent mise à mal et contestée comme le montrent les procédures judiciaires qui donnent un autre visage à la féminité, trahissent l'écart entre la femme mythique telle qu'on souhaiterait la voir agir et la réalité, objet de déni. Ces femmes d'exception, avant d'être des héroïnes, furent des femmes qui adoptèrent la violence pour répondre aux situations périlleuses et aux menaces. À situations exceptionnelles, comportements exceptionnels, diront certains, ce qui équivaut à évacuer tout l'arrière-plan violent qui a contribué au succès.

Le statut de héros ou d'héroïnes produit un singulier effet sur l'opinion, qui ne retient que la gloire du geste noble et laisse de côté les aspects les plus condamnables ayant pourtant rendu possible le succès. Comme nous allons le voir au travers de nombreux exemples tirés de l'histoire de France, les femmes ont su s'illustrer par leur courage, ainsi que par l'usage de la violence, dont il leur a fallu faire preuve pour parvenir à triompher d'elles-mêmes, de leur « nature » et, enfin, de l'ennemi qui constituaient des obstacles à leur propre accomplissement, hors du champ du quotidien. Les situations exceptionnelles ne jouent en réalité qu'un rôle de révélateur des choses qui existent déjà mais que le quotidien, aveuglé par la répartition sexuée des rôles, refuse de voir et de percevoir. L'image de la guerrière est systématiquement reprise à des fins précises, jamais en faveur des femmes. On trouve, dans un exemplaire de la *Revue des deux Mondes*, un intéressant passage consacré aux femmes illustres qui traduit l'idée que l'on se faisait alors des femmes d'exception. Il s'agit d'un passage du numéro consacré à « Jeanne d'Arc dans l'histoire et dans la poésie » :

> « Les femmes guerrières, on le sait, occupent une grande place dans les traditions des vieux temps. Penthésilée et les Amazones, Clorinde, Bradamante et Marphise, ont reçu de Virgile, du Tasse et de l'Arioste la consécration épique. Après Arthur et Charlemagne, les beaux rôles dans les romans de chevalerie appartiennent aux héroïnes. Velléda et les femmes germaines qui voyaient l'avenir renaissent dans Brunehilde, la Valkyrie des Niebelungen. Les chroniques saxonnes nous racontent l'histoire de la pirate Alvida, qui courait les mers sur les vaisseaux légers des Scandinaves ; et si du monde fantastique, rêvé par les conteurs et les poètes, on descend aux réalités de l'histoire, on trouve encore, avant et après Jeanne d'Arc, des noms glorieux dans la famille des femmes guerrières ; c'est une femme, Anne Munier[83], qui sauve les jours du comte de Champagne, Henri-le-Libéral, en combattant trois chevaliers qui s'apprêtaient à poignarder ce comte ; c'est Gaète, femme de Robert Guiscard, qui combat à côté de son époux à la bataille de Dyrrachiurn, et rallie ses troupes ébranlées par l'attaque de l'empereur Alexis Comnène. Isabelle, fille de Simon de Montfort, Jeanne Hachette à Beauvais, Jeanne Maillotte à Lille, Marie Fourrée à Péronne, Bec-Quétoille à Saint-Riquier, paient dignement au jour du danger cette dette sacrée du sang qu'on doit à son pays comme on doit l'amour à une mère. Ce sont là, certes, de nobles dévouements qu'on admire ; mais la destinée de ces femmes intrépides ne sort point de la condition ordinaire. La révélation de leur courage n'est pour ainsi dire qu'un accident héroïque ; la bataille terminée, elles rentrent dans l'ombre et le silence de la vie domestique. La ville qui les a vues naître et combattre fonde en leur honneur une procession commémorative où les femmes ont le pas sur le clergé lui-même ; on leur élève une statue dans un carrefour obscur, on fonde

---

83. BOURQUELOT (Félix), *Cantique latin du XIIe siècle à la gloire d'Anne Munier*, Paris, 1844.

La violence des femmes et l'Histoire

une messe pour le salut de leur âme, l'histoire les nomme en passant, et tout se borne là. Il n'en est pas de même de Jeanne d'Arc ; héroïne, vierge, prophétesse et martyre, elle s'offre à ses contemporains avec tous les caractères d'une mission providentielle. Déjà, dès le XVᵉ siècle, l'église elle-même l'avait vengée des absurdes décisions de la Sorbonne et de l'université de l'arrêt barbare des théologiens de Rouen. [84] »

S'il existe une mémoire de ces femmes illustres, toutes ne sont convoquées que pour mettre en exergue une seule d'entre elles : Jeanne d'Arc. Jules Quicherat renvoie les lecteurs à leur culture générale en évoquant brièvement les actes héroïques des autres femmes, quand ils ne les passent pas carrément sous silence. Si leur courage est salué, elles sont renvoyées par l'auteur à « l'ombre » et au « silence de la vie domestique ». La mémoire de Jeanne d'Arc est écrasante pour l'ensemble des femmes ayant accompli un acte digne d'être immortalisé par les arts ou par les lettres.

J'ai interrogé une centaine de personnes à Paris au sujet des Françaises et de la guerre. Posté un samedi après-midi aux Halles, armé d'un grand sourire et d'une mine chaleureuse, la question fort simple que j'ai posée à une population très hétéroclite, a été : « Pourriez-vous me citer le nom d'une Française qui, par ses actes ou par son courage, a marqué l'histoire de France ? »

Sur cent personnes interrogées, soixante et une ont répondu Jeanne d'Arc, dix Sainte-Geneviève (nous sommes à Paris…), neuf Lucie Aubrac, trois (à mon grand étonnement…) la duchesse de Longueville et dix-sept personnes n'ont pas su ou n'ont pas voulu répondre. Ce sondage, improvisé et n'ayant aucune prétention sociologique, avait pour seule finalité de confirmer l'intuition selon laquelle, mise à part Jeanne d'Arc ou les grandes figures de la Résistance, point de salut pour l'action des autres femmes. D'un côté la figure de Jeanne d'Arc qui a sauvé la France et, de l'autre, celles qui, par leurs actions, ont contribué à bouter l'ennemi hors du pays.

---

84. QUICHERAT (Jules), « Procès de condamnation de réhabilitation de Jeanne d'Arc », *La revue des deux Mondes*, tome 15, Paris, Bureau de la *Revue des deux Mondes*, 1846, pp. 103-106.

Mais on oublie trop souvent que la remise en scène de la pucelle n'est pas si ancienne, puisque ce n'est en effet qu'au XIXᵉ siècle seulement que sa mémoire fut d'abord réhabilitée et, ensuite, réactivée à des fins nationalistes[85]. Jugée relapse, son destin n'intéressa pas grand monde, excepté Christine de Pisan qui fut l'une des rares contemporaines à chanter ses louanges. Pourtant, un ouvrage du XIXᵉ siècle intitulé *Les femmes militaires de la France : depuis les temps les plus reculés jusqu'à nos jours*[86], n'en recense pas moins de cent cinquante-huit ! Si tout le monde connaît Jeanne d'Arc qui, en revanche, en dehors des initiés, connaît Jeanne de Belleville, Jeanne de Blois, Jeanne des Armoises, Jeanne de Montfort, une longue série de Jeanne, plus illustres les unes que les autres, mais dont la mémoire d'aucune n'a su fédérer autant que la pucelle ?

Néanmoins, nombreuses sont les villes qui se sont mises à rechercher leur Jeanne d'Arc et qui, sous couvert de rendre justice au courage de ces femmes en leur élevant des statues et autres monuments, ne font qu'instrumentaliser une mémoire, afin de rassembler derrière cette dernière un groupe de personnes, à des fins multiples et variées. Cependant, il s'agit, comme nous le verrons, de glorification des villes et des municipalités plus que de louanges des femmes qui se sont illustrées. Elles deviennent par là même, sur le plan local, des nouvelles Jeanne d'Arc.

Ainsi Jeanne Hachette, sur laquelle l'auteur passe rapidement, joua à Beauvais un rôle de première importance. Elle naquit le 14 novembre 1454 à Beauvais dans la rue qui porte son nom aujourd'hui. Elle mourut dans la même ville à une date inconnue. Figure emblématique de la résistance française face à Charles le Téméraire, Jeanne serait la fille de Jean Fourquet, un bourgeois, et, selon certains auteurs, ancien officier supérieur des gardes du palais de Louis XI tué à la bataille de Montlhéry, le 14 juillet 1465. Elle fut adoptée par une dame Laisné, qui l'éleva

---

85. LEBRUN DE CHARMETTES (Philippe-Alexandre), *Histoire de Jeanne d'Arc, surnommée la Pucelle d'Orléans, tirée de ses propres déclarations, de cent quarante-quatre dépositions de témoins oculaires, et des manuscrits de la bibliothèque du roi de la tour de Londres*, Paris, A. Bertrand, 1817.

86. TRANCHANT (Alfred), LADIMIR (Jules), *Les femmes militaires de la France : depuis les temps les plus reculés jusqu'à nos jours*, Paris, Cournol, 1866. Voir aussi ALESSON (Jean), *Les femmes décorées et les femmes militaires*, Paris, Melet G. libraire-éditeur, 1891, 3ᵉ édition.

jusqu'à ses 18 ans. Selon une autre tradition, Jeanne aurait été la fille d'un simple artisan de Beauvais et d'une dame de Fourquet. En 1472, Charles le Téméraire, duc de Bourgogne, envahit le nord du royaume de France, aidé par Jean II d'Alençon. Il mit le siège devant Beauvais, dernier bastion avant Paris, fort d'une armée de 80 000 hommes. Selon le *Journal du siège de Beauvais* rédigé peu de temps après, les Beauvaisins livrés à eux-mêmes ont repoussé par deux fois les assauts des Bourguignons. Il rapporte que les femmes et les enfants prirent part au combat en fabriquant des arbalètes, en portant la poudre, des pierres, des tonneaux remplis d'huile bouillante, de résine et de plomb fondu. L'une d'elles, Jeanne Laisné, saisit une petite hache (d'où son surnom Hachette) pour repousser un porte-étendard bourguignon qui sautait de son échelle d'assaut. Le 6 juillet 1854, une statue de bronze due au sculpteur Debay fut élevée sur la place de la mairie de Beauvais.

La mémoire et la postérité sont toujours très sélectives, lorsqu'il s'agit des femmes qui participent aux combats de façon indirecte, en facilitant la tâche des hommes occupés qu'ils sont à livrer bataille. Le récit ne dit pas ce que fit Jeanne avec sa petite hache, il se contente de le suggérer. Jeanne a-t-elle fracassé le crâne de l'assaillant ? L'a-t-elle simplement intimidé ? Nous ne le savons pas, elle l'a « repoussé ». Le geste s'efface devant le résultat qui seul compte. Jeanne est dépossédée de son acte qui l'a fait changer d'état. La violence dont elle a fait preuve, réelle ou pas, là n'est pas le problème, elle devient la violence de la ville que Jeanne personnifie, violence que l'on oppose aux ennemis qui tentent de prendre la ville. Jeanne est Beauvais, et Beauvais est Jeanne, le courage de la première est celui de la seconde tout entière et réciproquement. La violence au nom des impératifs de la situation, du salut de la cité, et de ses habitants, perd son aspect négatif, pour devenir l'un des fondements de l'héroïsme beauvaisin. On parle alors de courage et d'intrépidité. Il est dit que le roi Louis XI en personne demanda à rencontrer Jeanne, porte-parole de l'ensemble des Beauvaisines.

Autre héroïne, lilloise cette fois, Jeanne Maillotte, également évoquée par Quicherat, se distingua, quant à elle, au XVIᵉ siècle, lorsque Lille faisait encore partie des Pays-Bas espagnols. L'insurrection des Provinces-Unies contre Philippe II déclencha une guerre sanglante. Lille, qui était une place forte, suscita la convoitise des insurgés qui tentèrent de s'en emparer, ce à quoi ils seraient parvenus sans l'intervention de l'héroïne locale, Jeanne Maillotte qui aurait contribué à repousser l'attaque des Hurlus – c'est ainsi que l'on surnommait les insurgés à cause des huées que l'on faisait pour indiquer leur approche – le 29 juillet 1582. Déguisés et armés, les insurgés parvinrent à entrer dans le faubourg de Courtrai et attaquèrent Lille en tirant sur les postes qui défendaient les murailles de la ville. Pris de panique, les soldats rompirent les rangs de défense et abandonnèrent leurs postes. C'est à ce moment-là, alors que tout espoir semblait perdu, que Jeanne Maillotte, hôtesse du jardin de l'Arc, se saisit d'une hallebarde et invita hommes et femmes courageux à la suivre pour s'opposer à l'ennemi. S'armant de tout ce qui pouvait servir au combat, Jeanne et ses troupes de fortune parvinrent à bouter les Hurlus hors de Lille, malgré l'incendie qu'ils allumèrent dans le faubourg. Si l'existence de Jeanne n'est pas prouvée, la légende a connu néanmoins un grand succès, suscitant des œuvres d'art[87], chansons populaires (par exemple, un poème du chansonnier Alexandre Desrousseaux) et l'inauguration d'une statue à Lille en 1935.

Nous sommes dans le même cas de figure que Jeanne Hachette : Jeanne Maillotte est utilisée de façon analogue et à des fins similaires. Les deux Jeanne sont ce que Pierre Nora[88] désigne comme des « lieux de mémoires ». En effet, il note que « l'histoire s'écrit désormais sous la pression des mémoires collectives », qui cherchent à « compenser le déracinement historique du social et l'angoisse de l'avenir par la valorisation d'un passé qui n'était pas jusque-là vécu comme tel ». Selon Pierre Nora, « un lieu de mémoire dans tous les sens du mot va de l'objet le plus matériel et concret, éventuellement géographiquement situé, à l'objet le plus abstrait et intellectuellement construit ». Il peut donc s'agir d'un monument, d'un

---

87. Le musée de l'Hospice Comtesse de Lille possède un tableau anonyme du XVIIᵉ siècle figurant l'intervention de Jeanne Maillote.

88. NORA (Pierre) (sous la direction de), *Les lieux de mémoire*, Paris, Gallimard « Quarto », 1997, 3 vol.

personnage important, des archives, d'une devise, d'un événement, bref tout élément susceptible de fédérer la mémoire d'un groupe.

De façon plus générale, dans la grande majorité des récits de combats ou de conflits, c'est toujours à l'initiative des femmes que l'appel aux armes est adressé. Lors des journées d'octobre 1789, à un moment de tensions particulièrement fort, le peuple de Paris affamé gronde, lorsqu'il apprend que, au cours d'un banquet donné à Versailles le 1er octobre par des gardes du corps en l'honneur des officiers du régiment de Flandre, la cocarde révolutionnaire aurait été foulée et remplacée par la cocarde noire de la reine Marie-Antoinette. Ce sont les femmes qui, n'ayant de quoi nourrir leur famille, mettent à sac les boulangeries et affirment que, si le pain manque à Paris, c'est parce que le roi est loin de son peuple à Versailles. Elles prennent alors l'initiative d'aller chercher des armes et même des canons, afin de se rendre à Versailles et de ramener, par la force s'il le faut, le roi et sa famille. Pas moins de 4 000 femmes, et peut-être davantage, se regroupent. Elles excitent les hommes, en les qualifiant de lâches, et les poussent à venir se joindre à elles dans leur entreprise. Au nombre de 7 000 ou 8 000, cette armée d'infortune se rend à Versailles trouver « le boulanger, la boulangère et le petit mitron ![89] ».

La part des femmes dans ces violences collectives ne se limite pas à la seule motivation des troupes. Elles participent aux conflits, et la période révolutionnaire offre quantité d'exemples de femmes qui prirent les armes en dépit de l'interdiction formulée par la Convention du 30 avril 1793 qui les congédia des armées[90]. Dès le 16 avril de la même année, Carnot écrivait au sujet des femmes dans une lettre au Comité de salut public :

---

89. MARTIN (Jean-Clément), *La révolte brisée. Femmes dans la Révolution française et l'Empire*, Paris, Armand Colin, 2008, pp. 64-77.

90. Décret de la Convention nationale du 30 avril 1793, excluant les femmes de l'armée, à l'exception des blanchisseuses et vivandières :

Article 1er : Dans la huitaine du jour de la promulgation du présent décret, les généraux, les chefs de brigade, les chefs de bataillon et tous autres chefs feront congédier des cantonnements et des camps toutes les femmes inutiles au service des armées.

Article 2 : Seront au nombre des femmes inutiles, celles qui ne seront point employées au blanchissage et à la vente des vivres et des boissons.

« Un fléau terrible détruit nos armées. C'est le troupeau de femmes et de filles qui sont à leur suite. Il faut compter qu'il y en a autant que de soldats. Les casernes et les cantonnements en sont engorgés, et la dissolution des mœurs y est à son comble. Elles énervent les troupes et détruisent, par les maladies qu'elles y apportent, dix fois plus de monde que le feu de l'ennemi. Nous ne doutons pas que ce ne soit la principale cause de l'affaiblissement du courage. À Douai, où nous avons vu dans un temps la garnison réduite à 350 hommes, il y avait près de 3 000 femmes dans les casernes.[91] »

Les plaintes de Carnot portent essentiellement sur les désordres que la présence des femmes occasionne, qu'il s'agisse des épouses des soldats qui suivent sur les champs de bataille leur mari ou des prostituées qui viennent distraire les troupes. Carnot voit, dans cette présence féminine, une entrave au courage des hommes qui, ainsi démobilisés, seraient moins efficaces au combat. La cause de cette dénonciation des femmes est plutôt un prétexte pour écarter des armées des éléments jugés indisciplinés et, donc, potentiellement dangereux pour la cohérence des troupes. Parallèlement à la guerre, l'activité politique des femmes, que ce soit dans les clubs ou bien dans les sociétés populaires, devient embarrassante.

Jugée extrémiste et dangereuse, l'activité féminine révolutionnaire inquiète parfois. L'exemple de Claire Lacombe, comédienne de son état, illustre parfaitement cette crainte. Cette dernière s'était distinguée par sa participation à l'assaut du palais des Tuileries avec un bataillon de Fédérés le 10 août 1792, son courage ayant été récompensé par une « couronne civique ». Sa participation active aux combats fut prolongée d'une activité politique particulièrement intense. Son club, la Société des Républicaines Révolutionnaires fondée avec Pauline Léon en février 1793, proche des Enragés et des Hébertistes, est un exemple type de club politique féminin montré du doigt et dénoncé comme dangereux par les Robespierristes. Le 12 mai 1793, les Républicaines Révolutionnaires demandèrent à la

---

91. Cité dans GRANIER DE CASSAGNAC (Adolphe), *Histoire des causes de la Révolution Française*, Paris, Henri Plon, 1856, 2e édition, tome 3, p. 628.

La violence des femmes et l'Histoire

Convention le droit de porter les armes pour aller combattre en Vendée. De plus en plus intrusives par leurs revendications politiques, leurs pétitions et leurs appels à l'insurrection, les membres du club de Claire Lacombe devinrent indésirables, au point que les Jacobins parvinrent à en obtenir la fermeture. Le décret du 30 avril 1793 de la Convention prépare donc l'éviction des femmes des armées et de la vie politique. Ce décret fait suite au discours du député François-Martin Poultier d'Elmotte qui reprend très largement les arguments de Lazare Carnot :

« Citoyens, les généraux vous ont plusieurs fois adressé des plaintes sur le grand nombre de femmes qui suivent les bataillons. À la retraite de Belgique, elles formaient une seconde armée. Outre qu'elles absorbent une partie nécessaire des subsistances, elles gênent la marche des troupes, ralentissent le transport des bagages en se plaçant sur les voitures, et par là elles rendent les retraites pénibles et dangereuses ; elles sont la source des querelles, sèment la terreur dans les camps ; elles y inspirent le découragement et les dégoûts ; enfin elles sont un objet continuel de distraction et de dissolution pour tous les militaires, qu'elles énervent, et dont elles amollissent le courage. Ne croyez pas, cependant, que ce mal vienne du soldat. Dans la Belgique, Dumouriez leur donnait l'exemple de cette infraction à la police des armées ; il traînait à la suite des maîtresses, des chanteuses, des comédiennes, et son quartier avait beaucoup de ressemblance au harem d'un vizir. Cette contagion avait gagné les officiers et les soldats. Et le général n'avait garde d'empêcher ce qu'il faisait lui-même. C'est ainsi qu'on calomnie les volontaires ; on leur trace les chemins des fautes, on les y conduit insensiblement par l'exemple de l'indulgence ; et quand il en résulte un grand mal, on veut faire retomber sur eux l'indignation publique. Ces réflexions ont engagé votre comité de la guerre à sévir plus rigoureusement contre les généraux et les officiers que contre les soldats, parce que les premiers, étant plus instruits des lois, sont doublement coupables lorsqu'ils les violent. [92] »

_____

92. POULTIER D'ELMOTTE (François-Martin), *Convention nationale. Les Femmes inutiles, congédiées des armées*, Paris, Impr. nationale (s. d.).

Il s'agit d'interdire les femmes tenues pour inutiles et de ne conserver que celles dont le rôle est essentiel, telles les vivandières et autres cantinières. Dans sa formulation, le décret est suffisamment imprécis pour permettre d'écarter le plus de femmes possible, voire de sortir des rangs les femmes-soldats qui, pense-t-on, contribuent, par leur présence, à démobiliser l'attention des soldats.

Article premier

Dans la huitaine, du jour de la promulgation du présent décret, les généraux, les chefs de brigade, les chefs de bataillon et tous autres chefs, feront congédier des cantonnements et des camps toutes les femmes inutiles au service des armées.

II

Seront au nombre des femmes inutiles, celles qui ne seront point employées au blanchissage et à la vente des vivres et boissons.

III

Il y aura par chaque bataillon quatre blanchisseuses : elles seront autorisées à faire ce service par une lettre du chef du corps, visé par le commissaire des guerres.

IV

Les femmes qui ne seront point pourvues de lettres d'autorisation, seront exclues des camps et cantonnements.

V

Seront comprises dans cette exclusion les femmes des officiers-généraux et de tous autres officiers.

VI

Ceux dénommés dans l'article précédent qui s'opposeront à cette disposition, encourront la peine de prison pour la première fois, et ils seront destitués s'ils récidivent.

VII

Les généraux divisionnaires délivreront aux vivandières qu'ils croiront absolument nécessaires aux besoins de leurs divisions, une marque distinctive : celles qui ne seront point munies de cette marque seront congédiées.

VIII

Celles qui auront obtenu la marque ci-dessus désignée, et qui ne feront aucun commerce de vivres et de boissons, seront congédiées ; leur marque leur sera retirée sur-le-champ et remise au général divisionnaire.

IX

Les vaguemestres et voituriers ne recevront sur les voitures que les femmes porteuses de lettres d'autorisation, visées par les commissaires des guerres.

X

L'accusateur militaire, les commissaires des guerres et la gendarmerie nationale veilleront soigneusement à l'exécution du présent décret.[93]

Jean-Paul Bertaud a montré que, en dépit de cette interdiction, il fut particulièrement difficile de faire appliquer le décret.

Le 30 octobre 1793, les clubs féminins sont officiellement interdits par la Convention. Au moment de l'application de cette décision, il y avait en France environ cinquante-six clubs de femmes[94]. Les historiennes Martine Lapied[95] et Dominique Godineau, spécialistes de la Révolution française,

---

93. *Op. cit.*

94. DESAN (Suzanne), « Constitutionnal Amazons. Jacobin Women's Clubs in the French Revolution », Re-creating Authority in Revolutionary France, Rutgers University Press, New Jersey, 1992.

95. LAPIED (Martine), « Conflictualité urbaine et mise en visibilité des femmes dans l'espace public de l'Ancien Régime à la Révolution, en Provence et dans le Comtat Venaissin », dans *Les usages politiques des conflits urbains. France méridionale-Italie, XVᵉ-XIXᵉ siècles*, KAISER (Wolfgang) (dir.), Provence historique, 202 (2001), p. 427-438 ; Ead, « La place des femmes dans la sociabilité et la vie politique locale en Provence et dans le Comtat sous la Révolution française », LAPIED (Martine), RICHARD (Éliane) (dir.), « Femmes et politique en Provence (XVIIIᵉ-XXᵉ siècle) », Provence historique, 186 (1996), pp. 457-469 : EAD, « La visibilité des femmes dans la Révolu-

ont travaillé sur la place et le rôle des femmes en politique. Leurs recherches conduites sur l'activité politique des femmes ont permis de mettre en lumière une implication active de ces dernières dans les différentes structures d'accueil à leur disposition, qu'il s'agisse des clubs, des sections, ou bien encore des clubs mixtes. Contrairement aux dérives quasi extrémistes dont furent accusées les membres du club de Claire Lacombe, Martine Lapied a, au contraire, établi la relative osmose qui existait entre l'activisme politique féminin et l'activisme politique masculin. Si les véritables causes de la décision de la Convention de fermer les clubs féminins font encore débat, ce n'est pas tant la violence que la conquête de leurs droits en marche qui a probablement engendré une levée de boucliers de la Convention, fidèle d'une certaine manière aux idées de Jean Bodin, pour lequel l'activité d'une femme devait se limiter à celles de l'économie domestique.

En dépit de l'interdiction prononcée contre les femmes de porter les armes ou de s'organiser en groupe de paroles et d'échanges, la participation soutenue des femmes à la vie politique et aux différents conflits s'est maintenue. Il est difficile d'apprécier avec précision, sans recourir aux archives, ces activités désormais clandestines. Toutefois, certaines femmes ont laissé des traces officielles de leur participation à la guerre, même après 1793[96]. Comme l'a montré Jean-Paul Bertaud, les

---

tion française », LAPIED (Martine), PEYRARD (Christine) (dir.), *La* Révolution française, au carrefour des recherches, Aix-en-Provence, Publications de l'université de Provence, « Le temps de l'histoire », 2003 ; Ead, « Parole publique des femmes et conflictualité pendant la Révolution dans le sud-est de la France », FAURÉ (Christine), GEOFFROY (Annie), « La prise de parole publique des femmes sous la Révolution française », *AHRF*, 344 (2006), p. 47-62 ; Ead, « Les Provençales actrices de la révolution ? L'exemple des Arlésiennes », LE BOZEC (Christine), (Éric) WAUTERS (dir.), Pour la Révolution française. *Recueil d'études en hommage à Claude Mazauric*, Rouen, Publications de l'université de Rouen, 1998 ; Ead, « Les femmes entre espace privé et espace public pendant la Révolution française », BLETON-RUGET (Annie), RUBELLIN (Michel) (dir.), Georges Duby, regards croisés sur l'œuvre. *Femmes et féodalité*, Lyon, Presses universitaires de Lyon, 2000, pp. 312-322.

96. GODINEAU (Dominique), « De la guerrière à la citoyenne. Porter les armes pendant l'Ancien Régime et la Révolution française », Clio, 20 (2004), Armées, pp. 43-69. Voir également (Jean-Paul) BERTAUD, *La Révolution armée. Les soldats-citoyens et la Révolution française*, Paris, Robert Laffont, 1979.

autorités gouvernementales « de 1792 au Consulat, répétèrent que l'habit et l'état militaires ne convenaient pas "au sexe". Des femmes réclamèrent contre cette exclusion [97] ». Les Parisiennes, les premières, s'insurgèrent contre cette injustice, en se qualifiant elles-mêmes d'Amazones de la liberté, la flamme patriotique qui les animait exigeant d'être honorée de leur soutien. Le 6 mars 1792, plusieurs centaines des femmes conduites par Pauline Léon se rendirent à l'Assemblée, afin de porter une pétition et obtenir « l'autorisation de former un bataillon qui, encadré et entraîné par des militaires, partirait aux frontières [98] ». Elles furent saluées pour leur patriotisme, mais aucune suite ne fut donnée à leur initiative.

Le cas de Madame Sans-Gêne est probablement l'un des exemples les plus manifestes de cette volonté féminine de prendre les armes et de jouer un rôle qu'elles se sentent capables d'assumer. Fille d'un meunier de Pontoise, Pierre Figueur, la future Mademoiselle Sans-Gêne vit le jour à Talmay, en Côte-d'Or, le 17 janvier 1774 [99]. Orpheline à l'âge de 9 ans, elle fut recueillie par un de ses oncles maternels, un certain Viart, qui l'emmena vivre avec lui à Reuil, puis à Avignon où elle entra au service d'un marchand de drap en qualité d'employée [100]. Elle et son oncle rejoignirent les rangs du 9ᵉ régiment de dragons. Mademoiselle Sans-Gêne reçut à plusieurs reprises de nombreuses blessures, dont une à Castiglione. Bonaparte, alors général, fut souvent témoin des prouesses de Mademoiselle Sans-Gêne, célèbre pour son franc-parler. Au moment de la chute des Girondins en 1793, Thérèse était alors âgée de 18 ans, lorsqu'Avignon se souleva pour dénoncer le coup de force des Montagnards qui obligèrent sous la menace des canons les députés de la

---

97. BERTAUD (Jean-Paul), *La vie quotidienne des soldats de la Révolution, 1789-1799*, Paris, Hachette, 1985, pp. 149-170.

98. BERTAUD (Jean-Paul), *La vie quotidienne des soldats de la Révolution, 1789-1799, op. cit.*, p. 149.

99. FIGUEUR (Marie-Thérèse) épouse SUTTER, *La vraie Madame Sans-Gêne. Les campagnes de Thérèse Figueur, dragon aux 15ᵉ et 9ᵉ régiments, 1793-1815*. Écrites sous sa dictée par Saint-Germain Leduc, Paris, Guillaumin, 1894. Voir aussi FIGUEUR (Marie-Thérèse) dite « SANS-GÊNE », *Histoire de la dragonne. Les campagnes d'une guerrière enrôlée dans les armées de la Révolution et du Premier Empire, 1793-1815*, Paris, Cosmopole, 2004.

100. CÈRE (Émile), *Madame Sans-Gêne et les femmes soldats. 1792-1815*, Paris, Plon, 1894.

La violence des femmes

Convention à voter l'arrestation des Girondins. Son oncle, royaliste, décide de prendre les armes et d'emmener avec lui sa nièce. Pour faciliter la situation, il la fit habiller en canonnier, afin qu'elle pût, en toute sûreté, le suivre partout et même en campagne.

Rapidement, les fédéralistes avignonnais, qui espéraient joindre leurs forces à celles des Lyonnais, sont défaits par Carteaux, le général envoyé par la Convention. Faits prisonniers, l'oncle et la nièce se retrouvèrent livrés à la merci des vainqueurs. À leur grande surprise, Carteaux leur proposa d'intégrer les armées régulières. C'est ainsi que Thérèse, qui était une excellente cavalière, devint chasseuse à cheval. Elle avait appris à monter avec son père étant jeune. Elle doit son nom de guerre au sous-lieutenant Chastel. En 1793, elle servit à Toulon, où elle affronta les Anglais, puis à Castres où elle fut incorporée au 15e régiment de dragons. C'est là qu'elle reçut une instruction militaire complète. De Castres elle gagna l'armée des Pyrénées-Orientales qui tenait tête à l'armée espagnole où elle retrouva le général Dugommier.

Alors en poste sur le front espagnol, elle se lança un jour à la poursuite de cavaliers ennemis sur la route en direction de Gérone. Se rapprochant de ses derniers, elle se rendit compte qu'il s'agissait d'émigrés français en fuite. Au lieu de les pourchasser, elle préféra leur indiquer un autre chemin et de fuir au galop. Tous s'y résolurent sauf un seul, qui au lieu de lui être reconnaissant de son geste, arma une carabine et lui tira dessus. Elle raconte dans ses mémoires que :

> « indignée, je cours sur lui et je lui plonge mon sabre dans la gorge ; c'est ce qu'en langage militaire, nous appelons le coup du cochon. J'étais tellement transportée de fureur qu'après qu'il fut tombé, je forçai mon cheval à le fouler. Sa balle avait effleuré la bordure en peau de tigre de mon casque et bouleversé l'oreille de chien de ma coiffure du côté gauche. [101] »

Parmi ses hauts faits de guerre, notons que Mademoiselle Sans-Gêne sauva sur le champ de bataille le général Nouguez, grièvement blessé par

---

101. FIGUEUR (Marie-Thérèse) épouse SUTTER, *La vraie Madame Sans-Gêne, op. cit.*, p. 56.

balle à la tête, et deux soldats de sa troupe qui étaient en train de se noyer. Auréolée de ses exploits, elle est demandée en mariage par un adjudant général ; elle finit par consentir, pressée par ses compagnons d'armes. Elle se présenta devant le maire en uniforme lequel, faisant un trait d'humour déplacé, demanda qui des deux était la mariée, suscitant un éclat de rire général. Au grand étonnement de l'assemblée, Mademoiselle Sans-Gêne fut profondément vexée de cette plaisanterie qui la fit entrer dans une colère noire au point de rompre les fiançailles. La paix avec l'Espagne conclue, elle fut envoyée en Italie. On lui offrit le grade de brigadier qu'elle refusa. Le 19 février 1799, elle passa au 9ᵉ régiment de dragons. Elle fut alors faite prisonnière à Busca dans la région du Piémont par les hussards ennemis, mais elle parvint à s'enfuir, reprit les armes et, à nouveau blessée, fut une fois de plus prisonnière. Quand les hussards ennemis découvrirent qu'il s'agissait d'une femme, ils voulurent la brûler comme sorcière, mais elle fut sauvée de justesse grâce à l'intervention du prince Charles-Joseph de Ligne qui, touché par sa détermination et son courage, la fit soigner. Libérée, elle quitta le 9ᵉ régiment le 19 janvier 1800 presque mourante, lorsqu'elle fut admise à Lons-le-Saunier dans le Jura pour y être soignée. Elle se retira à Montélimar, puis à Chalon-sur-Saône, mais la vie de sédentaire ne lui convenant pas, elle vint à Paris se rengager au 9ᵉ dragon. Elle combattit aussi bien à Austerlitz qu'à Iéna. Elle demanda ensuite à regagner Paris. Lors du voyage de retour, elle fut blessée dans une chute de cheval et contrainte à passer 18 mois sans presque sortir de sa chambre à l'hôpital de la Charité de Paris. En 1809, elle reprit du service et partit pour Bayonne. Le 2 juillet 1818, de retour à Paris, elle épousa Clément Sutter, son ami d'enfance. Elle a alors 42 ans. Son époux meurt le 19 février 1829. Elle tombe alors dans l'indigence et demande son admission à l'hospice des Petits-Ménages en 1839 à Paris. Elle obtient son admission le 22 avril 1841 et y meurt le 4 janvier 1861, à l'âge de 87 ans.

Virginie Ghesquière, elle aussi, servit en Espagne. Contrairement à sa contemporaine Sans-Gêne qui avait pris soin de faire dicter ses mémoires, nous ne conservons le souvenir de Virginie Ghesquière, surnommée « joli sergent », que par le biais de rares articles de journaux. Elle servit dans le 27ᵉ régiment de ligne pendant six années. Elle obtint son grade de sergent après la bataille de Wagram, pour avoir sauvé la vie à son capitaine. Elle aurait été distinguée et décorée de la Légion d'honneur mais à l'heure actuelle rien n'atteste ce point. En effet, son nom ne figure pas dans les registres des titulaires de la Légion d'honneur. Officiellement, la première Française à l'avoir reçue fut Angélique Duchemin, veuve Brulon, le 15 août 1851, qui servit sept ans dans le 42ᵉ régiment d'infanterie sous le nom de guerre de Liberté [102]. Le *Journal de l'Empire*, daté du 31 octobre 1812, fait ainsi mention de cette héroïne : « On parle beaucoup du courage et du dévouement d'une demoiselle qui a remplacé son frère conscrit en 1806, et qui est revenue de l'armée couverte d'honorables blessures ». Les Françaises qui se sont distinguées par leurs faits d'armes sont nombreuses mais elles ne sont pourtant pas les seules [103].

Au XIXᵉ siècle, les guerrières du Dahomey constituèrent une armée de 7 000 à 8 000 femmes, essentiellement entraînées au combat à l'arme blanche et au corps à corps. L'efficacité de ces femmes impressionna les observateurs européens qui les qualifièrent… d'Amazones [104]. Ce corps de guerrières aurait été créé par le roi Agadja (1708-1740), son père, le roi Houégbadja, qui régna de 1645 à 1685, ayant déjà créé un détachement de « chasseresses d'éléphants » qui remplissait également des fonctions de gardes du corps. Mais ce fut véritablement le souverain Agadja qui en fit de vraies guerrières. E. Chaudoin, dans son livre *Trois mois de captivité au Dahomey*, les décrivit ainsi :

> « Elles sont là, 4 000 guerrières, les 4 000 vierges noires du Dahomey, gardes du corps du monarque, immobiles aussi sous leurs chemises de guerre, le fusil et le couteau au poing, prêtes à bondir sur un signal du

---

102. Elle reçut cette prestigieuse distinction des mains de Louis XVIII à 79 ans. Elle décéda le 13 juillet 1859, à l'âge de 87 ans.

103. Adélaïde Élié, Ducoud-Laborde, Maria Schellink, Félicité Fernig, etc.

104. REYNAUD (Emmanuel), *Les femmes, la violence, et l'armée. Essai sur la féminisation des armées*, Paris, Fondation pour les études de défense nationale, 1988.

maître. Vieilles ou jeunes, laides ou jolies, elles sont merveilleuses à contempler. Aussi solidement musclées que les guerriers noirs, leur attitude est aussi disciplinée et aussi correcte, alignées, comme au cordeau. [105] »

Le point de vue de Chaudoin est quelque peu nuancé par Édouard Foà, un autre explorateur, qui se montre moins admiratif à cet égard. Selon Foà, les femmes servaient de « bêtes de somme » pour acheminer vivres et munitions [106]. Dans les rangs des armées dahoméennes, les Amazones, constituent la partie permanente des armées.

> « Les Amazones du Dahomey ont beaucoup fait parler d'elles ; on les a comparées aux femmes guerrières de Diodore et de Plutarque, à ces intrépides combattantes de la Cappadoce, mutilées et vouées au célibat, qui faisaient trembler leurs ennemis et les couchaient à leurs pieds autant par leur beauté éclatante que par leur valeur guerrière.
> Il nous est pénible de couper les ailes à l'enthousiasme et de ramener à la réalité l'idée qu'on s'est faite des Amazones dahomiennes, mais nous devons dire que, sauf leur férocité et leur bravoure sans égales, ces noires viragos n'ont rien qui puisse provoquer l'admiration. [107] »

Le propos de Foà n'est pas celui d'un ethnologue ou d'un anthropologue, mais d'un colon, à la fois surpris par l'organisation d'une société qui accorde aux femmes une autre place et la confusion qu'il éprouve face à ces femmes confrontées à ses propres grilles de représentations occidentales de la féminité et du rapport des sexes.

> « Au physique, l'Amazone ressemble à tous les noirs ; elle a généralement une voix rauque ou mâle et l'aspect hommasse, qui sont le résultat de sa dure existence ; ce n'est que jeune fille qu'elle présente encore les caractères de son sexe. [108] »

---

105. CHAUDOIN (E.), *Trois mois de captivité au Dahomey*, Paris, Hachette, 1891.

106. FOÀ (Édouard), *Le Dahomey. Histoire, géographie, mœurs, coutumes, commerce, industrie. Expéditions françaises (1891-1894)*, Paris, A. Hennuyer, 1895, p. 234-264.

107. *Ibid.*, p. 255.

108. *Ibid.*, p. 258.

La violence des femmes

À l'instar des discours tenus jusqu'ici à l'endroit des femmes militaires ou, de façon plus générale, de celles qui sortent de leur condition, Foà masculinise ces guerrières, les fait figurer comme des représentantes d'une féminité amoindrie, dont ne subsistent que les distinctions les plus évidentes. Ces femmes qu'il semble mépriser, il les admire aussi pour leur grande discipline et leur agilité. Ils soulignent que, quoiqu'elles soient de mauvaises tireuses, elles excellent en revanche au corps-à-corps avec le sabre. Ces Amazones du Dahomey, rendues singulières parce que noires et sauvages, sont pourtant comparables aux femmes spartiates qui, éduquées de la même façon que les hommes, passaient, selon la tradition, pour de redoutables guerrières. Les femmes ne sont pas incapables de faire la guerre. On a arbitrairement pensé pour elles qu'elles l'étaient, parce que ce n'était pas un domaine prioritaire dans leur existence, ayant mieux à faire au foyer. Ce confinement éminemment machiste est bien entendu injustifié, et les nombreux exemples de femmes en armes nous montrent qu'il n'y a aucune contradiction entre arts militaires, combats et féminité. Dès qu'il s'agit de pouvoir, la féminité se heurte à la conservation jalouse de ce dernier par le masculin. Pourtant, le champ politique, longtemps dominé par les hommes, fut régulièrement investi par des femmes qui, par un moyen ou un autre, ont réussi à s'en emparer, en dépit de la jalousie de l'autre sexe.

Les femmes et la violence politique

Dans l'Antiquité, l'usage de la violence politique fait partie des expédients quasi naturels. Il n'est pas rare d'imposer par la force des tyrannies ou bien encore d'usurper le pouvoir par le biais de coups d'État. Cette pratique violente de la politique n'a nullement épargné les femmes qui tout autant que les hommes, ont pu recourir aux moyens les plus radicaux pour imposer leur volonté et prendre le pouvoir. La célèbre Agrippine, mère de Néron, est un exemple célèbre de femme exerçant avec puissance et magnificence la violence politique. Les souveraines lagides, moins célèbres, n'ont rien à envier à notre intrigante romaine et sont probablement les championnes des empoisonnements et autres meurtres politiques.

Appelée Ptolémaïque, cette lignée de souverains et de reines égyptiens est constituée par les descendants de Ptolémée Ier Sôter, qui régna sur l'Égypte du IVe siècle av. J.-C. au Ier siècle av. J.-C, où elle s'éteignit avec la défaite d'Actium [109]. De tous les souverains lagides, seuls les deux premiers mourront d'une mort naturelle ; c'est dire si l'usage du meurtre politique était banal.

Parmi ces souveraines calculatrices et faisant usage de violences meurtrières à des fins politiques, l'exemple de Laodicé Ire (morte en 240), reine de Syrie, fille d'Achaios Ier, épouse d'Antiochos II Théos et mère de Séleucos II Kallinikos et d'Antiochos Hiérax, est particulièrement éclairant. Répudiée en 253 par Antiochos qui épousa Bérénice Syra, la fille de Ptolémée II Philadelphe. Laodicé ne supporta ni cette infamie, ni son éviction de la scène politique. La répudiation fut vécue comme une haute trahison et, dès lors, elle ourdit la vengeance, ne tardant pas à trouver l'occasion de s'exprimer dans toute sa splendeur. Le roi, qui n'avait épousé Bérénice qu'à des fins politiques, était toujours amoureux de Laodicé et abandonna à Antioche Bérénice et le fils qu'elle lui avait donné pour retrouver sa première épouse. Laodicé accueillit Antiochos avec ses projets de vengeance, redoutant une nouvelle disgrâce humiliante. Pour éviter cet outrage, elle résolut de se débarrasser du roi infidèle en le faisant empoisonner à Sardes. Pour être sûre de retrouver sa place dans l'échiquier du pouvoir, elle fit en sorte de scénariser la mort de son époux, et on dit même qu'elle fit jouer à un autre homme le rôle du roi agonisant pour que tous entendent que seul le fils de Laodicé serait son successeur. Son fils désigné héritier, Laodicé s'empara rapidement du pouvoir. Une politique de purge fut alors conduite, au cours de laquelle elle fit notamment mourir les Égyptiens qui, venus en Syrie avec Bérénice, se trouvaient auprès d'Antiochos à sa mort. À Antioche, Laodicé trouva de nombreux ennemis et fit assassiner par un garde le fils de sa rivale, afin d'éviter toute contestation éventuelle du trône.

Selon les sources, Bérénice, entreprenant de venger la mort de son fils, aurait pris personnellement les armes et, lancée sur un char, poursuivit le

---

109. En 31 av. J.-C., Marc-Antoine et Cléopâtre sont vaincus par Octave, le futur Auguste.

meurtrier. Elle parvint en se saisissant d'une pierre à lui administrer un coup mortel et poussa ses chevaux sur le cadavre, afin de piétiner symboliquement le pouvoir honni de l'instigatrice du meurtre. Les partisans de Laodicé ne lui laissèrent guère le temps de jouir de sa vengeance à peine assouvie et l'égorgèrent. Ce meurtre déclencha l'intervention du frère de Bérénice, Ptolémée III Évergète lors de la « Troisième Guerre de Syrie » (246-241).

Le Moyen Âge a livré à l'Histoire d'autres reines avides de pouvoir qui ne reculèrent devant rien pour imposer leur autorité. Ainsi, à la fin du VIᵉ siècle, les célèbres reines mérovingiennes, Brunehaut et Frédégonde [110], ennemies jurées, se livrèrent une guerre acharnée pendant quarante ans pour s'emparer du pouvoir [111]. Leurs règnes respectifs furent entachés par le sang, les empoisonnements et le massacre. Brunehaut, fille du roi Wisigoth Athanagilde, épousa vers 566-568 l'un des petits-fils de Clovis, Sigebert Iᵉʳ, roi d'Austrasie [112]. Sa sœur Galswinthe, quant à elle, épousa le roi de Neustrie [113], Chilpéric Iᵉʳ, qui, peu satisfait de cette union, ne tarda pas à ourdir le meurtre de son épouse, secondé dans son entreprise par l'une de ses concubines, Frédégonde. Galswinthe fut étranglée, Frédégonde prise pour reine. La fureur de la reine Brunehaut fut aussi grande que son désir de vengeance. Elle poussa son époux à la guerre, mais elle n'obtint pas de ce dernier ce qu'elle désirait. Chilpéric, cité devant l'assemblée générale des Francs, consentit à payer le « wergeld » ou compensation du sang. Brunehaut obtint, de son beau-frère meurtrier Chilpéric, cinq villes d'Aquitaine [114] qui faisaient parties du douaire de Galswinthe. Mais Chilpéric n'observa guère sa promesse et, très vite, une guerre fratricide éclata entre les deux souverains. Sigebert, fort de l'appui de barbares venus de Germanie, pénétra en Neustrie et parvint à se faire reconnaître roi.

---

110. Voir PANCER (Nira), *Sans peur et sans vergogne. De l'honneur et des femmes aux premiers temps mérovingiens (VIᵉ-VIIᵉ siècles)*, Paris, Albin Michel « Histoire », 2001, pp. 247-254.

111. GRÉGOIRE DE TOURS, *Histoire des Francs*, trad. R. Latouche, 2ᵉ éd., 2 vol., Paris, Les Belles Lettres, 1996.

112. Actuelles Belgique et Lorraine.

113. Actuelles Île-de-France, Normandie, etc.

114. Limoges, Cahors, Bordeaux, Béarn et Bigorre (aujourd'hui Lescar et Tarbes).

Chilpéric replié à Tournai attendait l'arrivée imminente de son frère victorieux et le sort que ce dernier lui réservait. Frédégonde, quant à elle, refusa la résignation de son époux et entreprit alors de régler personnellement la situation de crise. Selon la tradition, elle parvint à séduire et à corrompre deux jeunes soldats francs qu'elle envoya au camp de son beau-frère Sigebert avec l'ordre de le tuer. Sous prétexte de saluer le roi, les deux soldats, armés de longs couteaux, parvinrent à leurs fins et l'assassinèrent en 575. La donne politique était dès lors complètement bouleversée. Chilpéric, qui languissait en attendant la mort, devint héritier du royaume de son défunt frère. Brunehaut, qui pensait avoir triomphé de ses ennemis, tomba sous la coupe de ces derniers et, surtout, de sa rivale Frédégonde. À Paris avec ses enfants au moment du meurtre de son époux, Brunehaut confia son fils, l'héritier du trône d'Austrasie, le jeune Childebert, à un fidèle serviteur, afin de le soustraire aux représailles de son beau-frère. Childebert fut conduit à Metz où il fut proclamé roi. À son arrivée à Paris, Chilpéric s'empara du trésor de Brunehaut, et, contre toute attente, lui laissa la vie sauve. Il se contenta de l'envoyer sous bonne escorte à Rouen, séparée de ses filles.

Frédégonde non encore satisfaite de son triomphe, détourna un moment son attention de sa belle-sœur pour s'occuper de la succession au trône. En effet, Chilpéric avait eu d'une autre femme nommée Audowère des fils auxquels la couronne devait échoir. Frédégonde entreprit dès lors d'éliminer ces rivaux qui, tant qu'ils seraient en vie, seraient des obstacles à ses desseins. Frédégonde souhaitait mettre sur le trône ses propres enfants. Sa première victime fut Mérovée, fils ainé d'Audowère. La première rencontre entre Mérovée et Brunehaut se fit à Paris. Séduit par la beauté de la reine, il se rendit secrètement à Rouen pour la demander en mariage, demande qui facilita grandement les projets de Frédégonde. Cette dernière s'empressa de crier à la trahison et Chilpéric se rendit à Rouen pour séparer les époux. Brunehaut obtint de rentrer en Austrasie tandis que Mérovée, déclaré traître, perdit sa chevelure, c'est-à-dire ses droits au trône, et fut envoyé finir sa vie dans un monastère. Mérovée parvint à prendre la fuite et, pour écarter définitivement la menace qu'il faisait peser, Frédégonde le fit égorger par ses affidés. Sa satisfaction fut de courte durée. Une épidémie qui sévissait alors dans le royaume emporta ses propres enfants. Cette punition divine ou ce coup du destin ne firent qu'attiser davantage encore la rage de Frédégonde, rage qu'elle déversa sur le dernier fils encore vivant d'Audowère, Clovis, à qui le trône devait en tout état de cause revenir. Inquiète de la vengeance dont Clovis la menaçait, Frédégonde fit en sorte, une fois encore, de l'écarter. Elle tenta tout d'abord de faire périr Clovis en l'envoyant à Braine, où le foyer infectieux était le plus virulent, espérant qu'il contracterait à son tour le mal qui avait emporté ses enfants. Hélas il en revint sain et sauf. Frédégonde imagina alors un autre stratagème, elle accusa Clovis auprès de Chilpéric d'avoir causé la mort de ses frères par l'utilisation de sortilèges, et envoya une fois de plus des assassins qui firent périr Clovis, sa mère et ses amis. En 584, c'est au tour de Chilpéric de disparaître. Selon la tradition, il fut assassiné par un homme de main de Frédégonde, Landry, qui le poignarda à Chelles.

De son côté, Brunehaut, de retour en Austrasie auprès de son fils, essayait de soumettre à l'autorité royale ses vassaux. Pour le traité d'Andelot en 587, Childebert, fils de Brunehaut, et Gontran, son oncle, conclurent une alliance contre les leudes. Le traité stipulait également que si Childebert ou Gontran venaient à disparaître sans enfants, l'héritage de l'un reviendrait à l'autre et réciproquement. Gontran décéda en 593, et, selon les clauses du traité, son royaume, la Bourgogne, revint à son neveu. Brunehaut vit dans cette nouvelle puissance l'occasion de prendre sa revanche sur Frédégonde. Une armée austrasienne fut levée et la Neustrie envahie. Frédégonde parvint à galvaniser le moral de ses troupes auxquelles elle présenta son fils le roi. Une embuscade fut mise au point. Le camp des Austrasiens fut encerclé de nuit et au lever du jour, les Neustriens n'eurent guère de mal à triompher. En 597, Frédégonde mourut. Désormais sa rivale morte, Brunehaut poursuivit son action politique et réformatrice. Elle assura la régence des royaumes de ses petits-fils. Pour maintenir son autorité, Brunehaut n'hésita pas elle aussi à recourir aux mêmes expédients que ses ennemis. En 599, le meurtre du duc de Champagne souleva contre elle les leudes d'Austrasie. Elle trouva refuge auprès de son petit-fils Thierry à Chalon-sur-Saône qu'elle entreprit de pervertir. Afin d'écarter toute opposition à sa politique,

La violence des femmes et l'Histoire

elle n'hésita pas à faire lapider l'évêque de Vienne saint Didier, supprimant quiconque osait s'opposer à son influence. Elle parvint à réunir ses petits-fils, Thierry et Théodebert, dans une alliance contre Clotaire II, fils de Frédégonde. Mais l'alliance ne put autoriser la concrétisation des rêves de revanche de Brunehaut, la défection de Théodebert l'en empêcha. Cette traîtrise excita sa colère, qui poussa Thierry à s'en prendre à son frère. Il fut vaincu et pris. Les leudes d'Austrasie et de Bourgogne excédés par la politique de la reine, ourdirent contre elle un complot. Ils offrirent de livrer à Clotaire les deux royaumes. Brunehaut tomba aux mains du fils de Frédégonde. Une assemblée générale des Francs lui reprocha la mort de plusieurs rois. Elle fut condamnée au supplice. Alors âgée de près de 80 ans, en 613, elle fut liée par les cheveux, un pied et un bras à la queue d'un cheval sauvage qui, en l'emportant dans sa course, la mit en pièces.

Pour la période révolutionnaire, Dominique Godineau a montré que les femmes pouvaient être aussi violentes que les hommes dès qu'elles investissaient le champ du politique[115]. Les fameuses « tricoteuses » furent associées à la guillotine auprès de laquelle tout en étant afférées à leurs ouvrages, elles se seraient délectées du supplice des condamnés. Or, pendant la Révolution, les tricoteuses désignaient celles qui se rendaient dans les tribunes de la Convention pour assister aux diverses séances, depuis lesquelles elles influençaient les législateurs en les huant ou en les apostrophant. Dans l'imaginaire collectif toutefois, l'image de la tricoteuse resta longtemps associée aux débordements sanguinaires liés à l'intense activité de la guillotine qui fonctionna à plein régime au moment de la Révolution[116]. Image amplifiée, image réelle ? Les archives mettent clairement en évidence la capacité à la violence tout autant que sa pratique. Toutes les descriptions emphatiques qui émergent des différents témoignages dont nous disposons sont à replacer dans leur contexte. Les

---

115. GODINEAU (Dominique), « Citoyennes, boutefeux et furies de guillotine », *De la violence, op. cit.*, pp. 33-49.

116. TULARD (Jean), FAYARD (Jean-François), FIERRO (Alfred) (dir.), *Histoire et dictionnaire de la Révolution française, 1789-1799*, Paris, Laffont, 1987.

La violence des femmes

portraits les plus acerbes de nos tricoteuses furent faits par les opposants à la Révolution qui en dénonçant la barbarie, avaient voulu montrer que cette dernière n'avait pas de limites et qu'elle avait aussi frappé de sa marque le beau sexe. Les contre-révolutionnaires souhaitaient, par le biais de ces terribles portraits, diaboliser davantage encore l'œuvre de la Révolution.

Une partie de l'historiographie républicaine s'est aussi attachée à souligner et à dénoncer la violence féminine au moment de la Révolution française. La figure d'Aspasie Carlemigelli et sa mémoire montrent quelle sorte de discours pouvait inspirer l'action politique des femmes au XIXᵉ, voire au XXᵉ siècle [117]. Célèbre pour sa grande violence autant que pour ses éclats de folie, Aspasie fut associée à l'image des tricoteuses, image recomposée et détournée, l'activité des tricoteuses étant davantage politique que terroriste. Dans son ouvrage *Les Français sous la Révolution*, l'historien Augustin Challamel, donne une intéressante image des « furies de guillotine » et autres « tricoteuses » auxquelles il consacre une notice entière [118]. On retrouve sous sa plume l'ensemble des clichés prêtés aux tricoteuses, mais avec une singulière réflexion sur la dualité des femmes comme nous allons le voir. Challamel s'affère dans un premier temps à décrire la physionomie de ces femmes et nous pousse sans trop de difficulté à faire appel à notre imagination pour se figurer ce qu'étaient selon lui les femmes actives sous la Révolution :

> « On les appelait, par allégorie, furies de guillotine. Tout ce que l'imagination peut se retracer de plus hideux ou inventer de plus farouche, se retrouvait dans ces natures monstrueuses qui n'avaient de femmes que le nom. À les voir coiffées du bonnet de liberté, les cheveux en désordre, les pieds nus, ou enfermés dans des sabots ou des souliers informes, vêtues d'une veste d'homme et d'un jupon de gros drap brun, la main appuyée sur une pique ou armée d'un fusil, on se fût cru le jouet d'une terrible apparition. N'étaient-ce pas là les sorcières de Macbeth ? Les antiques

117. PRUDHOMME (Louis-Marie), *Répertoire universel, historique, biographique des femmes célèbres, mortes ou vivantes*, Paris, Achille Désauges, 1826, tome 1ᵉʳ, pp. 257-258.

118. CHALLAMEL (Augustin), TÉNINT (Wilhelm), *Les Français sous la Révolution*, Paris, Challamel (s. d.).

La violence des femmes et l'Histoire

Euménides secouant sur leur passage des torches et des serpents ? Leurs yeux étaient hagards, leur physionomie était fiévreuse, leurs traits avaient une mobilité extrême ; leur nez, long et pincé, divulguait leur irascibilité méchante ; leur bouche, fermée de façon à laisser leurs lèvres inaperçues, ne s'ouvrait que pour crier ou chanter les refrains montagnards ; leur voix était sourde et nerveuse, si l'on peut dire ainsi ; leur teint, hâlé par le grand air, était tout à fait viril : leur démarche, en un mot, avait quelque chose de brusque et d'arrêté qui les faisait reconnaître de bien loin. [119] »

Au-delà du simple portrait largement fondé sur les clichés habituels de la femme terrible, de la femme sorcière, il y a dans ce travail de reconstruction de la mémoire une volonté d'inspirer du dégoût, au lieu de l'admiration, envers ces femmes qui sortirent de leur condition. Leur action s'efface devant leur image qui inspire le désordre, le chaos, la rupture. C'est d'une féminité dépossédée dont il s'agit. Dépossédée de tous les attributs traditionnels qui permettent d'inscrire dans le champ social la place respective de chacun. On reconstruit donc l'image de ces femmes en les virilisant. L'effervescence révolutionnaire aliène leur capacité à penser, et les réifie à leurs instincts les plus primaires. Dans la plupart des discours révolutionnaires, c'est ainsi que les femmes en mouvement sont décrites, comparées à des bêtes, perdant par là même l'humanité qui devrait les caractériser. La suite du propos autorise donc tous les effets de style nécessaires à Challamel pour finir de ternir l'action politique des femmes qui s'abolit dans la figure de la furie de guillotine.

« L'échafaud était dressé. (…) Aussitôt que la charrette des condamnés apparaissait, et que les gardes à cheval commençaient à requérir place et passage, l'œil des furies devenait flamboyant. Elles entonnaient le terrible "ça ira", levaient leurs bras et frappaient du pied, criaient mort aux traîtres, et, de loin, suivaient du regard les victimes. Dès que les condamnés étaient arrivés au bas de l'échafaud, les furies changeaient de pose, et tournaient le dos à la foule. Le supplicié devait supporter leurs injures et leurs menaces. Son abattement provoquait leur risée, sa

---

119. CHALLAMEL (Augustin), TÉNINT (Wilhelm), *Les Français sous la Révolution, op. cit.*, p. 26.

résignation leur ironie, sa fermeté leur rage. Quelques-unes étaient désolées de ne pouvoir remplir elles-mêmes l'office de bourreau. (…) Les furies tendaient le cou, cherchaient partout de l'œil de nouveaux condamnés, et, n'en trouvant pas, restaient là, courroucées et haletantes, jusqu'à ce que les paniers fussent enlevés. [120] »

Furies de guillotine, femmes monstrueuses, femmes sanguinaires, il y a renouvellement dans le récit de la bestialité dont les femmes sont affublées. La théâtralisation de la montée à l'échafaud, quoique terrible n'en devient pas moins burlesque et déraisonnable. L'auteur donne à voir une horde de hyènes et de vautours, mais à aucun moment Challamel ne s'interroge sur les raisons d'un tel engouement pour le sang. La force du récit évacue l'appareillage critique de sa démonstration renvoyant sa description au folklore. Le but de l'auteur est de dénoncer les risques induits pas l'implication des femmes en politique. Un amalgame entre désordre, inversion, et périls est effectué. Ces femmes, qui à ses yeux n'en sont plus, dès lors qu'elles évoluent dans le cadre de la sphère privée retrouvent leur intégrité. On en revient à cette idée d'une femme Janus, duale, qui hors des champs qui lui sont reconnus perd ses repères. Ainsi peut-on lire :

> « Chez elles, il eût été impossible de les reconnaître. C'étaient souvent des femmes probes et laborieuses comme d'autres ; souvent aussi leur visage doux, gracieux, beau même, contrastait avec ces faces hideuses et grimaçantes dont nous avons parlé plus haut. Il existait en elles une double nature. La foule, les armes, les cris, l'odeur du sang les rendaient comme folles. Le calme, la solitude de la vie privée en faisait des femmes de ménage ordinaires. D'autres au contraire, absorbées par les événements, étaient toujours les mêmes, toujours portées aux rixes, aux meurtres, aux insurrections. Celles-ci ne connaissaient pas la vie privée. Constamment sur la brèche, adoptant le costume des sans-culottes, courant les clubs, menaçant par ici, par-là dénonçant, leur existence entière se consumait dans les secousses révolutionnaires. Tout ce qui

---

120. *Ibid.*

La violence des femmes et l'Histoire

s'éloignait de la violence et du tumulte, leur paraissait fade. Tout ce qui respirait l'émeute excitait dans leur âme une joie unique et suprême.

Il y avait des furies de guillotine ailleurs que près de la guillotine. On en pouvait voir, tantôt à la tribune d'une société de femmes, tantôt à la barre même de la convention, tantôt à la tête des insurrections populaires. [121] »

Il existe une violence indéniable qui s'exprime lors des troubles révolutionnaires, mais cette violence concerne les deux sexes. L'inscription politique des femmes leur est interdite en raison de leur « double nature ». La furie de guillotine et la tricoteuse, utilisées indistinctement pour désigner l'activité des femmes, vont entretenir pendant longtemps l'invisible menace qu'elles feraient peser, et cela jusqu'à ce que le droit de vote leur soit enfin accordé.

Cette violence féminine, particulièrement soulignée dès la Révolution française, n'est pas, pourtant, une violence nouvelle. Les femmes n'ont pas attendu la Révolution pour adopter des comportements violents. Ainsi, les archives judiciaires du XVIIIe livrent pour la période qui précède la Révolution française une infinité d'exemples d'actions féminines violentes, exercées en solitaire ou en bande.

Cette politique stratégique du regroupement concerne de très près une des femmes de nos archives : Marie-Magdelene Cottat, par exemple, veuve de Jean-François Aillaud, est prise à partie par un groupe de femmes qui l'accusent d'être une prostituée. Pourquoi ? Le veuvage, rappelons-le, confère sous l'Ancien Régime une certaine liberté, mais est davantage source de suspicion. La dissolution du mariage, entraînée par la mort de l'époux, permet à la veuve de continuer à jouir de ses paraphernaux, c'est-à-dire de tous les biens qu'elle a reçus par donation ou par succession ainsi que les gains qu'elle a réalisés depuis ses noces, dans le commerce par exemple [122]. Le veuvage est parfois source de

---

121. CHALLAMEL (Augustin), TÉNINT (Wilhelm), *Les Français sous la Révolution, op. cit.*, p. 27.
122. AUGUSTIN (Jean-Marc), « La protection juridique de la veuve sous l'Ancien Régime », *Veufs, veuves et veuvage dans la France d'Ancien Régime*, Actes du colloque de Poitiers (11-12 juin 1998), textes réunis par (Nicole) PELLEGRIN, présentés et édités par Ch. WINN, Paris, H. Champion, 2003, pp. 25-45.

jalousie, toujours de méfiance. La déposition de Marie-Magdelene Cottat a pour but de focaliser l'attention du juge sur la violence dont elle a été la victime, et non pas sur son statut de veuve qui pourrait la rendre suspecte aux yeux de la justice. La déposition qui suit axe donc les points forts de sa plainte sur l'aspect scandaleux de la proposition qui lui a été faite :

« La supliante étoit au-devant de sa porte à prendre le frais, la nommée Vigne Aillaude vint l'aborder et luy proposa de recevoir des cavaliers dans sa maison pour se prostituer, la supliante surprise d'une pareille proposition pria cette femme de se retirer et de la laisser tranquille, mais cette aillaude insistant et voulant induire la supliante à se prostituer, n'oubliant rien pour y parvenir, elle mit en usage, promesses, menaces, offres d'argent, et de services, et généralement tout ce que pareille femme peuvent proposer, la supliante pour se débarrasser de cette femme se dressa pour se retirer chez elle alors ladite Aillaude comme une furieuse commença à la traiter de putain, misérable, garce, qu'elle vouloit faire les vestales, qu'elle n'étoit qu'une prostituée, à ces cris se joignirent a elle la nommée ballone servante, la nommée vigne femme d'un savetier et la nommée Toiron couturière, et les quatre autres femmes au milieu de la rue crioient à haute voix que la supliante étoit une putain, une maquerelle, une gueuse, et une prostituée, qu'elle étoit à chien et chat, la supliante pour éviter la coüe du monde qui s'assembloit entra dans sa maison et monta dans son appartement, mais les femmes n'en furent pas moins furieuses et ne discontinuèrent point de redire lesdites injures et ladite aillaude ajouta encore qu'elle la luy payeroit, qu'elle vouloit la faire assassiner et luy mander du monde pour luy faire du tapage et la maltraiter, elle ne resta pas long temps d'effectuer ses menaces, car le même soir sur les onze heures ou environ elle manda plusieurs hommes un desquels parut seul, frappa à la porte et demanda à parler à la supliante et que si on le luy ouvroit pas il romproit et enfonceroit la porte et jetteroit tout de la fenêtre et dans le tems que cet homme frapoit ainsi et tenoit ce langage, aillaude se tenoit à la rue et frapoit des mains pour l'encourager, mais comme il y avoit du monde dans la maison, il n'osa pas pousser plus loin son tapage. [123] »

---

123. Archives départementales des Bouches-du-Rhône, 2B 1209 f° 3, 1754.

La violence des femmes et l'Histoire

Il ne s'agit pas ici de discuter les mœurs de Marie-Magdelene Cottat, mais plutôt de souligner son refus d'adhérer à ce groupe de femmes, qu'elle rejette pour des raisons probablement plus complexes que les mœurs dissolues. Dans cette affaire, c'est finalement le rejet du groupe qui est à la source des violences. Marie-Magdelene Cottat prétend vouloir se singulariser de ces femmes, ce qui n'est pas admis par ces dernières, qui l'accusent de « vouloir faire les vestales », c'est-à-dire, de feindre la chasteté, ce qu'elles lui contestent. Marie-Magdelene prend les devants en portant l'affaire en justice, pour la bonne raison que les voisins ont assisté au « cirque » de ces femmes. Les règlements de comptes féminins prennent des allures de guerres quasi claniques, qui impliquent le voisinage dans son ensemble. On prend parti en faveur d'une vision de la sociabilité de laquelle on se sent solidaire, et on s'oppose à tout ce qui s'écarte de cette conception. C'est à cause des dissonances de perceptions et positionnements par rapport à cette sociabilité, qu'interviennent régulièrement des ruptures, qui ont pour finalité d'imposer à l'autre la règle du groupe auquel on appartient.

Dans cette perspective, les hommes sont instrumentalisés par les femmes, qui se servent de leur force pour conduire à bien leurs desseins. Il n'y a là aucune marque de subordination à l'homme, bien au contraire. On instrumentalise la propension à la violence. Ces groupes de femmes « furieuses » et agissant de concert, sont, au-delà du simple constat des violences dont elles peuvent se rendre coupables, un regroupement normal d'entraide et de solidarité. Ces solidarités violentes se révèlent nécessaires, pour fédérer ces groupes de femmes, qui veulent imposer leur loi.

Cette forme de solidarité est rarement considérée par les historiens, et pourtant, elle constitue une réalité sociale et urbaine de premier ordre sous l'Ancien Régime. L'individualisme n'est pas véritablement envisageable. Hors d'un groupe ou d'une forme de sociabilité, point de salut. Vivre au XVIIIe siècle, c'est vivre assujetti au regard de l'autre et au respect des normes et des codes édictés par le voisinage. Il est impossible de se soustraire au groupe, du moins à sa surveillance. Dissimuler revient à se marginaliser ou se rendre suspect. Il s'agit dès lors de composer avec cet autre, encombrant et nécessaire, qu'est le voisinage, largement animé par l'action des femmes. Les philosophes des Lumières, Locke, Hobbes et Rousseau, partagent l'idée que le passage de l'état de nature à l'état social suppose une convention implicite passée entre les hommes. Cette convention, que nous avons désignée par les codes et les normes, est difficilement appréciable aujourd'hui : c'est la prégnance de l'interaction du voisinage avec le cadre familial, car la sociabilité chez l'homme n'est pas naturelle, mais résulte seulement d'une convention consensuelle et conjoncturelle. D'une certaine façon, ne pas accepter l'intrusion du voisinage équivaut à rompre avec le contrat. Et réciproquement, accepter le contrat social, c'est forcément accepter de vivre avec ses voisins. L'homme vit en société seulement parce qu'il en tire des avantages, non pas parce qu'il y est naturellement porté. C'est sous la dictée de considérations utilitaires que les hommes ont accepté de vivre en société. Cela fait partie du jeu social. Cette idée de jeu social est essentielle, parce qu'elle permet de considérer du point de vue de la réciprocité les liens que tissent les femmes entre elles. Au fond, au même titre que les formes de solidarités, on peut interpréter les violences féminines en groupe, au regard du contrat social, comme l'expression d'un conflit d'intérêts. Ces conflits d'intérêts mettent au cœur de la sociabilité le problème de l'équilibre des forces, avec d'un côté les débordements violents, et de l'autre les tentatives de régulation, voire d'anéantissement des violences. La violence féminine dont on commence à parler aujourd'hui, notamment dans le cadre des nouveaux gangs féminins des banlieues, n'est qu'une forme à peine modernisée de solidarités déjà anciennes.

Une autre plainte tirée de nos archives, celle de Marie Mavily, datée du 14 décembre 1765, épouse de Jean-Baptiste Nitard, un navigant, montre les formes de réciprocités violentes qui peuvent intervenir au XVIIIᵉ siècle chez les femmes. La justice, bien entendu, saisit au vif des temps de ruptures, temps qui permettent à l'historien avec grande prudence de comprendre comment les litiges et les conflits s'expriment et se manifestent. Ainsi, Marie Mavily déposa :

« qu'hier sur les trois heures et demie ou environ, la suppliante se trouvait a un magasin qui est sur le derrière d'une maison située en Rive Neuve, qu'elle et diverses autres femmes tiennent en rente [124] pour y reposer des morues qu'elles revendent en société. Il y avait pareillement dans ce magasin quinze autres femmes du même état de la suppliante qui y survinrent ; quelque temps après que la suppliante y fut, l'une de ces femmes demanda à Marie Asse quelque chose qu'elle lui devait, celle-ci lui répondit qu'elle le lui payerait incessamment, mais les nommées Ferry mère et fille qui depuis longtemps cherchent l'occasion de maltraiter la suppliante prirent de cette demande prétexte pour accuser la suppliante d'avoir excité cette femme à demander à ladite Asse ce qu'elle lui devait, la suppliante surprise d'un pareil reproche leur répondit qu'elle n'y avait aucune part ce qui leur fut confirmé par ladite Asse ; mais lesdites Ferry mère et fille soutinrent le contraire et traitèrent la suppliante de coquine, et de marriasse [125], la suppliante voulut leur représenter le tort qu'elles avoient de la traiter ainsi, mais lesdites Ferry mère et fille n'en devinrent que plus furieuses, elles sautèrent sur la suppliante, lui donnèrent une secousse qui la renversa à terre, elles lui donnèrent aussi divers coups de pied et de poing sur le ventre sans égard pour sa grossesse, de même que plusieurs coups de poing sur son, visage qui la mirent toute en sang, ladite Ferry fille sortit de sa poche un couteau en disant qu'elle voulait assassiner la suppliante et l'enfant qu'elle portait et se laver ensuite les mains dans leur sang ; elle allait effectivement le faire, mais les femmes qui se trouvaient là présentes l'en empêchèrent, firent sortir la suppliante dudit magasin et se fermèrent de dedans ; mais lesdites Ferry mère et fille ne restèrent pas que de s'exhaler en injures, elles traitèrent de nouveau la suppliante de putain, de garce et de maquerelle en ajoutant qu'elle était une voleuse et qu'elle s'abandonnait à tout venant et qu'elles voulaient l'assassiner à la première rencontre et qu'elle était une mauvaise bâtarde. (…) [126] »

---

124. C'est-à-dire qu'elles louent.
125. Mauvaise femme.
126. Archives départementales des Bouches-du-Rhône, Marseille, 2B 1612 n° 8, année 1765, affaire Marie Mavily épouse de Jean-Baptiste Nitard naviguant contre les nommées Ferry mère et fille. Français modernisé par souci de compréhension.

La récurrence du sang, le désir de détruire l'autre ou de le meurtrir est chose courante dans les affaires de ce type. Au-delà de l'intention évidente de diaboliser l'adversaire à outrance pour en ternir la moralité, il y a cependant restitution de pratiques et représentations qui apparaissent au détour de ces plaintes. La maternité menacée est souvent mise en exergue pour accroître la gravité de l'attentat dont on vient se plaindre. Si, dans certaines affaires, il s'agit d'intimidation, la plupart du temps aux menaces et aux injures succèdent des coups, administrés avec ce qui peut passer sous la main, le quotidien fournissant une quantité d'armes possibles. Les femmes, pour injurier leurs congénères, se réapproprient les injures, dont l'utilisation passe traditionnellement pour un apanage masculin, afin de détruire la réputation de leurs ennemies. Les figures sanguinaires, décrites au moment de la Révolution française, ne sont donc pas nouvelles. Il y a une exacerbation du phénomène, mais on puise dans un imaginaire collectif déjà installé, l'ensemble des traits de caractère et physiques des femmes violentes. Les furies de guillotine précédemment évoquées sont héritières des images et des stéréotypes des violences féminines. L'introduction de la guillotine dans les pratiques de sanctions des traîtres, lors de la Révolution, amplifie cette violence féminine déjà souvent sanguinaire. Dans les procès du XVIIIe siècle, les hommes recourent d'ailleurs également à des discours fondés sur la menace supposée ou réelle de violences physiques. D'un point de vue rhétorique, il s'agit, dans les plaintes, d'opposer les vertus des plaignants aux vices des accusés.

Nous ne multiplierons pas les exemples, l'objet de notre propos étant d'attirer l'attention sur une réalité plurielle, laquelle peut être comparée à un miroir brisé donnant autant de reflets qu'il existe de morceaux, livrant autant de subtilités et de nuances qu'il existe de lumières différentes. La reconstitution de ce miroir brisé, dès l'origine, est forcément lacunaire, et nous n'avons nullement l'intention, ni la prétention, d'épuiser un tel discours. Néanmoins, cette réflexion sur les violences qui nous semblent le plus souvent attribuées aux femmes, est destinée à rassembler les discours et les théories, afin de mieux les critiquer. Ces violences éparses, et les plus convenues, sont donc mises en relief. Il y a aussi des violences plus inattendues et moins reconnues, mais qui s'avèrent pourtant dignes d'être qualifiées de la sorte.

La violence détournée : la femme, sorcière ou bonne fée ?

Ainsi, la violence n'a pas de contenance, elle est un abus langagier utilisé pour désigner tout ce qui est vécu et ressenti comme une agression du soi par autrui. Il n'est pas possible de restreindre la violence à une forme particulière et il n'est pourtant pas permis d'en nier les manifestations plurielles qui s'abolissent toutes autant qu'elles sont dans le moule sans forme de la violence. Réifier les violences aux seules violences physiques reviendrait à évacuer tous les possibles qui peuvent contribuer à faire germer les violences. Comme nous l'avons déjà vu plus haut, dans son ouvrage, Hervé Vautrelle exclut de sa définition de la violence, celle de nature verbale qui ne heurte pas le corps[127]. Les mots n'ont pas, effectivement, le pouvoir ou la capacité immédiate de violenter physiquement autrui, mais ils peuvent toutefois engendrer un désordre des corps en mettant en mouvement dans l'esprit des personnes heurtées, une mécanique physiologique en mesure de déboucher sur des traumatismes physiques qui peuvent ne pas être négligeables. Omettre le pouvoir des mots et la violence du discours consisterait à refuser un pan de la violence.

Parmi les violences les moins appréhendables et les plus redoutées, les maléfices et autres sortilèges que les femmes auraient depuis longtemps exercés, constituent un type de violence particulier, que nous serions tentés d'apparenter aux violences symboliques. En effet, si l'usage de la violence physique semble le plus souvent proscrit des pratiques magiques et, de façon plus générale, surnaturelles, il y a dans tous sortilèges, le désir d'infléchir le cours naturel des événements[128]. La magie peut être une alternative à la violence directe en ce qu'elle permet une action à distance,

---

127. VAUTRELLE (Hervé), *Qu'est-ce que la violence ?*, Paris, Vrin, « Chemins Philosophiques », 2009.

128. Nous laissons de côté les violences que peuvent engendrer certaines pratiques rituelles.

dont l'exécution est confiée à des forces supérieures se jouant des possibilités physiques de ceux et de celles à qui le sortilège est jeté. Si les hommes excellent dans les arts de la guerre, les femmes seraient les détentrices d'un autre savoir qui les rendrait plus puissantes que les lances et les boucliers réunis, que les coups et la grande brutalité. Qu'elle soit bonne ou mauvaise, la magie blanche, à l'instar des fées, ou la magie noire, comme celle pratiquée par les sorcières, au-delà de la superstition, constitue en fait une violence symbolique réciproque. La figure de la sorcière est ambiguë, source de craintes, ainsi que de fascination, de répression et de dérision. Il y a une évolution remarquable qui est perceptible dans la longue durée. On passe d'une féminité combattue sous les traits de la magicienne à une féminité trop souvent dépréciée par l'usage fréquent de l'analogie femme/sorcière [129]. Néanmoins, il existe, dans les deux cas, la crainte du pouvoir du verbe et de la bouche, l'organe par lequel les exhortations à Satan se font et par lequel la médisance, la calomnie et la méchanceté s'expriment. La sorcière, c'est cette autre qui inquiète et qui n'est pas comprise. Aujourd'hui, si l'usage du vocable « sorcière » se maintient, l'idée qu'il inspire s'est déclinée dans un champ lexical connexe. Aussi les figures de la mégère, de la bêcheuse, de la pimbêche, de la peste, etc. ont pris le relais ou constituent un prolongement de celle de la sorcière, laquelle n'est qu'une expression parmi d'autres de la crainte que la féminité a pu inspirer tout au long de l'histoire. Chaque époque a son lot de femmes monstrueuses, c'est-à-dire de femmes hors normes.

Ce travail de reconstruction féminine est particulièrement intéressant, l'étude des liens femme/magie permettant d'éclairer ce désir d'asservir à une image hors norme la femme pour mieux la combattre et, partant, la contrôler. Ce désir de contrôle n'est pas unilatéral, puisqu'il y a de la part des deux sexes usages réciproques de ces (re)constructions sociales, de ces images, de ces représentations. La sorcière telle qu'elle est aujourd'hui connue, c'est celle qui nous importe, qui nous veut du mal ou nous

---

129. MARTIN (Michael), *Sorcières et magiciennes dans le monde gréco-romain*, Paris, Le Manuscrit, 2004.

méprise. Ce mépris est restitué à l'identique, et nous l'affublons d'une série d'épithètes plus fleuries les unes que les autres.

La présumée version édulcorée des sorcières actuelles est avant tout le réceptacle d'une intériorisation du pouvoir néfaste prêté aux femmes. Un discours analogue peut être tenu pour les hommes, mais force est d'admettre qu'il n'est pas dans les usages de qualifier les hommes mauvais de sorciers... La célèbre expression de Michelet, « Pour un sorcier, dix mille sorcières », au-delà de l'emphase exprimée, trahit le pouvoir de l'imagination et la construction des imaginaires associant la femme à la sorcière [130]. Comment l'image de la sorcière s'est-elle élaborée et comment la force symbolique de cette dernière s'est-elle affirmée ? Un texte du début du XVIIIᵉ siècle, plein de cynisme et de morgue, reprend les travers reprochés traditionnellement aux femmes, ainsi que les accointances fortes qu'elles nourriraient avec la sorcière :

> « Nous entendons ordinairement par méchante femme, une femme emportée, & d'un esprit acariâtre, un dragon de vertu, une honnête diablesse, qui gronde & tempête depuis le matin jusqu'au soir, qui bat tous les jours ses domestiques & ses enfants, qui querelle à tout moment ses voisins, qui tient la bride courte à son mari, qui ne lui passe rien, qui le prêche à table, qui le damne au lit, qui même dans l'occasion lui jette un chandelier à la tête, ou le régale à bons coups de pincettes. Voilà la plus juste définition à mon sens de ce qu'on nomme à Paris une mauvaise femme.
>
> Je vais bientôt vous faire convenir qu'une pareille femme est un trésor pour un mari, & qu'on ne sçauroit trop lui souhaiter une épouse telle que je viens de la dépeindre. Personne, je pense, ne sçauroit me contester qu'on ne doive souhaiter à un homme tout ce qui peut servir à lui ôter les défauts qu'il a, & à lui donner les vertus qu'il n'a pas ; tout ce qui peut en un mot contribuer le plus à le perfectionner. Or je soutiens qu'une méchante femme est pour cet effet tout ce qu'il y a de plus propre & de plus merveilleux.

---

130. MICHELET (Jules), *La Sorcière*, Paris, 1862, rééd. Garnier-Flammarion, 1966, p. 31.

Il n'y a pas d'homme par exemple, quelque orgueilleux qu'il soit, qui ne devienne enfin humble & modeste à force de s'entendre dire tous les jours en face par une méchante femme tous ses défauts l'un après l'autre, dont la plupart du tems il ne sçauroit disconvenir. Il n'y a point d'avare qui ne devienne libéral, obligé qu'il est d'acheter force d'habits & bijoux, pour en faire présent à une méchante femme,& de lui donner tout l'argent qu'elle demande, dans l'espérance d'adoucir sa mauvaise humeur, & de se procurer la paix & la tranquillité. [131] »

On retrouve dans ce texte la violence que l'on reconnaît aujourd'hui le plus souvent aux femmes, à savoir une violence essentiellement psychologique, plus subtile, mais dont les effets sont aussi dévastateurs que les coups. Il y a une destruction progressive de l'estime de l'autre pouvant mener aux extrémités les plus redoutables. Le sortilège, l'incantation, le sort, autant d'usages du verbe à des fins de contrôle de l'autre, voilà ce que la sorcière incarnait, voilà le danger qu'il convenait d'écarter. La finesse d'esprit et la psychologie habile des femmes qui, plus que des formules, utilisaient surtout leur art de la persuasion, furent objets d'obsession de la part des inquisiteurs et autres pourfendeurs de sorcières. La lutte qui fut engagée contre elles dissimule mal la menace que les femmes faisaient peser sur l'empire des hommes. Mais de quelle menace s'agit-il ?

Il existe tout d'abord un préalable évident, qui préfigure le substrat sur lequel l'image de la femme magique a germé. La croyance en des forces supérieures ou en l'existence d'objets investis de pouvoirs agissant sur les Hommes ou les choses, remontent aux premières sociétés qui s'organisent au néolithique. Tout ce qui ne trouve pas d'explication rationnelle est justifié par l'intervention de forces qui dépassent l'entendement humain. C'est dans l'usage et les aspects des sciences occultes qu'il nous faut d'abord tenter de dégager les liens que tisse la société avec ses sorcières et

---

131. COQUELET (Louis) (1676-1754), *Éloge de la méchante femme, dédié à mademoiselle Honesta*, Paris, Antoine de Heuqueville, 1731, pp. 9-10.

ses autres fées. C'est, en effet, la société qui engendre ses propres démons, ses propres craintes et ses propres solutions, afin de les combattre. La magie dans l'imaginaire collectif constitue une force invisible, susceptible de contraindre les plus braves, de faire désespérer les plus durs comme les plus tendres, bref de s'appliquer à tous.

La magie met en jeu au moins deux aspects : d'une part, la conviction profonde en des forces supérieures et, d'autre part, une reconnaissance mutuelle tant par les hommes que par les femmes des vertus et des effets de cette « science ». Les hommes, pendant longtemps, ont pensé la magie comme la solution que les femmes employaient pour pallier leur prétendue faiblesse. C'est de la magie qu'elles puisaient la force qui leur faisait défaut pour violenter les ennemis et les autres possibles obstacles à leurs desseins. De leur côté, les femmes ont pu se persuader de détenir réellement un pouvoir surnaturel capable d'opérer des changements sur le monde et les personnes qui le peuplent. Après tout, n'étaient-elles pas toutes filles d'Ève ? Nous ne referons pas l'histoire de la sorcellerie, d'autres l'ont fait admirablement. Nous nous proposons en revanche d'essayer de requalifier, à travers des exemples et des temps forts de la lutte contre la sorcière, les motivations de ce combat contre celles qui étaient qualifiées de « courtisanes de Satan ».

On trouve, sous la plume de Jean Bodin, de multiples exemples de ce pouvoir invisible que la sorcière serait capable d'exercer sur les hommes. Aussi peut-on lire au sujet de la sorcière que, « bien qu'elle soit prisonnière, [elle] peut incliner le juge à pitié si elle peut jeter ses yeux sur lui la première. [132] » Reprenant Sprenger, le juriste Bodin rappelle que c'est pour cette raison que les sorcières captives imploraient le geôlier, afin qu'il leur accordât de s'entretenir avec le juge avant le procès [133]. Ce que Sprenger appelle magie, je l'appelle séduction, un des véritables enjeux de la sorcellerie. La séduction, qui n'est jamais évoquée que pour mettre en évidence la tentation du démon, entretient avec la sexualité une grande

---

132. BODIN (Jean), *Le fléau des démons et sorciers*, A. Nyort, D. du Terroir, 1616.
133. INSTITORIS (Henry), SPRENGER (Jacques), *Le Marteau des sorcières*, Paris, Plon, 1973.

proximité. L'étymologie du mot « séduire » est d'ailleurs éclairante. En latin, *seducere* peut être traduit par « amener à part, à l'écart ». Séduire revient donc à dévier quelqu'un ou quelque chose de son chemin, si chemin il y a. Il faut comprendre l'action de séduire comme une tentative de détournement. Au début du XIIᵉ siècle, le verbe séduire désigne l'action d'entraîner quelqu'un à commettre des fautes. Peu à peu, le sens prend un tour de plus en plus péjoratif en lien avec les moyens mis à contribution pour plaire. Il y a dans l'acte de séduire un élan déshonnête qui est de plus en plus suspect, aussi bien aux yeux des théologiens qu'aux yeux de la société. Au XVIᵉ siècle, la définition change et définit toute action susceptible d'entraîner le déshonneur d'une femme. Seules les femmes seraient susceptibles d'être séduites ? Le glissement du sens originel vers celui du déshonneur féminin est très intéressant. L'Église post-tridentine chercha à aseptiser les mœurs, afin de ramener vers elle ses fidèles. Une reprise en main spirituelle des liens homme-femme s'effectua alors. Il s'agissait de contenir par l'éducation et l'enseignement religieux les effets condamnables de la séduction et de ses conséquences. La revalorisation du mariage et sa sacralité constituent un des fers de lance de l'Église de la Contre-Réforme dans sa lutte contre le péché. La séduction originelle que le démon exerça sur Ève devient sous l'Ancien Régime le danger qui menace l'honneur des femmes. Comment alors être à la fois coupable et victime ? La sorcière est, en effet, coupable, parce qu'elle agit de façon arbitraire sur le cours des choses, mais elle est aussi victime, car elle est elle-même séduite par le démon. La sorcière n'est qu'un des nombreux visages de la féminité en justice, sur la scène de laquelle le fait d'être femme est source d'ambivalence et se traduit par un surcroît de sévérité ou, au contraire, une circonstance atténuante. Mais cette double caractérisation de la féminité ne fut qu'un trompe-l'œil fort malhabile, mais fort efficace.

Dès le XVIIᵉ siècle, le philosophe et bibliothécaire Gabriel Naudé[134], dénonça avec force la superstition, la crédulité et la barbarie des juges qui

---

134. NAUDÉ (Gabriel), *Apologie pour les grands hommes soupçonnez de magie*, Amsterdam, P. Humbert, 1712 (dernière édition).

envoyaient au bûcher des innocentes. C'est par le feu que l'on espérait alors détruire la tentatrice, la séductrice, bref la femme et ses charmes, sous couvert d'anéantir le Malin.

Dans la pensée de Naudé, la sorcellerie faisait partie de l'arsenal des mensonges politiques nécessaires à la bonne marche des affaires de l'État. La sorcellerie n'était alors rien d'autre qu'un mythe destiné à maintenir la mainmise du pouvoir sur un peuple largement superstitieux, crédule et parfois rarement capable de faire preuve d'esprit critique. La magie ou la sorcellerie se situe ainsi à la croisée des pouvoirs, celui de l'État sur ses sujets ou ses citoyens, celui de la raison contre la superstition, celui du masculin contre le féminin n'étant que le prétexte à la dissimulation d'autres enjeux. La stabilité de tout pouvoir se fondant sur l'ordre, il fallut donc à la fois détourner les esprits des problèmes qui intéressaient l'État et lui laisser l'occasion de faire démonstration de son pouvoir punitif. La magie fut un prétexte idéal censé justifier l'autorité et le contrôle politique de l'État, en fondant cette hégémonie sur l'irrationnel. C'est donc en priorité vers les femmes et les peurs que ces dernières suscitaient que l'État s'est tourné.

C'est parce que la femme serait victime de ses sentiments et de l'irrationalité de leurs humeurs, qu'elle serait plus apte à exercer les arts de la magie, donc plus libre d'user du pouvoir de séduire pour s'imposer. Il n'a donc pas été difficile de focaliser l'attention des foules superstitieuses sur les présumées sorcières. Au travers de leurs prétendus pouvoirs, il s'agissait de contrôler la séduction, dont elles étaient accusées de faire usage sous couvert de maléfices. Les procès qui furent instruits contre les sorcières n'étaient rien d'autre que des procès ouverts contre la séductrice. La magie, la sorcière ou la fée sont une seule et même incarnation du pouvoir de séduire. C'est l'usage de cette irrationalité sensorielle et active qui est objet de répression et de condamnation. Cette main invisible, qui refuse de se laisser appréhender, doit être extirpée de la société. La croisade contre la sorcière est menée contre ce pouvoir de séduire ineffable, forcément démoniaque.

Le mot français « sorcière », féminin de « sorcier », dérive du latin vulgaire *sortarius*, qui signifie « diseur de sorts », et du latin classique *sors*, *sortis*, qui désigne en premier lieu un procédé de divination, puis la destinée, le sort. L'assise du pouvoir de la sorcière réside avant tout dans le verbe. C'est par les mots qu'elle obtient le pouvoir de susciter les maux de ceux et de celles dont elle souhaite obtenir châtiment. Le premier travers de la magie est de vouloir singer Dieu et, à son instar, créer ou détruire les éléments qui fondent le monde et assurent son fonctionnement. La formule, le sortilège et autre enchantement sont autant de travestissement du langage dans l'intention d'agir sur le monde qui nous entoure. La sorcière et la fée, si elles n'usent pas des mêmes expédients pour transformer le quotidien, partagent néanmoins la même finalité, celle d'opérer du changement dans l'existence des Hommes. Sous l'Ancien Régime, une nette distinction est établie entre la sorcière et le magicien :

« On appelle Sorciers, tous ceux qui, par le moyen de l'invocation du démon, font des choses superstitieuses & nuisibles.

Et par Magiciens, on doit entendre tous ceux qui exercent l'art magique ; soit que cet art se pratique par des voies naturelles, ou par l'invocation du démon.

Ainsi, le mot Sortilège est un terme général qui comprend ma magie contre nature, & les maléfices.

On distingue trois principales espèces de sortilèges.

1°. Ceux qui s'employent pour deviner l'avenir, & les choses cachées

2°. Ceux que l'on met en usage pour nuire, ou causer du dommage à quelqu'un.

3°. Ceux qui se pratiquent pour inspirer de l'amour, ou quelqu'autre passion à des personnes. [135] »

Aucune femme n'a jamais été brûlée parce qu'elle était tenue pour fée, mais toujours en qualité de sorcière. Si des bûchers furent effectivement allumés pour sacrifier à la folie et à la déraison des innocentes au XVIᵉ siècle essentiellement, ils sont cependant loin d'avoir été aussi nombreux que l'on a tendance à le penser. La malédiction de la sorcière

---

135. JOUSSE (Daniel), « Magie, Sortilège, Divination », Paris, Debure, *Traité de la justice crimi-nelle de France*, tome 3, titre XXX, art. I, p. 752, 1771.

fut avant tout, nous l'avons dit, un prétexte. Prétexte pour tenir en respect celles que le diable aurait tenues par les cheveux et pour entretenir la crainte de « l'Un pour l'Autre [136] ». La sorcière est une figure qui n'a pas d'autre fonction que de réactiver une tension nécessairement vive entre les sexes, afin de pérenniser et de justifier le contrôle qu'un sexe exerce sur l'autre. La sorcière et la fée sont une seule et même entité. Elles forment le costume que la féminité aurait endossé pour agir par d'autres moyens sur le monde dans lequel elle évolue. Ces deux personnages procèdent de la sempiternelle dualité qui incombe à la féminité, d'une part celle du bien et de douces vertus ; d'autre part, celle du mal et de quantité de vices, la première dissimulant mal la seconde. Au carrefour de cette dualité siège donc le mystère de la Nature, dont découle la nature féminine insaisissable, fruit d'une psychomachie. Cette proximité ancestrale et arbitraire trahit, dans un même élan, l'ignorance que le beau sexe inspirait autant que la curiosité méfiante qu'il attisait. L'image positive des fées est récente et, pendant longtemps, de par leurs pouvoirs, elles furent redoutées comme les sorcières. L'un des enjeux de ces deux figures résida ainsi dans les possibles nuisances que les femmes auraient pu exercer en réactivant la proximité naturelle qui les lierait aux éléments. Si la violence est une contrainte, ainsi que la magie, dans la mesure où elle pousse autrui à agir contre sa volonté, la magie est en conséquence une forme de violence et constitue la forme la plus aboutie du pouvoir de séduire. Les rituels et les sabbats ne sont, en définitive, qu'une vaste mascarade. Qu'il s'agisse d'appeler le démon ou les forces de la nature, il est question avant tout de séduire pour obtenir du pouvoir. La séduction n'est ni féminine, ni masculine, elle est humaine. Il ne s'agit pas de considérer de façon sexuée l'art de séduire, mais d'en observer les manifestations et les formes.

L'illusion magique réside avant tout dans la persuasion de l'autre, persuasion qui ne peut se faire sans l'attisement nécessaire des peurs les

---

136. BADINTER (Élisabeth), *L'Un est l'autre, des relations entre hommes et femmes*, Paris, O. Jacob, 2004.

plus élémentaires. L'empire que les êtres surnaturels ont exercé sur les hommes et sur les femmes n'est rien d'autre qu'une activation réussie des peurs les plus secrètes de chaque individu. Ce n'est pas tant les fins que les moyens qui nous importent. En effet, le charme que les démonologues pourchassaient et dénonçaient est aujourd'hui une vertu recherchée. N'est-il pas d'usage de souligner, lorsqu'une alchimie s'installe entre deux êtres, que « le charme ou la magie a opéré » ? Qu'il s'agisse d'un usage maléfique ou, au contraire, d'un désir de faire le bien autour de soi, il y a, dans un cas comme dans l'autre, la nécessité d'agir sur le cours naturel des choses. L'image de la femme tentatrice est héritière d'une partie de la pensée des pères de l'Église qui assimile la tentation et le démon. Ce pouvoir de séduire – qui devient un pouvoir d'agir, parce qu'il n'est pas préhensible, parce qu'il n'est pas visible – fut donc répréhensible, condamnable et parfois condamné. Cette violence sourde et terrifiante a ainsi justifié la recherche obsessionnelle de son existence, excité les imaginaires et les inventions de preuves irréfutables, légitimé les peines les plus terribles et les plus extrêmes. Afin de s'assurer de la destruction d'un empire de l'invisible et de décourager ceux et celles qui auraient désiré en faire usage, la soumission à la question, les flammes et les autres entreprises destructrices furent donc inventées, d'ailleurs sans garantie d'efficacité, dans l'intention d'y remédier. Traiter aujourd'hui une femme de sorcière pour en souligner la méchanceté est courant, voire anodin, c'est pourtant en regard de l'histoire de ces prétendues courtisanes de Satan, une preuve d'une intériorisation réussie et intemporelle de l'association du féminin au Malin. Alors comment ces sorcières et ces fées autant redoutées que pourchassées parvinrent-elles à s'inviter dans le quotidien d'une partie de l'humanité, des temps les plus reculés à nos jours, où, à un moment ou à un autre, nous avons eu l'idée d'associer une femme tenue pour méchante à une vieille sorcière ?

La violence invisible des sortilèges et autres charmes

La place et le rôle des femmes, tout comme leur sexualité, ont été au cœur de la question de la sorcellerie. En effet, « derrière la croyance au maléfice, se cache la peur humaine, fondamentale, de l'impuissance ou de la faillite des fonctions sexuelles. [137] » Le *Malleus maleficarum* [138] de Henry Institoris et de Jacques Sprenger, une des premières synthèses des crimes des sorcières, contient de nombreux détails sur les causes et les effets des maléfices que les sorcières pouvaient employer pour infléchir le cours naturel des choses en leur faveur et anéantir leurs ennemis. Parmi les pratiques magiques fameuses, on peut évoquer les maléfices de ligature, celui du « chevillement », par exemple, étant un maléfice censé empêcher celui ou celle qui en était frappé de faire ses besoins. Mais le plus célèbre de ce type de maléfice est incontestablement celui du nouement de l'aiguillette, procédé en effet magique qui avait pour finalité d'empêcher l'homme ou la femme de transmettre la vie. C'est surtout au Moyen Âge que la crainte de ce maléfice fut la plus forte, puisque plusieurs conciles frappèrent d'anathème les noueurs d'aiguillettes, une telle pratique, connue dès l'Antiquité, ayant été évoquée aussi bien par Platon et Virgile [139] que par Ovide. L'*Encyclopédie* [140] de Diderot et d'Alembert donne la définition suivante à ce maléfice :

« NOUEMENT D'AIGUILLETTE, (Magic.) terme vulgaire, par lequel on entend un prétendu sortilège, qui sans blesser les organes de la génération d'un homme bien constitué, en empêche l'usage au moment qu'il s'y attend le moins.

Les anciens ont attribué cet état fortuit à des filtres ou à des ensorcellements magiques (…).

Les fables d'Apulée ne parlent que des enchantements qu'employoit Pamphila [141] fameuse magicienne, pour procurer l'impuissance au milieu

---

137. JONES (Ernest), *Le Cauchemar*, Paris, Payot, 1973.

138. Titre latin du *Marteau des sorcières, op. cit.*

139. Voir la huitième bucolique de Virgile riche en détails sur le sujet. VIRGILE, *Bucoliques. Géorgiques*, Paris, Folio classique, 1997, pp. 109-117. Voir aussi TUPET (Anne-Marie), *La magie dans la poésie latine*, Paris, Les Belles Lettres, 1976.

140. DIDEROT (Denis), D'ALEMBERT, *Encyclopédie ou Dictionnaire raisonné des sciences, des arts et des métiers*, Genève, chez Pellet, 1778, tome 23, p. 172.

141. APULÉE, *L'Âne d'or ou les métamorphoses* (v. 161 apr. J.-C.). Au cours d'un voyage en Thessalie, le jeune Lucius est devenu l'ami de Photis, servante de Pamphila réputée pour être magicienne. Photis introduisit secrètement Lucius dans la demeure de la magicienne et le fit profiter du spectacle de la métamorphose de Pamphila en hibou. Fasciné par se pouvoir et par la

des feux de l'amour. De là vient que Minutius Fœlix disoit au payen Coecilius, que son Jupiter même n'avoit pas toujours eu le pouvoir de délier les charmes de la ceinture de Junon. Numantina femme de Plautius Sylvanus, fut accusée d'avoir par sortilège rendu son mari impuissant : *Injecisse carminibus & veneficiis vecordiam marito*, pour me servir de l'expression délicate de Tacite, annal. I. IV.

Il semble que les jurisconsultes Romains ne doutoient point du succès de l'art magique pour produire le nouement de l'aiguillette. Car Paulus cite une loi qui défendoit d'user de ligature (…). Enfin les historiens en citent des exemples remarquables. Amasis roi d'Égypte, dit Hérodien, ne put connoître sa femme Laodicée, parce qu'il avoit été lié par la magie. Sozomene, I. VIII, rapporte d'Honorius, fils de Théodose, qu'après avoir épousé la fille de Stilico, une sorcière lui noua l'aiguillette & l'empêcha par ce moyen d'accomplir le mariage. La reine Brunehaut, mère de Thierry roi de Bourgogne, le charma si bien, selon le récit d'Aimoin, qu'il ne put jouir d'Hermenaberge sa femme. Si l'on s'en rapporte à Grégoire de Tours, Eulasius éprouva le même sort ; car ayant enlevé d'un monastère de Langres une fille dont il étoit amoureux & l'ayant épousée, ses concubines jalouses l'empêchèrent par leurs sortilèges, de consommer ce mariage : *concubinae ejus*, ce sont les propres paroles de l'historien, lib. X, c. viij, *instigante invidiâ, sensum ei oppilaverunt*. Mais depuis longtemps personne ne donne plus croyance à ces contes frivoles. On sait que les charmes dont la magie usoit autrefois pour inspirer de l'amour, ou pour arrêter subitement dans un corps bien organisé le transport des désirs, tenoient toute leur puissance du trouble que des menaces effrayantes jetoient dans un esprit crédule. Le penchant à l'amour dans les uns & dans les autres, la crainte de ne pouvoir le satisfaire, rendoit leur résistance inutile, ou leurs efforts impuissants. Les organes qui renouvellent le monde depuis tant de siècles, sont échauffés ou glacés en un moment par l'empire de l'imagination. Quand elle est allarmée par de tristes illusions, il ne faut pour la guérir, que la frapper plus fortement par des illusions plus flatteuses et riantes. (D. J.). »

---

capacité de voler, Lucius ne désira pas autre chose que de devenir à son tour un oiseau. Photis se chargea alors de lui procurer la pommade magique qui lui permettra de gagner les cieux sous les traits d'un oiseau, mais le désir de Lucius ne fut pas exaucé comme il l'aurait souhaité.

La seconde partie de la définition de l'*Encyclopédie* est particulièrement intéressante, parce qu'elle met en exergue, avec beaucoup de modernité, le pouvoir symbolique des mots et leurs effets sur les corps. L'usage des mots dans l'intention de susciter des maux trouve une parfaite illustration. Il s'agit effectivement de corrompre le fonctionnement naturel du quotidien par l'introduction d'éléments perturbateurs. La sorcière est avant tout celle qui sait trouver les mots justes pour induire le doute. Il y a un effet nocebo évident dans la pratique magique. C'est bel et bien la foi que l'on accorde à nos craintes qui peut être responsable de plus grands maux. Le pouvoir de suggestion des sorcières est grand. La maîtrise des éléments et des forces de la nature qui, pour le commun des mortels, demeure obscure, constitue autant de motifs de haine à leur encontre que de moyens de pression symboliques sur la société.

La sorcière inquiète, car elle est détentrice d'un savoir qui n'est partagé que par un cercle restreint d'initiés, forcément marginalisés et marginaux, qu'il importe de faire punir. Dans tout savoir qui n'est pas partagé, au-delà de l'inquiétude et de la méfiance, il y a la crainte et la menace. Encore aujourd'hui, certaines violences sont le fruit de cette rupture induite par ceux qui détiennent le savoir et ceux qui ne le maîtrisent pas, ou pas assez. Le sentiment d'inégalité qui peut en découler est générateur de violence. La sorcière épouse le même cercle de connaissances. C'est son savoir qui la rend coupable, c'est sa science qui la rend indésirable. Le maléfice du nouement des aiguillettes, au-delà du geste castrateur qu'il symbolise, renvoie à un empêchement, celui d'assurer sa descendance ou de perpétuer l'espèce. Au final, qui est combattu ? La femme, la sorcière ou la connaissance ? Nous retrouvons le même problème qui fut posé par Ève, celui de la primauté du savoir qu'elle acquit avant Adam et qui lui conféra, au-delà de sa prétendue culpabilité, le pouvoir de la connaissance. Cas de figure analogue avec Marie-Madeleine qui, la première, assista à la résurrection de Jésus : ne fut-elle pas le premier témoin de la chrétienté ? Coups d'éclat très vite oubliés… ou retournés contre les femmes, afin de les combattre et de les asservir. La sorcière se situe donc au carrefour de ces figures qui, à l'instar d'Ève, détiennent la connaissance première, celle des vérités naturelles, connaissance qui, pour l'une et l'autre, fut rendue possible par l'entremise du diable.

Comme Marie-Madeleine, la sorcière est témoin de l'extraordinaire, du surnaturel, mais pas uniquement. Elle partage avec le passé de la pécheresse le goût de la concupiscence et du plaisir des sens. Les procès qui ont été menés contre les sorcières furent avant tout des procès ayant pour finalité de confiner la maîtrise d'un savoir en le diabolisant et en l'érotisant, puisque les choses de la chair regardaient forcément l'enfer, et en un curieux amalgame dont la seule excuse fut la superstition, autorisa à condamner celles qui se sont singularisées. La sorcière, c'est donc la femme qui séduit, mais surtout la femme qui sait. La question des rites et de leur efficacité est, en définitive, secondaire. Ce qui importe, c'est plutôt la volonté d'anticiper sous couvert de sorcellerie l'affirmation des désirs et des autres aspirations féminines, tel le pouvoir dans son acception la plus large.

Brûler la sorcière et la fée : brûler la séductrice ?

La question de la magie renvoie au problème du savoir et de la séduction. Dans l'usage des sortilèges, il y a désir de contraindre le cours naturel des choses, pour imposer son propre désir à l'autre. C'est en ce sens que la sorcière ou la fée sont des agents de la violence et donc des responsables toutes désignées pour être châtiées. Pour tenter de mieux comprendre les dissimulations présentes dans les cas de sorcellerie, il nous a semblé pertinent de considérer quelques exemples de sorcières et fées, célèbres et moins célèbres, afin de questionner de quelle manière le corps social les investit d'une violence libre et criminelle qui appelle une sanction.

Parmi les figures emblématiques du monde de l'occulte émerge celle de Mélusine dont l'existence fabuleuse apparaît aux alentours du XIᵉ siècle [142]. Figure complexe, elle est selon les textes tantôt magicienne, tantôt

---

142. BOULOUMIÉ (Arlette) (dir.), *Mélusine moderne et contemporaine*, Lausanne-Paris, L'Âge d'Homme, 2001.

démone. On trouve encore chez Paracelse l'idée selon laquelle elle aurait été une nymphe. Mais c'est sous les traits d'une fée que la mémoire de Mélusine nous est parvenue. Fille de la fée Pressine et du roi d'Albanie Elinas, Mélusine fut l'aînée des trois filles que sa mère enfanta d'une seule couche. Pressine avait ordonné à son époux le roi, de ne pas entrer dans sa chambre tant qu'elle n'était pas remise de son accouchement. Ce dernier ne tint pas compte des exigences de son épouse qui l'abandonna aussitôt, emmenant dans sa fuite ses filles. Quelques années plus tard, les trois sœurs, pour se venger de leur père qui les avait privées de leur rang souverain, l'enfermèrent dans une montagne.

Pressine, qui aimait encore le roi, punit ses filles de leur geste, et Mélusine reçut pour son châtiment d'être condamnée à vivre moitié serpent les samedis, fée le reste du temps, à moins qu'elle ne rencontrât un chevalier qui acceptât de l'épouser et à ne jamais voir sa forme de serpent. Ce chevalier se présenta enfin : Raimondin, fils du comte de Forez. Mélusine, une fois mariée, bâtit le château de Lusignan, et devint la protectrice de la famille qui depuis porta ce nom. C'est le *Roman de Mélusine*, œuvre en prose de Jean d'Arras en 1393, qui contribua le premier à la diffusion de la légende de la fée. Mélusine symbolise à sa manière la fusion d'Ève et du serpent. Elle devient une chimère ou, pour mieux dire, un démon. La dualité du féminin, telle qu'elle a souvent été évoquée par les théologiens, trouve dans la figure de la fée Mélusine une parfaite illustration. Tout comme Ève, elle est victime de sa faute. La grande différence entre Mélusine et Ève c'est que dans le cas de Mélusine, la sanction est féminine, puisque c'est sa propre mère Pressine qui condamne son engeance aux turpitudes dans lesquelles elle est jetée. La transformation de Mélusine peut se comprendre comme le changement d'état auquel toute femme peut être confrontée. Mélusine, néo-Lilith, a ouvert la voie aux futures sorcières dont tous les attributs furent forgés par la tradition et par la superstition.

Par exemple, au XVIᵉ siècle, une dénommée Galanta fut accusée d'avoir donné à goûter une pomme à la fille du Suisse de l'église du Saint-Esprit à Bayonne. Selon la légende, cette fille n'eut pas aussitôt mordu la pomme, qu'elle fut frappée d'un mal inconnu qui la tourmenta toute sa vie. Galanta fut poursuivie et jugée comme sorcière en 1605. On connaît le succès que l'histoire de la pomme empoisonnée depuis…

Au XVIIᵉ siècle, Catherine Dorée fut brûlée vive pour avoir tué son enfant sur ordre du diable. Si aujourd'hui l'infanticide est majoritairement justifié par une pathologie, au Moyen Âge et sous l'Ancien Régime, la panacée étiologique réside dans l'intervention du démon, seul capable d'inspirer de si vils desseins. En brûlant la criminelle, on brûle la sorcière et réciproquement [143].

Entre la figure de la sorcière et celle de la femme violente telle que l'on peut la connaître aujourd'hui, la médecine, elle aussi, a tenté de rationaliser et de codifier grâce à la toute-puissance du diagnostic la violence féminine. L'hystérie fut pour un long moment la réponse universelle avancée pour justifier les actes irrationnels et violents des femmes.

Les violences féminines entre médicalisation et rationalisation

La position de la médecine n'a fait que conforter et cautionner le préjugé initial de non-violence des femmes en singularisant les cas manifestes de violences féminines comme des transgressions imputables à une folie, à l'hystérie, bref à une pathologie. Les femmes violentes furent longtemps des femmes folles aux yeux de la médecine, comme si leurs profils psychologiques étaient nécessairement perturbés de façon irrémédiable. Une folie rassurante et qui a bon dos. Médicaliser les violences féminines revient à les rationaliser et donc à les écarter par le biais de soins thérapeutiques. Il n'est pas de propos ici de retracer l'ambiguïté que médecine et féminité ont entretenue tout au long de l'Histoire.

Nous n'évoquerons à titre d'exemple que le cas du XIXᵉ siècle qui s'érige comme le temps de rationalisation à grande échelle du corps social

---

143. DULONG (Claude), *La vie quotidienne des femmes au grand siècle*, Paris, Hachette « Littérature », 1984, pp. 219-264.

La violence des femmes et l'Histoire

malade[144]. Cette rationalisation de la médecine n'a pas laissé de côté les femmes.

L'hystérie fut la panacée, le vocable prophylactique employé pour caractériser ce trop-plein d'émotions, ce débordement irrationnel, cette surenchère comportementale féminine, que les siècles antérieurs avaient péniblement explicité par la théorie des « humeurs » formulée par Hippocrate, largement glosée par la suite. Cette mise en mots des maux sous le voile rassurant de l'hystérie permit de différer un temps le problème qui ne devait plus en être un. L'historienne Nicole Edelman[145] a particulièrement bien étudié cette médicalisation progressive d'une pathologie tantôt utérine tantôt neurologique. Au XIXᵉ siècle, pour Frédéric Dubois, comme pour beaucoup d'autres théoriciens de cette pathologie, l'hystérie était perçue comme une maladie « exclusive au sexe féminin (…) pendant la période utérine de la vie. Elle apparaît sous forme d'attaques subites[146] ». Cette attribution arbitraire de comportements hystériques aux seules femmes fut remise en cause très tôt dès le XIXᵉ siècle. Si l'on admet la possibilité d'une hystérie masculine, pendant très longtemps perdure néanmoins l'idée qu'il s'agit avant tout d'une pathologie féminine. Ainsi, peut-on lire dans un cours de pathologie interne de la faculté de médecine de Paris que :

> « si les femmes sont plus sujettes à l'hystérie que ne le sont les hommes, ce n'est pas à dire, pour cela, que ce soit à cause de l'utérus. La meilleure raison qu'on puisse donner de la fréquence de l'hystérie chez les femmes, c'est que chez elles il y a prédominance du tempérament nerveux. Il faut cependant reconnaître que l'état dans lequel se présentent les fonctions de l'utérus joue

---

144. La politique du grand renfermement louis-quatorzien n'avait pas la même finalité. Il s'agissait de soustraire de la vie publique tout élément potentiellement perturbateur de l'ordre et par extension susceptible de remettre en cause l'autorité royale.

145. EDELMAN (Nicole), *Les métamorphoses de l'hystérique. Du début du XIXᵉ siècle à la Grande Guerre*, Paris, La Découverte, 2003. Voir aussi « Culture, croyances et médecine (XIXᵉ-XXᵉ siècle) », *Revue d'histoire du XIXᵉ siècle*, 25, 2002.

146. DUBOIS (Frédéric), *Histoire philosophique de l'hypochondrie et de l'hystérie*, Paris, Deville-Cavellin, 1833.

un rôle plus ou moins important dans l'hystérie. Ainsi, par exemple, il est très fréquent de voir l'hystérie apparaître si la menstruation n'a pas lieu, comme de la voir cesser aussitôt que les règles apparaissent. L'hystérie survient souvent aussi à l'époque de malaise général qui précède la première menstruation. [147] »

L'erreur d'Hippocrate, des Égyptiens et de la médecine, a longtemps été de restreindre les symptômes hystériques aux seules femmes, parce qu'ils pensaient que cette forme de pathologie était entièrement liée à l'utérus, d'où le mot « hystérie » (*hystera*) qui signifie utérus en grec. Au-delà des causes possibles de l'hystérie, on s'attache encore au XIXᵉ siècle à vouloir montrer que les femmes sont davantage nerveuses que les hommes. On préconise d'ailleurs aux jeunes vierges de ne pas trop tarder à se marier car l'absence de maternité est contraire à la nature et aux fonctions premières du corps des femmes qui est de procréer. Les crises d'hystérie sont en substance considérées comme une réaction violente du corps qui n'est pas satisfait et dont les fonctions naturelles seraient brimées. Jean-Martin Charcot, Sigmund Freud et Joseph Breuer démontrèrent pourtant l'existence d'une hystérie masculine dont ils élaborèrent les bases théoriques [148]. L'hystérie et sa prétendue rationalisation au XIXᵉ siècle eurent pour finalité d'inciter les filles au mariage au nom de la raison médicale afin d'éviter toutes situations périlleuses pour leur santé, leur morale et la société. Toutes les femmes qui furent internées pour cause d'hystérie n'en souffraient pas forcément. Mais la science et la médecine ont codifié tout comportement anormal et toute démonstration exacerbée de sensibilité, sous les traits de l'hystérie, bref d'une violence qui pouvait s'expliquer, s'objectiver, afin de maîtriser les femmes. Parmi toutes celles qui furent diagnostiquées comme hystériques se trouvaient beaucoup de femmes qui se sont insurgées

---

147. ANDRAL (Gabriel), *Cours de pathologie interne professé à la Faculté de médecine de Paris*, Bruxelles, J. B. Tircher, 1839, p. 420.

148. MITCHELL (Juliet), *Frères et sœurs : sur la piste de l'hystérie masculine*, Paris, Des Femmes-A. Fouque, cop. 2008. Voir également FAINSILBER (Liliane), *Éloge de l'hystérie masculine : sa fonction secrète dans les renaissances de la psychanalyse*, Paris, L'Harmattan, 1996.

contre leur condition, leur situation et leur existence. Le dernier ouvrage d'Élisabeth Badinter sur la maternité montre très bien qu'elle n'est pas une évidence pour toutes [149].

Travaux sur femmes violentes et travaux sur femmes hystériques se sont confondus, noyés mutuellement l'un dans l'autre. Cette violence indifférenciée donna lieu au XIXe siècle à la production d'une importante réflexion clinique sur l'hystérie [150], donnant l'illusion d'avoir une fois de plus maîtrisé et réparé la véritable nature des femmes. Remarquons au passage que même si peu à peu l'hystérie s'est affranchie des prétendus liens avec la matrice, il y avait malgré tout dans la façon de penser la pathologie, une évidente proximité entre la nature et les femmes, les maux des secondes ne pouvant venir que des liens puissants qui les liaient à la première. Les femmes en tant que sujet d'analyse ont toujours été pensées dans leur rapport aux forces naturelles.

Le XXe siècle, en revanche, s'est beaucoup plus focalisé sur les violences exercées sur les femmes, ayant assimilé une partie des recherches sur l'hystérie [151]. Entre ces deux époques, la société évacue presque la possibilité d'une violence féminine en tant qu'option comportementale. La femme violente d'un point de vue général n'existe qu'au travers de la pathologie. Si tendresse, douceur, sensibilité lui sont acquises, violences, coups, et révoltes sont médicalisés voire refusés. Les femmes violentes sont présentées comme des hapax, des êtres déréglés, relevant du domaine de la médecine. Il faut pourtant tenter de séparer folie et violence afin de déculpabiliser la libre expression d'un sentiment, qui, s'il n'est pas systématique, n'en demeure pas moins naturel [152].

---

149. BADINTER (Élisabeth), *Le conflit, La femme et la mère, op. cit.*

150. ABRICOSSOFF (Glarifa), *L'Hystérie aux XVIIe et XVIIIe siècles*, Paris, G. Steinheil, 1897.

151. Si les recherches des psychiatres se poursuivent, l'association femme violente/pathologie est en revanche acquise.

152. R. BLIER (Thomas), *La violence des autres*, Paris, L'Harmattan, 2007.

Voir également, BONNEFOUS (Édouard), JANSEN (Sabine), AGRAPART-DELMAS (Michèle), BORNSTEIN (Serge) (coll.), *Violence : de la psychologie à la politique*. Actes du colloque tenu le jeudi 24 novembre 2005, Paris, Émile Bruylant, 2007.

Aujourd'hui encore, violence rime avec folie qui est, selon Margaret Shaw[153], l'une des trois formes extrémisées des violences féminines, les deux autres relevant de la diabolisation de la femme sous les traits démoniaques d'un côté, de déprimée de l'autre, c'est-à-dire comme incapable de faire face aux pressions sociales. Nathalie Duhamel[154], caractérisant le rapport de la société à la violence des femmes, souligne le refus de la colère et de perte de contrôle chez la femme. Ce refus s'illustre alors de façon inattendue, par exemple sous le couvert de la dérision. Il s'agit de dédramatiser l'acte violent féminin, et de le présenter comme une caricature vulgaire d'une démonstration virile. Ainsi n'est-il pas rare de constater des éclats de rire au cinéma lorsqu'une femme gifle un homme ou bien lorsqu'elle devient hystérique. Les mises en scène d'inversion des rôles invitent à la dérision. Nous exagérons volontairement, mais au final, à peine.

Les violences féminines : marginalité ou marginalisation ?

Cette perte de contrôle présumée lorsqu'elle devient trop forte est alors posée comme une anomalie à l'origine d'une culpabilité totalement intériorisée par les femmes qui, honteuses de leurs excès, se méprisent elles-mêmes parce qu'elles ne correspondent plus aux projections que la société fait peser sur elles. L'inadéquation entre ces projections et la construction d'une nature féminine est alors vécue comme un échec personnel qui est cause de dépressions et de sentiments de marginalisation au sens large. Pourquoi parler de « construction d'une nature féminine » alors que nous sommes censés l'avoir dépassée ? Tout simplement parce que chaque époque réinvestit cette idée, constamment réalimentée et ravivée en fonction des attentes que fait peser l'ensemble des sociétés sur

---

153. SHAW (Margaret), « Conceptualizing Violence by Women », in R.E. Dobash, R.P. Dobash et Noaks, L. (Eds). *Gender and Crime*, London, University of Wales Press, 1995. Les femmes sont présentées selon trois stéréotypes : démons masculinisés, déprimées, folles.

154. Directrice générale de la Société Elizabeth Fry du Québec. « La Société Elizabeth Fry du Québec est un organisme communautaire fondé en 1977 ayant comme mission de venir en aide aux femmes qui, un jour, doivent faire face à la justice pénale et qui sont déterminées à s'en sortir bien qu'incapables d'y parvenir seules. ». Site Internet : *http://www.elizabethfry.qc.ca.*

les femmes. Il n'y a qu'à voir le lien des femmes à la maternité. C'est parce que les femmes jouissent du pouvoir de donner la vie et qu'elles sont investies d'une charge morale écrasante qui outrepasse leur nature profonde, c'est-à-dire celle d'être humain non réifié à des rôles ou bien à des fonctions, que la culpabilité, fruit d'un sentiment d'échec, tendrait vers la pathologie. Quoique tout à fait saines de corps et d'esprit dans la plupart des cas, les femmes se réapproprient leur violence comme une forme de dérèglement tant psychique que physique, les conduisant à se tourner passivement vers la médecine et notamment la psychiatrie. Force est d'admettre la réelle incapacité des médecins à appréhender la violence autrement que comme une pathologie.

La psychothérapeute Marie-Josée Parent[155] indique d'ailleurs que « l'autotorture est mieux acceptée par la société. Les femmes ont la liberté de s'en prendre à elles-mêmes et de faire le sacrifice de leur personne ». C'est ce comportement autodestructeur qui se voudrait être le seul exutoire à leur violence qui est dès lors admise et médicalisée. Cette volonté d'autodestruction pathologique ne serait que le seul apanage des femmes ?

La réciprocité des sexes s'établit-elle par le biais de la violence ? La violence est-elle constitutive et constructive des rapports sociaux ? La place à concéder à la violence au sein des sociétés est tout aussi problématique que la question de la reconnaissance des violences féminines[156].

Portraits de femmes violentes

Lorsque l'on pense au sang, au crime, au meurtre, à l'assassinat, bref à toutes ces violences impensables qui suscitent de la part du plus grand nombre le rejet et la condamnation, des figures comme celles de Jack l'éventreur, de Barbe-Bleue, ou encore Gilles de Rais surgissent de nos mémoires et de notre savoir. Barbe-Bleue, héros d'un conte, Jack

---

155. PARENT (Marie-Josée), la *Gazette des femmes*, Québec, publiée par le Conseil du Statut de la femme, vol. 20, N° 4, novembre-décembre 1998, pp. 18-31.

156. GIRARD (René), DE BAECQUE (Antoine), WIEVIORKA (Michel), GLUZMAN (Semyon), RICŒUR (Paul), *Violences d'aujourd'hui, violence de toujours.* XXXVIIes rencontres internationales de Genève 1999, textes de conférences et des débats, Lausanne, L'Âge d'Homme, 1999.

l'éventreur et Gilles de Rais criminels légendaires dont la mémoire n'appartient déjà plus à la société qui les a engendrés mais à l'Histoire et à la mémoire collective qui entretiennent de façon vivace le souvenir de l'horreur. La vérité et la fiction s'harmonisent dans un même élan pour faire coïncider l'image fantasmée du meurtrier avec celle du temps qui la suppose. À chaque décennie, l'image des plus fameux criminels s'enrichit de toutes les nouvelles hypothèses et autres théories susceptibles de faire progresser ce déficit de savoir qui laisse aux hommes un sentiment de frustration terrible, tant il est difficile pour eux de ne pas parvenir à clarifier la folie mortifère ou l'exécution méthodique du projet d'un ancêtre. Confrontés à un sentiment d'impuissance doublé d'un sentiment d'incapacité à résoudre un mystère, la littérature, le cinéma, la télévision, voire le théâtre, ont tous tenté de mettre en scène l'innommable, l'effroyable, autant pour mettre à distance le fruit de leur ignorance que pour combler, par la mise en scène, le manque d'humanité qui a singularisé un meurtrier.

La figure de l'assassin est une figure qui, dans l'imaginaire collectif, est associée au masculin et qui, lexicalement parlant, n'observe que le masculin, le substantif féminin du nom « assassin » n'existant pas. Une fois encore, l'idée ou la considération d'une féminité cruelle est loin de s'imposer aussi aisément que la figure du criminel pervers, froid et sanguinaire. Il y a là encore un effet remarquable de cette répartition originelle des rôles censée avoir un effet rationalisant : aux hommes la violence et les excès en tout genre, aux femmes la douceur et le rôle de la victime. Cette répartition, telle une main invisible, continue encore aujourd'hui à conditionner les esprits de façon insidieuse. En effet, cette mainmise est d'autant plus sournoise qu'elle ne procède que d'une perpétuation sans fin des conséquences de la mise à la porte du jardin d'Éden du couple original. Aux hommes le rôle de chasser et de nourrir, aux femmes celui de transformer les trophées de la chasse. Du néolithique jusqu'à encore très récemment, voilà une idée aussi stupide qu'infondée, digne des plus grandes mythologies. Car l'idée d'une femme éternelle seconde n'est rien d'autre qu'un postulat qui ne s'est perpétué que parce

La violence des femmes et l'Histoire

qu'on a longtemps aimé à le penser comme source de stabilité pour les sociétés. Si l'on se détourne un instant de cette lecture réductive et réductrice, si l'on déplace notre attention sur une humanité libérée du carcan originel des rôles sexués, il devient possible de considérer les sexes d'une façon différente.

Les femmes ont toujours joué un rôle actif au sein des économies domestiques, mais en aucun cas nous ne saurions les réifier à l'un des aspects de leur quotidien. Et pourtant cette excellence qui leur est prêtée dans l'art de faire fonctionner la maisonnée ou bien d'élever leur progéniture est encore tenace. Mise à part violenter un rôti ou s'acharner sur des taches capricieuses, quelle violence pourrait bien exercer une femme ? Nous caricaturons, non sans ironie, un point de vue sur la féminité qui a la peau dure. Si Jack l'éventreur a suscité une littérature particulièrement prolixe, qui en dehors des historiens et des initiés se souvient d'Élisabeth Bœthory ou bien encore de Jeanne Weber ? Si l'on comparait l'engouement suscité par Jack à celui d'Élisabeth Bœthory, nous serions à moitié étonnés de constater l'évidente disproportion qu'il y aurait entre les deux. Et pourtant, si l'on attribue à Jack l'éventreur une dizaine de victimes, l'Histoire, ou tout au moins la légende, en prêterait plus de six cents à Élisabeth Bœthory... Ces deux monstres sanguinaires sont bien évidemment le fruit de contextes forts différents, de temps où l'accès au fait divers n'était pas du tout le même. Mais ce qui est à retenir ici n'est pas tant cet aspect d'apparente disproportion des visibilités. Il y a travestissement de la réalité par l'introduction du mythe.

Dès lors que les sexes sortent de la condition assignée par l'usage et la coutume, il faut recourir à des subterfuges crédibles tels que les légendes. Il semble apparemment paradoxal d'unir légende et réalité dans un même élan de pensée, mais l'usage du mythe a un effet rationalisant pour les masses : on déposséde de leur humanité ceux et celles qui se sont singularisés par un comportement jugé hors normes. Dans le cas d'Élisabeth Bœthory, le mystère et les murmures qui viennent entourer l'affaire, les non-dits et les on-dit, transcendent l'absence de normalité pour forger une mythologie du fait, ici le crime, afin d'occire dès sa naissance la vérité et lui substituer un récit légendaire. Toutes les réalités qui posent problèmes ou dérangent font objet de mythification. L'image de la femme criminelle, de la meurtrière, de la sorcière, bref de la femme monstrueuse, procède de cette utilisation du mythe pour dévier la doxa de toutes ces réalités problématiques pour l'équilibre et la stabilité des sociétés, pour les hommes qui ont forgé l'image d'une féminité normée, mais encore pour les femmes elles-mêmes qui ne se reconnaissent pas dans ces criminelles. Ces figures monstrueuses n'incarnent plus toutes les vertus et valeurs que l'on prête à leur sexe et qu'elles ont intériorisées.

S'il existe une littérature particulièrement riche autour des femmes criminelles, rares sont les ouvrages qui se proposent d'aller au-delà des faits rapportés afin de questionner de façon plus générale le sujet de la violence des femmes. Le dernier ouvrage d'Anne-Marie Mommessin [157], pour ne citer que celui-là, intitulé *Femmes criminelles ? Coupables hier… innocentes aujourd'hui*, verse dans le même écueil que la grande majorité des travaux consacrés aux femmes criminelles. On puise dans l'Histoire des exemples célèbres de criminelles que l'on rassemble vaguement dans une typologie souvent discutable et dont on romance quelque peu les faits sans pour autant chercher à les qualifier. Ce bricolage n'a pas d'autre fin que le sensationnalisme alors qu'il devrait davantage chercher à établir les liens qui peuvent exister entre ces diverses formes de criminalité féminine et les sociétés qui les engendrent. Le titre d'Anne-Marie Mommessin laisse d'ailleurs l'historien perplexe, d'une part en raison de toute cohérence chronologique et géographique, et d'autre part en regard des exemples très disparates choisis pour composer l'ouvrage. L'ensemble suggère bien plutôt une profusion d'anecdotes bien choisies qu'une réflexion véritable sur la question de la violence et des femmes.

Le risque de ce type d'ouvrage réside dans la perpétuation de figures stéréotypées de femmes violentes, continuant par là même à nourrir les représentations collectives d'images fortes, tel le visage de la mère infanticide, ou celui de la sorcière et autre empoisonneuse. Il me semble que pour

---

157. MOMMESSIN (Anne-Marie), *Femmes criminelles. Coupables hier… innocentes aujourd'hui*, Levallois-Perret, Altipresse, 2010.

La violence des femmes et l'Histoire

comprendre davantage les violences féminines, il faut dépasser les espaces de violences qui leur ont été concédées afin de jeter un regard débarrassé de tous ces clichés que la plupart des auteurs inconsciemment ou consciemment, reproduisent dans leurs travaux, ayant la conviction que ces formes de violences sont de l'ordre du monstrueux, dans son acception étymologique c'est-à-dire de ce qui relève de l'hors-normalité, mais pas de l'inconnu. Avant même d'ouvrir le livre d'Anne-Marie Mommessin, j'avais la certitude d'y trouver des mères infanticides, des femmes adultères, des sorcières, des empoisonneuses, etc. et j'ai eu effectivement raison. Il y aurait des espèces de pré-carrés de violences féminines, violences intrinsèquement liées aux femmes depuis l'Antiquité.

Nous nous proposons donc à notre tour de revenir sur ces portraits-clichés de femmes criminelles afin de se dégager de ces violences quasi banales dans lesquelles elles sont attendues et de tenter de les penser non plus comme des violences spécifiques, mais comme des violences possibles qui se retrouvent également chez les hommes.

Serial-killeurs **VS** serial-killeuses

La femme violente, la femme prédatrice, la femme corruptrice, la femme criminelle, voilà bien autant d'expressions ressenties comme des oxymores. S'il est possible d'admettre ponctuellement toutes ces contradictions pour une femme, il est impensable de l'envisager pour une multitude de femmes.

En 1908 furent publiés en France les travaux de la Russe Pauline Tarnowsky[158], qui, dans la continuité de l'Italien Cesare Lombroso, fondateur de l'anthropologie criminelle, proposa une étude des femmes homicides[159]. « Grâce aux conditions très primitives de son existence, la population de nos campagnes en Russie offre un milieu parfaitement approprié à des recherches ayant pour but l'étude des femmes assassins au

---

158. TARNOWSKY (Pauline), *Les femmes homicides*, Paris, Félix Alcan, 1908.
159. RENNEVILLE (Marc), « L'anthropologie du criminel en France », *Criminologie*, vol. 27, n° 2, 1994, pp. 185-209.

point de vue de l'anthropologie criminelle.[160] » Le premier écueil de ce travail est de supposer que la violence ne peut s'exercer et se rechercher que dans des espaces jugés moins civilisés, moins ouverts au progrès et partant… plus proches de la nature. La violence dans l'idée de Tarnowsky partage avec la nature une grande proximité et c'est sur les campagnes qu'elle décida de porter son attention de médecin. On trouve à la fin de l'ouvrage une photo de chacune des femmes étudiées et présentées. Cette succession de visages a suscité chez moi une étrange sensation. Des visages inquiétants côtoient des visages inexpressifs tout autant que des visages attachants. L'anthropologie criminelle proposait de rechercher dans la physionomie des accusées des caractéristiques précises censées établir leur culpabilité. Or, à regarder ces visages, on y voit avant tout des femmes toutes très différentes, faisant par là même voler en éclats l'illusoire espoir de voir émerger de l'étude des caractéristiques physiques de quelconques preuves de proximité avec le crime. L'analyse proposée par Pauline Tarnowsky s'est portée sur cent soixante paysannes. Au chapitre « Femmes homicides pour cause passionnelle », elle indique que « grâce aux conditions de leur existence, les femmes sont beaucoup moins accessibles à certains intérêts, à certaines passions qui agitent les hommes, ou plutôt ces passions s'expriment chez la femme quelque peu différemment ». Un second écueil émerge ici, à savoir celui d'avoir imposé à ses travaux qui se prétendaient scientifiques, le poids de stéréotypes sexués. Non affranchies de ces derniers, les analyses, hypothèses et autres interprétations ne pouvaient que, dès lors, être biaisées. Ainsi peut-on lire que « l'ambition (les fonctions publiques étant peu accessibles aux femmes), la fièvre de la spéculation, le jeu, la boisson, la débauche, tous ces penchants sont beaucoup moins accusés chez la femme. Il s'ensuit que les mobiles des crimes que ces passions provoquent sont incomparablement plus rares chez la femme ». Pour Tarnowsky, « en général, la cupidité ne joue pas un rôle capital dans la criminalité de la femme. Le mobile du meurtre chez elle tient beaucoup plus souvent à d'autres impulsions personnelles, telles que l'amour, la jalousie, la vengeance. (…) La cause en est peut-être que, par sa nature, la femme est

---

160. TARNOWSKY (Pauline), *op. cit.*

La violence des femmes et l'Histoire

moins apte au gain, moins calculatrice que l'homme. Se laissant aller à l'impression du moment, elle agit par entraînement. L'impressionnabilité de la femme est opposée à la prévision que l'homme apporte dans ses actes, dont il calcule toutes les chances et pèse les conséquences. Quoi qu'il en soit, il existe pourtant sans conteste des crimes féminins accompagnés de violences brutales, d'assassinat, de strangulation, d'empoisonnement ». Le fait d'étudier des paysannes autorise indirectement Tarnowsky à nier une certaine intelligence aux femmes. Elle suppose que contrairement à l'homme capable d'échafauder un plan, la femme serait plus spontanée et donc plus irrationnelle « par sa nature ». Une fois encore on coupe court au problème de la violence des femmes en se retranchant derrière cette fameuse « nature ». Les a priori sur la féminité présentés ici comme des évidences, voire des postulats sont à mon sens encore très vivaces. On ne peut expliquer le regard troublé et ambigu que l'on porte sur les violences des femmes autrement que par le poids de ces inconscients *a priori* qui continuent de troubler nos perceptions de cette réalité.

Affirmer qu'il y a beaucoup d'hommes violents, dangereux et criminels ne choque personne, mais avancer l'idée qu'un grand nombre de femmes peuvent être violentes, dangereuses, criminelles est inadmissible. Ces femmes qui sortent du rang, sont présentées comme des cas à part, des folles, bref des femmes autres. Et pourtant les femmes détiennent le pouvoir de donner la vie tout autant que de la prendre. Le volontaire grand écart chronologique, d'Élisabeth Báthory à Jack l'éventreur, du XVIᵉ au XIXᵉ siècle, nous permet dans un même élan de considérer la distance qui peut exister entre le regard porté sur un *serial-killer* et celui sur une *serial-killeuse*. Nous détournons volontairement et de façon anachronique le terme de « tueur en série », puisque, en effet, il ne fut créé que dans les années 1970 par un agent du FBI, Robert Ressler de Quantico. Mais au regard de la définition qui en fut donnée, Élisabeth Bœthory est bel et bien une *serial-killeuse*. On parle de tueurs en série, en simplifiant très fortement, lorsqu'un individu perpètre au moins trois meurtres sur une période de plus de trente jours[161]. Bien des femmes ont perpétré plus de trois meurtres, ceci est une réalité,

---

161. Deux meurtres selon les définitions considérées.

mais une réalité minorée, parce que numériquement et visiblement inférieure à la masse des meurtres recensés chez les hommes. Peter Vronsky qui a consacré un ouvrage aux femmes tueuses en série donne à la fin de son travail une liste non exhaustive des plus célèbres. Il n'en dénombre pas moins de cent quarante [162].

Nous en revenons au problème initial qui est de savoir si un phénomène apparemment minoritaire (si l'on peut parler de minorité avec cent quarante noms de *serial-killeuses*, pour environ quatre cents noms répertoriés jusqu'ici de *serial-killers*) doit être admis en tant que tel, ou bien si le fait d'être taxé de rareté doit exclure de le considérer ? Ce n'est pas dans la proportionnalité et les fréquences des crimes sanglants (ou non) observés qu'il nous faut chercher les clés de l'égalité des sexes, mais, comme nous l'avons souligné, dans la capacité à admettre le potentiel violent commun aux deux sexes, libérés des stéréotypes de la répartition des rôles et des clichés propres aux sexes. Il ne faut pas raisonner la question des violences dans une perspective différentialiste mais au contraire dégager tous les éléments qui coïncident dans les occasions et les expressions de la violence. Il faut se départir des schémas du type « aux hommes il revient ceci, aux femmes cela ». La violence ne s'appréhende pas en fonction des sexes.

Depuis quelques années, la proportion des femmes arrêtées pour violence, quelle qu'en soit la forme, n'a cessé d'augmenter que ce soit en France ou aux États-Unis. La capacité à la violence, si elle peut avoir des justifications biologiques ou bien encore culturelles, réside avant tout dans la confrontation des choix à l'ensemble des situations dans lesquelles nous nous trouvons impliqués. La justification de la violence masculine étroitement liée à la testostérone est quelque peu élimée aujourd'hui. Les troubles psychologiques et autres dérèglements de la pensée souvent observés, au-delà des interférences possibles dans le décodage du bien et du mal, succèdent essentiellement à une volonté de satisfaire un fantasme et expriment un désir de liberté d'agir. Il n'est plus alors question d'une dichotomie entre gens de bien et coupables, hommes et femmes, mais

---

162. VRONSKY (Peter), *Femmes serial killers. Pourquoi les femmes tuent ?*, Paris, Balland, 2009.

simplement désir d'assouvir un fantasme, potentiellement source de plaisir, bien plus souvent de frustration, la limite entre les deux étant très souvent diaphane.

Le sociologue américain Otto Pollack fut l'un des premiers à s'intéresser à la question des femmes tueuses en série, dans un ouvrage aussi célèbre que controversé *The Criminality of Women* publié en 1950[163]. L'idée force de son ouvrage suppose l'égalité des sexes en matière de meurtres, à l'exception près que, selon lui, les femmes sont beaucoup plus douées dans l'art de dissimuler leurs crimes, idée reprise et enrichie par Peter Vronsky. Otto Pollack a également essayé de montrer que les femmes meurtrières jouaient, non sans grande facilité, avec les préjugés favorables dont elles jouissaient pour obtenir des peines bien moins sévères que celles des hommes à crime égal, voire parfois même des acquittements. La femme éternellement présentée comme victime, comme souffrante ou subissant la domination masculine aurait toujours été un être passif ?

C'est ce que les hommes se sont plu à croire et c'est ce que les femmes sont parvenues à faire croire. Le génie féminin, car il est difficilement possible d'employer une autre expression, réside dans sa grande capacité à s'adapter pour mieux contourner et transgresser les interdits que l'on tente d'imposer aux femmes. Si le processus de leur émancipation fut long, qui oserait aujourd'hui nier qu'il fut rendu possible peu à peu par une série d'actions de différentes natures, de coups d'éclat aussi bien artistiques qu'ordinaires, qui tous ont annoncé la libération de la femme qui, bien qu'avancée, est loin d'être entièrement achevée ? Si nous en revenons à Otto Pollack, celui-ci pousse plus loin encore son idée en affirmant que la sous-représentation des femmes en justice est également imputable à l'éducation des hommes de loi qui seraient élevés dans le respect de vertus quasi chevaleresques, cause de leur clémence envers les femmes. Il y a chez les hommes l'idée de la nécessaire protection des femmes, la force dont ils sont les détenteurs justifiant cette mission, ce rôle. Mais la véritable force ne

---

163. POLLACK (Otto), *The Criminality of Women*, Philadelphia, University of Pennsylvania Press, 1950.

réside pas dans le corps. Elle est fille de la résilience et de l'intelligence. Je crois que la très large féminisation des cycles supérieurs en marche est révélatrice de cette intelligente résilience. Un esprit constamment obligé de s'adapter est un esprit bien plus véloce que celui qui pense que les choses et l'ordre établis sont immuables et garantis par la force.

La violence n'est pas le produit de la force, la force n'en est qu'un moyen. La violence initiale est à rechercher dans l'idée bien plus que dans sa mise en application. Qui n'a jamais pensé violenter une personne qui pour une raison ou une autre a su attiser sa colère ? Mais parce que nous maîtrisons nos pulsions et nos instincts les plus primaires, le passage à l'acte demeure rare. Pour les *serial-killer*s, qu'il s'agisse d'hommes ou de femmes, le passage à l'acte est la concrétisation d'une colère dont la croissance est arrivée à maturation. Il peut être également totalement gratuit. Pour Otto Pollack, les femmes sont passées maîtres dans l'art du mensonge et de la dissimulation, prenant pour exemple, certes très discutable, la part importante des femmes insatisfaites sexuellement par leur partenaire qui pour ne pas blesser la virilité de ce dernier, simulent l'orgasme. Les tueuses en série, plus méthodiques et bien plus pragmatiques que leurs homologues masculins, œuvrent avec efficacité comme l'a également montré Eric Hickey, professeur de psychologie criminelle à la California State University [164]. Eric Hickey, en comparant un « échantillon » de soixante-deux tueuses en série avec un « échantillon » de trois cent quatre-vingt-dix-neuf tueurs en série, a découvert qu'il existait des différences sexuées dans les moyens mis à profit pour accomplir les meurtres. Ainsi, selon Hickey, les femmes utilisent en majorité le poison pour tuer (80 %), plus rarement une arme à feu (20 %). Enfin, les femmes meurtrières peuvent recourir à l'utilisation d'une arme blanche, à la suffocation, à la noyade ou bien encore utiliser des objets contondants pour fracasser le crâne de leurs victimes. Les hommes en revanche, utilisent majoritairement leurs propres mains ou une arme blanche dans 80 % des cas, puis le « matraquage » et l'arme à

---

164. W. HICKEY (Eric), *Serial Murderers and Their Victims* (3th edition), Belmont, CA, Wadsworth/Thomson Learning, 2002.

feu. Si les violences s'exercent de différentes manières, la conséquence est la même pour la plupart des victimes : la mort. Les motivations des meurtres sont nombreuses, presque aussi nombreuses qu'il y a d'individus. Toutefois, il est possible d'établir une typologie de ces motivations.

C'est ce qu'Eric Hickey a tenté de faire en considérant l'ensemble des tueurs en série, hommes et femmes, qu'il a étudiés. Il montre que dans 74 % des cas, les femmes tuent pour de l'argent, viennent ensuite celles qui tuent par désir d'exercer une forme de pouvoir et satisfaire un sentiment de puissance, celles qui tuent par divertissement. D'autres enfin peuvent tuer pour satisfaire une pulsion sexuelle ou afin d'obtenir des stupéfiants. Ces deux dernières catégories sont minoritaires. Il y a néanmoins désir de puissance, désir commun aux deux sexes.

Peter Vronsky, en ce qui le concerne, indique qu'il n'existe à l'heure actuelle aucune *serial-killeuse* connue qui ait agi pour satisfaire ses pulsions sexuelles. Il note que ce type de violences ne s'observe chez une femme que dans le cadre des violences commises par un couple d'assassins. En comparaison, selon Hickey, les hommes tuent avant tout pour satisfaire un sentiment de puissance et pour assouvir leurs pulsions sexuelles. Les motivations des meurtrières seraient beaucoup plus pragmatiques que celles des hommes. Le meurtre motivé par l'appât du gain peut s'expliquer en partie par l'idée de pouvoir qui est associée à l'argent. Dans une société encore largement inégalitaire, la domination masculine peut s'exercer de façon économique sur les femmes. Pouvoir et argent étant dans l'esprit des meurtrières indissociables, l'usage d'une violence extrême pour s'accaparer les moyens de cette puissance se justifie alors. Les causes sont probablement bien plus complexes. Peter Vronsky s'attache à montrer que ces meurtrières ont eu des enfances troublées, faites de violences plurielles ou bien de dénigrements en tout genre qui ont favorisé un isolement et l'invention d'un monde bercé de rêveries dans lesquels les futurs assassins se construisaient. Pour autant, toute personne ayant souffert dans son enfance ne devient pas obligatoirement un meurtrier.

Si l'enfance joue un rôle indéniable dans la construction personnelle des meurtriers, elle ne saurait cependant expliquer à elle seule ces comportements violents. Retenons seulement que les séquelles liées à l'enfance concernent indifféremment les sexes. Les hommes et les femmes sont égaux dans cette souffrance. Dans les cas où les effets traumatiques sont effectifs et conduisent une personne à la criminalité, il y a là, aussi bien chez les hommes que chez les femmes, un potentiel violent en latence qui s'exprimera à l'âge adulte le plus souvent. L'apparente différence des sexes dans les cas de crimes violents, comme les meurtres, se fonde sur les façons d'opérer et sur les motifs évoqués.

Dans les années à venir, l'écart actuel qui existe entre meurtriers et meurtrières se comblera probablement. Cette progression de la criminalité féminine de plus en plus visible, pose donc un problème aux partisans de la cause des femmes, qui doivent dès lors composer non seulement avec l'essor de cette criminalité mais encore tenter de la justifier.

Féminisme et criminalité féminine

Au XIXe siècle, Beaumont et Tocqueville affirmaient que les femmes étaient naturellement moins sujettes au délit parce que leur rôle d'épouse et de mère minimisait les occasions de la tentation. En 1968, Frances Heidensohn, professeur de sociologie, fut l'une des premières à dénoncer le silence qui entourait la criminalité des femmes, invitant les chercheurs à travailler dans ce sens pour tenter de combler cette lacune[165]. Elle alla plus loin encore en proposant d'ériger la criminalité féminine comme un sujet de recherche en soi, indépendant des travaux sur la criminalité masculine à la lumière de laquelle on cherchait à expliquer la criminalité féminine. Il ne s'agissait plus dès lors d'étudier cette dernière au niveau individuel mais tout au contraire de l'analyser en relation avec les rôles sexuels féminins tels que les définit la société. Heidensohn proposa d'étudier la criminalité féminine d'un point de vue social et non pas exclusivement fondé sur la biologie et la psychologie des femmes.

La position de certains courants féministes à l'égard des tueuses en série est particulièrement révélatrice du malaise que cette violence attise chez celles qui ont fait de la différence des sexes leur cheval de bataille.

---

165. HEIDENSOHN (Frances), *International Perspectives in Criminology : Engendering a Discipline*, Open University Press, 1995.

Comment justifier la transformation d'une femme en meurtrière ? Les féministes américaines de la seconde vague tentèrent de composer avec ce problème en le retournant à leur profit, quitte à adopter des positions très discutables. Les féministes de la première vague tout d'abord, ont tenté de justifier le geste des femmes meurtrières par une mise en parallèle avec leur libération. C'est parce qu'elles se sont en partie affranchies de la domination masculine qu'elles eurent la possibilité d'utiliser toutes les formes d'oppressions traditionnelles que les hommes avaient jusqu'ici exercées sur elles, y compris le meurtre. Elles ont érigé l'égalité des sexes dans la violence, du moins par nécessité de gagner du temps.

Cette position fut notamment défendue par l'Américaine Freda Adler [166], criminologue, qui ne se définit pas vraiment comme féministe, selon laquelle l'infériorité dans laquelle les hommes avaient trop longtemps confiné les femmes devenait dès lors la justification quasi universelle de toutes les transgressions possibles auxquelles les femmes pouvaient recourir pour supplanter les hommes dans leur hégémonie. Freda Adler considère qu'il n'existe pas de différence fondamentale entre les sexes, autres que les différences naturelles. Colette Parent, également criminologue, commentant et critiquant Adler, rappelle qu'on « invoque quatre variables pour expliquer l'implication différentielle des deux sexes dans la "criminalité" : la taille, la force, l'agressivité et la domination. Or, seules les deux premières sont d'ordre biologique et leur importance est très relative, surtout sans nos sociétés contemporaines où la technologie met des armes à la disposition de tous. Les deux autres sont d'origine sociale et peuvent donc être modifiées [167] ».

L'approche de Freda Adler, ainsi que la méthode employée, furent loin de faire l'unanimité chez les féministes, qui lui reprochèrent d'évacuer complètement la domination masculine d'un revers de manche. Pour Adler, l'accès des femmes aux crimes les plus graves est une conséquence

---

166. Voir ADLER (Freda), S. LAUFER (Williams), O. W. MUELLER (Gerhard), *Ciminology*, Boston ; Massachusetts ; Burr Ridgde (Ill.) : Mc Graw-Hill, cop. 1998.

167. PARENT (Colette), DIGNEFFE (Françoise), *Féminisme & criminologie*, Paris, De Boeck-Wesmael, 1998, pp. 57-60.

directe de leur libération et de leur émancipation. Or, les meurtrières ont toujours existé. La libération des femmes a peut-être contribué à voir ces dernières s'autoriser des violences plus extrêmes que celles dans lesquelles elles étaient attendues, mais elle a surtout contribué à rendre plus visible une réalité qui est aussi vieille que le monde. Les figures de la voleuse ou de la prostituée ne sont que des facettes d'une criminalité inscrite sur le temps long. Savoir si la libération des rôles sexuels en marche entraînera une augmentation du nombre des criminelles est vain.

Il n'y a aucun lien à établir entre criminalité et féminisme. Ce n'est pas l'essor du féminisme qui a autorisé ou favorisé l'accès et l'exercice au crime. Une frange de la seconde vague féministe américaine, beaucoup plus radicale, a cherché à justifier cette criminalité en fondant son argumentation sur la haine farouche du sexe opposé, source de tous les maux des femmes. En érigeant le masculin en figure tutélaire du mal, elles ont dès lors pu instrumentaliser leurs propos dans une perspective d'anéantissement de cette autre infâme et néfaste. La phallocratie devait être mise à bas.

Ce discours fut en tout cas l'un des fers de lance de Phyllis Chesler, professeur d'études féminines et de psychologie de l'université de New York qui s'impliqua avec passion dans l'affaire Aileen Wuornos, condamnée à la peine de mort en 2002 pour les meurtres d'au moins sept hommes, assassinés entre 1989 et 1990. Chesler se proposa de conseiller l'avocat d'Aileen Wuornos, en qualité d'experte des meurtres commis dans des cas de légitime défense, notamment en cas de viol. Pour Chelser, les femmes ne pouvaient pas être des *serial-killers* car « les *serial-killers* sont essentiellement des hommes blancs instables, obsédés par la pornographie et leur haine des femmes, et qui eux-mêmes ont subi des sévices paternels dans l'enfance [168] ».

Cette phase d'évolution au sein de certains mouvements féministes américains permit dans un premier temps de justifier les assassinats perpétrés par des femmes sur leurs époux violents. Alors que quelques décennies auparavant, elles s'étaient évertuées à démontrer que la nature

---

168. Citée dans VRONSKY (Peter), *Femmes serial killers. Pourquoi les femmes tuent ?, op. cit.*, p. 206.

victimaire des femmes était une construction phallocrate de la féminité, les féministes de la seconde vague réinvestissent ce rôle de victime pour désormais expliquer le meurtre d'un conjoint violent. La violence quasi talionique des femmes est mise en exergue. C'est parce qu'elles sont l'objet d'une violence injuste qu'elles peuvent recourir elles-mêmes aux expédients les plus extrêmes pour mettre un terme au danger qui pèse sur elles. Dans les années 1970, des ouvrages tels que *Against Our Will* de Susan Brownmiller[169] paru en 1975, ou bien encore *Battered Wives* de Del Martin[170] publié en 1976, ont contribué à ancrer dans les esprits de certaines femmes la possibilité de se faire justice elles-mêmes, en se plaçant au-dessus des lois qui de toute façon n'étaient que le produit des oppresseurs.

C'est à peu près à ce moment-là que le « syndrome de la femme battue » fit son apparition en droit. Nonobstant l'innocence possible des époux, ou la souffrance réelle que certaines femmes ont pu endurer, le syndrome de la femme battue a instauré une faille dans le système judiciaire en autorisant les femmes, sous couvert de légitime défense, à se faire justice elles-mêmes. L'essence de cette loi qui était la protection de la femme, s'est nourrie de la conviction profonde que les femmes sont des victimes et que, partant, elles avaient besoin d'une protection accrue, protection qui ne pouvait incomber qu'à la justice. Cette dernière, dans sa lutte contre le crime et dans sa mission de sanction, a elle-même introduit dans son système une complexité supplémentaire, à savoir qu'une femme justifiant le meurtre de son époux comme une réponse aux mauvais traitements subis, devenait à la fois victime et coupable. À la justice de trancher entre culpabilité et légitime défense. Le rapport à la violence se trouble.

L'examen attentif d'une trentaine de procès intentés à des *serial-killeuses* révèle dans ce type de criminalité que l'image de la femme meurtrière peut se décliner en trois catégories, à savoir : la mère

---

169. BROWNMILLER (Susan), *Against Our Will : Men, Women, and Rape*, New York, Simon and Schuster, 1975.

170. MARTIN (Del), *Battered Wives*, Volcano Press, 1981.

criminelle, l'empoisonneuse et la cruelle. Très souvent ces trois images se recoupent dans le crime d'une seule femme, mais il nous a semblé utile de proposer ce nuancier du crime sanglant pour tenter d'apprécier plus finement la portée et l'impact de la répartition des rôles sexués au sein de la société sur l'exercice du meurtre.

Les femmes, les violences et le crime

La meurtrière première ou primordiale est avant tout la criminelle du quotidien, celle dont la violence s'exerce au plus près, à savoir sur les siens, enfants et époux, bref sur sa famille dans un sens plus large ou bien celle qui par ses fonctions ou son travail entretient à l'égard de l'enfance une obsession maladive suscitant le désir de détruire afin d'affirmer un pouvoir sur l'objet de l'obsession. Le cas des femmes infanticides est particulièrement problématique car il nous invite à reconsidérer non seulement les archétypes de la mère dans laquelle les femmes sont arbitrairement confinées, mais encore à requalifier les liens « naturels » qui unissent ou semblent unir une mère à sa progéniture.

La femme n'est pas une mère, elle est une mère en devenir, une mère potentielle. Si la nature lui a donné les moyens de perpétuer l'espèce, elle ne l'a pas asservie à la génération. Je crois qu'au-delà de problèmes psychologiques des femmes qui assassinent leurs enfants, il y a surtout le refus et le rejet d'une obligation à la procréation et une affirmation des femmes à disposer de la vie qu'elles sont les seules à pouvoir donner. Il y a dans le geste de l'infanticide folle liberté, liberté déréglée et donc criminalité. Les exemples qui vont suivre permettent d'attirer l'attention sur cette réalité. Ils ne sont ni exhaustifs ni emblématiques d'une quelconque criminalité. En effet, l'infanticide est loin d'être le crime par excellence des femmes, il n'est qu'une expression parmi tant d'autres de la capacité à la violence, une possibilité parmi le riche panel des violences qui peuvent exister. Nous avons choisi d'introduire le cas des mères infanticides parce que la mère qui supprime la vie de ses enfants exerce sur la société une violence sacrilège et profondément intolérable. Il y a mise à distance et refoulement d'une réalité qui s'affirme comme inconcevable.

Mères meurtrières

De l'Antiquité à nos jours, la littérature et l'Histoire ont légué à la postérité des figures emblématiques et terribles de mères meurtrières. Est-il nécessaire de présenter la terrible Médée ou bien encore la non moins célèbre Procné[171] ? La figure du filicide fait partie du panthéon de la criminalité et compte parmi les crimes qui suscitent les condamnations les plus vives, au même titre que l'inceste qui induit une relation amoureuse, charnelle et contre nature entre membres d'une même famille. Le filicide fait partie de ces violences qui choquent le plus, par son caractère attentatoire à la morale, à la vertu et aux images habituelles qui sont projetées sur la figure maternelle. À l'instar de la sorcière dont nous avons parlé, il y a dans ces figures mortifères autant d'exemples terribles agités sous le nez des femmes afin qu'elles ne soient pas un jour montrées elles aussi du doigt comme l'infâme qui osa attenter aux jours de sa progéniture. Et pourtant les liens filiaux, s'ils sont le plus souvent biologiques, ne sont pas toujours sentimentaux. La femme n'est pas qu'une mère, la maternité n'est qu'un choix dans son existence. Si la maternité est le privilège des femmes, elle n'est ni une obligation ni un devoir. L'avenir de l'espèce n'est pas l'ambition de toutes. Une femme est avant tout une femme, libre de ses choix, maîtresse de son corps.

L'association femme/mère est pourtant encore aujourd'hui tenace, comme si la modernité n'avait au final que dédramatisé le refus de maternité, sans pour autant ôter des esprits qu'il n'était pas naturel quand on est femme de ne pas être mère. Le filicide, aussi complexe et polymorphe soit-il, n'en demeure pas moins une expression d'affirmation

---

171. Figure issue de la mythologie grecque, Procné épouse Térée roi de Thrace, fils d'Arès, dont elle a un fils, Itys. Séparée de sa sœur bien-aimée Philomèle, Procné implore son époux d'aller la chercher. Térée accepte et se rend à Athènes pour demander au roi Pandion d'exaucer le désir de Procné. Térée découvrant le charme de sa belle-sœur n'a dès lors qu'une seule idée : la posséder. Sur le chemin du retour, il viole Philomèle dans une bergerie et lui coupe la langue afin qu'elle ne divulgue jamais son crime. Philomèle parvient malgré tout à prévenir sa sœur en tissant une toile qui raconte son supplice. Procné fait tout de suite revenir sa sœur et pour se venger de Térée, tue son fils Itys. Les deux femmes le découpent et font cuir ses membres. Elles le font ensuite servir à Térée, lors d'un repas. Térée réclame son fils, ce à quoi Procné répond : « Ton fils est avec toi ». Philomèle jette la tête d'Itys sur la table.

du soi féminin sur la vie que son corps a engendré. Quels que soient les motifs de tout filicide, qu'il s'agisse d'un crime maternel ou encore paternel, il y a l'idée d'un droit de regard à disposer de la vie du fruit de nos entrailles. Mais cette liberté est un meurtre, particulièrement horrible aux yeux de la société parce qu'il est synonyme de cruauté, de lâcheté et de violence. Si on ne peut pas expliquer ou justifier un filicide, il n'est pas interdit de chercher à le qualifier, où même oserais-je dire, de le comprendre.

La figure du filicide est intéressante car elle est aujourd'hui objet d'une surmédiatisation qui a un double effet. Tout d'abord celui de donner un visage au crime mais aussi de montrer qu'une violence que l'on pense singulière n'interdit pas les pluriels. Elle a aussi un effet condamnable, à savoir qu'elle contribue à entretenir les stéréotypes des violences féminines, en confortant l'idée d'un crime féminin par excellence.

Je propose, à travers quelques exemples issus de l'actualité ou plus anciens, de montrer que le filicide n'est qu'une forme de violence parmi tant d'autres, exercée par les deux sexes.

Qui se souvient ou bien simplement connaît le nom de Marie Noe ? Cette Américaine fut accusée en 1998 d'avoir fait périr huit de ses dix enfants entre 1949 et 1968. Jusqu'à cette date, la cause officielle avancée des décès était celle du syndrome de la mort subite du nourrisson. Ce syndrome ne fut défini qu'en 1969, date avant laquelle les médecins ne pouvaient guère offrir d'explications concluantes pour justifier le décès des nouveau-nés. L'avocat de Marie Noe, pour réfuter les accusations de meurtre qui pesaient sur sa cliente, mit en avant l'horreur de la souffrance qu'une mère éprouve et supporte sa vie durant à la perte de ses enfants. Ce n'était pas l'image d'une femme criminelle qu'il fallait donner aux jurés mais bien plutôt celle d'une mère de famille accablée par le chagrin. Il s'agissait pour la défense de montrer à quel point les accusations dont on avait chargé sa cliente étaient attentatoires à sa fonction sacrée de mère. Une mère ne peut vouloir de mal à sa progéniture, surtout pas à huit de ses enfants.

La question du filicide, qu'il soit du fait de la mère ou du père, au-delà du crime, interroge les liens qui unissent les parents à leurs enfants. Ces liens sont d'autant plus jugés évidents en ce qui concerne la mère et son enfant. Il y a une méprise, une confusion entre la fonction supposée de la femme, la maternité, et l'individu, la femme. C'est l'association arbitraire de féminité et maternité qui fausse en partie les perceptions de la femme. Noe avoua malgré tout par la suite avoir étouffé quatre de ses enfants dans l'espoir de voir sa peine quelque peu réduite. La justice ne spécula pas sur les motifs du massacre en dépit des polices d'assurance contractées sur six de ces enfants… Elle se limita à faire le constat de ces meurtres. Déclarée coupable en 1999, elle fut condamnée à une période de vingt ans de mise à l'épreuve ainsi qu'à un suivi psychiatrique.

Kathleen Folbigg, une Australienne de 42 ans fut condamnée en 2003 pour le meurtre de ses trois enfants et pour homicide involontaire sur son quatrième. Elle commit ses crimes entre 1991 et 1999. Kathleen Folbigg, tout au long de son procès, nia être responsable de la mort de ses enfants. L'histoire personnelle de cette mère est une histoire violente et torturée. Le 8 janvier 1969, son père assassina sa mère en la poignardant violemment de vingt-quatre coups de couteau. Kathleen Folbigg fut alors placée en famille d'accueil. Moins d'un an après, les travailleurs sociaux observèrent chez la petite fille alors âgée de 3 ans des comportements suspects, notamment des simulations de jeux sexuels et de masturbation. Retirée de sa première famille d'accueil, elle fut installée dans une autre famille où elle vécut jusqu'en 1985, date à laquelle elle rencontra celui qui allait être son époux, Craig Gibson Folbigg. Le premier enfant qui naquit de ce mariage souffrait de troubles respiratoires. Kathleen Folbigg l'étouffa, maquillant son geste en faisant croire à une mort subite du nourrisson. Elle fit de même avec son second fils en 1991, ainsi qu'avec ses deux filles en 1993 et en 1999. Malgré la découverte du journal intime de Kathleen Folbigg dans lequel elle évoque le meurtre de ses quatre enfants, cette dernière plaida la cause de la mort naturelle.

La lecture de ses journaux intimes révèle cependant une femme particulièrement tourmentée. D'une part, elle rapporte son envie d'être mère et aussi ses inquiétudes : sera-t-elle à la hauteur ? D'autre part, elle met par écrit le sentiment d'anéantissement que lui procure sa maternité, notamment à cause de son incapacité à allaiter au sein ses enfants en dépit de nombreuses et stériles tentatives. On retrouve ici les récentes idées mises en lumière par Élisabeth Badinter pour laquelle la maternité n'est ni une évidence, ni une obligation et encore bien moins un devoir. Il y a conflit entre la femme et la mère que la société tente d'imposer à la première[172].

Son journal révèle aussi la crainte d'être abandonnée de son mari, parce que ce dernier la taquinait souvent sur son poids. Lorsque ce dernier refusa de lui faire l'amour parce qu'elle était enceinte, ce fut pour elle un drame et une forme de désamour le plus total dont elle transféra la responsabilité à sa grossesse qui, dans son esprit, l'empêchait de pouvoir attiser le désir de son époux. Il y a de nouveau conflit entre la fonction de séduction et la fonction de reproduction. Obsédée par l'idée de perdre son mari, elle se lance dans une série de régimes pour rendre son corps plus conforme à l'image des filles qui lui plaisent, bref, celles dont le corps n'a pas fait l'expérience de la maternité. Elle nourrit alors une très forte rancœur à l'égard de ses enfants qui contribuent à déformer son corps, et partant, à éteindre ses espoirs de séduire son époux.

Elle confia également à son journal le ressentiment éprouvé après chaque naissance, quand l'attention de son mari se déportait sur ses enfants, le décrivant comme un sentiment d'abandon, comparable à celui qu'elle avait éprouvé en tant qu'enfant issue d'une famille d'accueil, dont elle ne s'est jamais senti un véritable membre. Elle fut condamnée à trente ans de prison ferme par la justice en 2005.

Une autre Américaine, Marybeth Tinning, fut elle aussi jugée et reconnue coupable du meurtre de ses enfants. Visiblement, Marybeth Tinning souffrait du « syndrome de Munchausen par procuration[173] ».

---

172. BADINTER (Élisabeth), *Le Conflit, La femme et la mère*, Paris, Flammarion, 2010.

173. D. FELDMAN (Marc), *Playing sick ? Untangling the Web of Munchausen Syndrome, Munchausen by Proxy, Malingering [and] Factitious Disorder*, New York, Routledge, 2004. Ce syndrome fut découvert en 1977 par le pédiatre anglais Roy Meadow.

Les mères qui en sont atteintes rendent volontairement leurs enfants malades jusqu'à les tuer, en raison d'une recherche pathologique d'attention et de sympathie. En effet, leur désir de reconnaissance et de valorisation de la mère souffrante et dévouée les conduit à violenter leurs propres enfants. Ce syndrome se définit par l'association de plusieurs critères : la maladie de l'enfant est produite ou simulée par l'un des parents, ce dernier se persuade que l'enfant est atteint d'une maladie x ou y, pour donner plus de crédit à cette simulation, l'enfant fait l'objet de consultations médicales répétées afin d'obtenir une série d'examens complémentaires et la prescription de traitements. Cette surenchère d'examens conforte le parent dans l'idée de la maladie de son enfant, quitte à lui infliger des souffrances gratuites. Les parents responsables affirment la plupart de temps ne pas connaître la cause des symptômes, symptômes qui régressent voire disparaissent lorsque l'enfant est séparé du parent responsable. Marybeth Tinning fit périr ses neuf enfants (dont un adopté) par suffocation. Les médecins attribuèrent à chaque fois le décès au syndrome de la mort subite du nourrisson, alors que les morts se succédaient avec moins de quatre-vingt-dix jours d'intervalle… fréquence particulièrement suspecte rapportée aux statistiques de ce type de décès.

Des pères eux aussi infanticides

Les récentes affaires de filicide en France ont remis au cœur des préoccupations la question des liens mère/enfant. Il est intéressant en premier lieu de constater de quelle manière les médias se sont réapproprié ces événements. Tous, ou à peu près, se sont évertués à mettre en évidence la faillite du lien maternel et la remise en cause d'une certaine forme de sacralité. La mère qui attente aux jours de son engeance n'est pas digne de porter le nom de mère. Si l'on dépasse l'aspect révoltant qu'induit le filicide, on peut remarquer que les mécanismes tout autant que les motifs de ces actes demeurent particulièrement obscurs. Il n'y a jamais eu de qualification concertée de ces actes présentés comme isolés, ni de rapprochement entre ces derniers, comme s'il ne s'agissait que de cas relevant du particulier.

L'actualité très récente [174] nous permet de mieux apprécier ces aspects-là, on ne qualifie pas la violence, on la réifie à une violence maternelle dans le meilleur des cas, jamais féminine. Si les femmes ne naissent pas mères, elles naissent avant tout femmes et le filicide, au-delà de la violence maternelle qu'il symbolise, n'en est pas moins une forme particulière de violence.

Les chiffres officiels sur les infanticides [175] en France ne sont pas nombreux. Une enquête de l'Inserm de 2005 [176] sur la question constitue cependant une bonne base de travail pour aborder le problème. Dans ce rapport d'une centaine de pages, tout un volet est dédié aux personnes mises en cause dans les affaires d'infanticides [177] :

Dans les 65 cas où des personnes ont été mises en cause, il s'agit de :
* les deux parents : 24 cas ;
* la mère seule : 21 cas ;
* la mère + autre : 7 cas ;
* le père seul : 9 cas ;
* le père + autre : 1 cas ;
* d'autres personnes : 3 cas.

Soit un total de 52 mères mises en cause et de 34 pères. Dans les cas de syndrome de l'enfant secoué, c'est le père qui est mis en cause dans 70 % des cas.

---

174. Véronique Courjault et ses bébés congelés en 2006, Dominique Cottrez, mère accusée du meurtre de huit de ses nouveau-nés retrouvés morts à Villers-au-Tertre (Nord) en juillet 2010, Céline Lesage, accusée de six infanticides à Valognes en 2010, etc.

175. Terme employé dans l'enquête.

176. Rapport destiné au ministère de la Justice, réalisé par Tursz (Anne), Crost (Monique), Gerbouin-Rerolle (Pascale), Beauté (Julien) du Cermes (Centre de recherche médicale et sanitaire CNRS UMR 8559, Inserm U 502, EHESS), *Quelles données recueillir pour améliorer les pratiques professionnelles face aux morts suspectes de nourrissons de moins de 1 an ? Étude auprès des parquets*, juillet 2005, p. 42.

177. L'étude réalisée s'est fondée sur des dossiers du parquet de Paris concernant les décès d'enfants de moins de 1 an entre 1996 et 2000 ainsi que sur une étude de faisabilité auprès de deux parquets bretons et deux autres du Nord-Pas-de-Calais.

La violence des femmes et l'Histoire

Parmi les 52 mères mises en cause :
* 8 étaient cadres ;
* 12 employées ou ouvrières ;
* 18 sans activité professionnelle au moment du décès de l'enfant ;
* 14 cas : pas d'informations.

Parmi les 34 pères mis en cause :
* 5 étaient cadres ;
* 15 employés ou ouvriers ;
* 6 sans activité professionnelle au moment du décès de l'enfant ;
* 8 cas : pas d'informations.

S'il apparaît que les mères sont plus fortement représentées dans les affaires de morts infantiles, les pères n'en sont nullement exclus. Il est pourtant bien plus choquant dans les faits de voir une mère sacrifier elle-même sa progéniture alors qu'elle serait davantage attendue dans un rôle de protection et d'attention. Il n'y a pas à l'heure actuelle de véritable travail de fond sur les infanticides paternels qui restent pour le moment présentés comme des cas isolés. Or l'enquête réalisée par l'Inserm montre que l'implication des pères dans les affaires de décès infantiles n'est pas négligeable.

La veuve noire

Parmi les autres figures emblématiques de la violence criminelle des femmes, émerge la non moins célèbre « veuve noire ». Prisonnière de la toile des clichés tissée par l'Histoire, la veuve noire émerge sur la scène judiciaire et dans l'espace public ponctuellement pour rappeler aux individus sa possible mortelle piqûre.

Nous avons indiqué que les femmes criminelles pouvaient très bien endosser plusieurs visages, être à la fois des mères meurtrières, mais également des meurtrières tout court. Belle Sorenson Gunness est entrée dans la légende des *serial-killers* tant pour la cruauté des meurtres auxquels elle s'est livrée que pour le nombre de ses victimes. « Star du crime », elle est régulièrement citée pour la valeur exemplaire de sa cruauté. Considérons-la de plus près.

Belle Gunness née Brynhild Paulsdatter Størseth vit le jour en Norvège en 1859. Elle était réputée être une femme imposante et robuste, dont la carrure remarquable attirait le regard partout où elle passait. C'est ainsi du moins que la postérité la présente et il est fort amusant de souligner que la criminelle est souvent annoncée comme jolie, façon indirecte de nous renvoyer aux anciens discours misogynes de la belle femme artificielle et artificieuse, qui par l'usage de fards et autre maquillage dénaturait l'œuvre divine parce que trop vaniteuse pour s'admettre telle qu'elle avait été faite. La contrefaçon du Créateur fut longtemps jugée criminelle, renvoyant la femme fardée au démon qui seul pouvait lui inspirer de si répréhensibles projets. La beauté, soutien de la séduction, aurait donc déjà quelque chose en soi de criminel. Il est donc de bon ton de présenter la criminelle sous un jour agréable pour mieux en dénoncer la noirceur de l'âme. Il s'agit surtout de rappeler la méfiance qu'il est bon d'avoir à l'égard des femmes dont la beauté est présentée comme un moyen d'imposer par la séduction un contrôle sur les hommes. C'est à se demander qui est véritablement le sexe faible…

Belle était la plus jeune d'une famille de huit enfants. Selon les différentes et nombreuses biographies qui lui furent consacrées, elle fut enceinte en 1877, tout juste âgée de 18 ans. Elle fut cette année-là agressée par un homme qui la frappa violemment au ventre, entraînant la mort de son enfant. Les biographes semblent attacher beaucoup d'importance à cet épisode de la vie de Belle, comme s'il y avait nécessité de rechercher dans le passé de la criminelle non pas des circonstances atténuantes mais bien davantage des causes susceptibles de comprendre les crimes dont elle s'est rendue coupable. Or, le traitement que Belle imposera par la suite à ses propres enfants montre très bien qu'elle n'avait aucun respect pour la vie, qu'il s'agisse de celle de ses enfants ou bien de ses victimes.

L'homme responsable de la fausse couche de Belle n'était autre que le fils de l'une des plus riches familles norvégiennes, et ne fut donc jamais inquiété par les autorités pour son geste. Peu de temps après, il décéda. On attribua sa mort à un cancer de l'estomac, mais certains laissent entendre que la vengeance de Belle n'est pas étrangère à ce décès. La coïncidence est gagnée par l'évidence, comme c'est bien souvent le cas dans les affaires criminelles. Femme jolie mais aussi femme bafouée et malmenée, autant d'éléments qui contribuent une fois encore à motiver la possible cruauté dont elle sera la source. Du moins c'est sur ces bases là que l'on cherche à expliquer cette anomalie comportementale, cette propension à la violence extrême, bref à l'expression d'une féminité assimilée à une anormalité. Il y a aussi une compréhension implicite et silencieuse qui est mise en place par l'histoire qui est faite de sa vie. Belle la fille/femme, confrontée de façon trop précoce à l'épreuve de la maternité, dépossédée de cet état, fanatisée par cette perte. Tout le monde le sait bien... une mère est une lionne dès qu'il s'agit de défendre la vie de son enfant, cela est bien noble. C'est aussi très primaire, la raison cédant le pas à l'instinct de survie ou de défense de la vie. Mais toutes les mères ne sont pas des lionnes, certaines sont des hyènes.

Après cette affaire, Belle servit en tant que domestique pendant trois ans chez de riches propriétaires dans le but de mettre de l'argent de côté et de partir s'installer en Amérique, à l'instar de sa sœur qui en avait fait de même quelque temps auparavant. Elle parvint à constituer un pécule suffisant pour réaliser son rêve et quitta la Norvège en 1881 pour rejoindre le Nouveau Monde. En 1884, elle y épousa un certain Mads Ditlev Anton Sorenson à Chicago avec lequel elle ouvrit un magasin de confection. L'aventure tourna court et se solda par un cuisant échec. Moins d'un an après son ouverture, le magasin disparut dans un incendie dont les causes demeurèrent mystérieuses. Ce fut le début d'une longue série d'événements plus troubles et troublants les uns que les autres. L'argent de l'assurance permit au couple d'acquérir une maison qui elle aussi fut victime de la fureur des flammes en 1898. Là encore, l'argent de l'assurance fut versé et une autre maison achetée.

En 1900, le mari de Belle décéda. Un médecin conclut à un empoisonnement à la strychnine. Cependant, le médecin familial qui suivait l'époux de Belle, attribua quant à lui la cause du décès à une crise cardiaque, toute autopsie devenant dès lors inutile. Avec l'argent de l'assurance vie que son mari avait souscrite, elle acheta une ferme dans l'Indiana, à La Porte, où elle se retira avec ses trois filles naturelles et sa fille adoptive. Une assurance vie fut contractée pour chacune d'elles... Dans la progression psychologique de la criminelle émerge dès lors l'attrait du gain et le pouvoir que confèrent l'argent et le veuvage. L'humanité s'éclipse au profit de l'intérêt, de la cupidité et tous les moyens sont bons pour écarter tout obstacle éventuel.

En 1902, Belle épousa en secondes noces Peter Gunness, un norvégien qui vivait tout comme elle dans la petite ville de La Porte. Moins d'une semaine après le mariage, la fille de Peter Gunness décéda alors qu'elle se trouvait seule en compagnie de sa belle-mère. En décembre 1902, c'est autour de son second époux de trouver la mort dans des circonstances étranges. En effet, Belle indiqua qu'une machine à faire des saucisses tomba d'une étagère et écrasa la tête de son époux le tuant sur le coup. Les voisines ne crurent pas un instant à la thèse de l'accident, présentant l'époux de Belle comme un homme très adroit et un boucher expérimenté. L'autopsie du corps révéla qu'il ne s'agissait effectivement pas d'un accident et que Peter avait été assassiné. Jennie Olsen, alors âgée de 14 ans, la fille adoptive de Belle, confia à une camarade de classe avoir assisté au meurtre de son beau-père en indiquant que c'était sa mère qui l'avait frappé. Jennie, devant les autorités, nia avoir fait cette confidence, bien trop consciente des conséquences éventuelles de sa dénonciation. Belle, qui était alors enceinte, parvint à convaincre les gens de son innocence. Comment une épouse et qui plus est une mère pourrait se comporter de la sorte ? Elle fut libérée et les charges qui pesaient contre elle écartées. Elle embaucha pour la seconder dans la gestion de la ferme un certain Ray Lamphere.

En 1906, elle se fiança secrètement avec ce dernier. La même année sa fille Jennie disparut. Dès lors que la séductrice fut confrontée à l'obstacle de la maternité, il fallut trouver un compromis... Belle argua avoir envoyé cette dernière dans une école à Los Angeles. Mais son corps sera retrouvé plus tard dans la propriété de Belle.

Peu de temps après Belle fit publier dans le *Chicago Daily Newspapers* une petite annonce dans la page du courrier du cœur, dans laquelle elle indiquait vouloir trouver un gentleman désireux de joindre sa fortune à la sienne afin de faire fructifier leurs biens par leur mise en commun. Belle reçut beaucoup de réponses, parmi lesquelles celles de John Moo, originaire d'Elbow Lake dans le Minnesota. Il arriva à la ferme avec beaucoup d'argent et fut présenté aux voisins comme un cousin de passage. Tout avait été minutieusement pensé. Ce dernier disparut moins d'une semaine après son arrivée. Un autre soupirant en provenance de Tarkio dans le Missouri se présenta, un certain George Anderson, fermier et lui aussi immigré norvégien. George fut déçu lorsqu'il fit la rencontre de Belle, qu'il ne trouva pas très jolie et bien peu commode. Cette dernière parvint néanmoins à l'amadouer par des mets exquis et le convainquit de l'épouser. Une nuit, Belle alla le retrouver dans sa chambre. Son air sinistre, mis en valeur par un clair-obscur inquiétant produit par la lumière de sa bougie, terrorisa George qui s'enfuit de la maison sans demander son reste et regagna le Missouri.

Vont ainsi se succéder chez Belle plus de quarante célibataires fortunés, dont aucun ne reverra jamais famille ni amis. Ray Lamphere, éperdument amoureux de Belle, devint de plus en plus jaloux. Cette jalousie, fort malvenue, inquiéta beaucoup Belle, qui vit dès lors son amant comme une menace. Elle prit donc la décision de le congédier. Pour le faire taire, elle alla trouver la police, prit un avocat, et expliqua qu'elle se sentait menacée, que Ray Lamphere lui voulait du mal. Au même moment, le frère de l'une des victimes, Asle Helgelien, écrivit à Belle pour lui demander des nouvelles de son frère. Cette dernière lui répondit qu'il n'était jamais venu à la ferme, qu'elle acceptait tout de même de faire des recherches pour tenter de le retrouver, mais que, bien évidemment, cela avait un prix…

Ray constituant toujours une menace, Belle échafauda un plan machiavélique pour échapper à la vindicte de son amant et à la justice qui ne tarderait pas à venir fouiller de plus près sa vie.

Elle engagea un homme, un certain Joe Maxon.

Dans la nuit du 28 avril 1908, il fut tiré de son sommeil par une odeur de fumée. Il bondit alors de son lit et trouva la maison de sa patronne embrasée, les flammes déjà hautes brûlaient à toute vitesse la propriété. Il appela Belle et ses enfants mais n'obtint aucune réponse. Lorsqu'il revint avec de l'aide, il était trop tard. Quatre corps furent tirés des décombres, dont celui d'une femme qui fut immédiatement identifiée pour être Belle. Ce corps était pourtant sans tête, comme s'il avait été décapité. Au niveau de l'endroit où la tête aurait dû être, furent découverts les restes de prothèses dentaires. Ray fut immédiatement suspecté d'avoir allumé l'incendie, Belle ayant souvent confié à son avocat qu'il l'avait menacé de brûler sa maison et de l'assassiner. Appréhendé par la police, Ray finit par admettre qu'il avait mis le feu à la ferme mais nia en revanche les meurtres dont on l'accusait. Le corps sans tête fut présenté aux voisins qui tous déclarèrent qu'il ne pouvait s'agir du corps de Belle, car ni la taille ni le poids ne coïncidaient. L'autopsie du corps révéla que le décès n'était pas dû à l'incendie mais à un empoisonnement à la strychnine. Les prothèses dentaires retrouvées sur le lieu du drame furent examinées par le dentiste de Belle qui les identifia clairement, ce qui tendait à conforter l'idée selon laquelle il s'agissait du corps de Belle.

Asle Helgelien arriva à La Porte et indiqua au shérif qu'il pensait que son frère avait été tué et que son corps devait être dans la propriété de Belle. Joe Maxon attira l'attention de la police sur les nombreuses dépressions du sol de la propriété près de l'enclos des cochons. Belle lui avait demandé de combler ces trous pour niveler le sol. La police décida alors de creuser. Une longue série de découvertes macabres s'en suivit.

Le 3 mai 1908, les corps de Jennie, la fille de Belle, de deux enfants non identifiés, d'Andrew Helgelien, Ole B. Budsburg, de Thomas Lindboe de Chicago, d'Henry Gurholdt du Wisconsin, d'Olaf Svenherud de Chicago, de John Moo, etc. furent exhumés de la propriété de Belle. En tout pas moins de quarante corps furent tirés des entrailles de la terre. Le 22 mai 1908, Ray Lamphere fut jugé pour incendie criminel et pour meurtre. Il plaida coupable pour l'incendie mais pas pour les meurtres. Il fut finalement condamné à vingt ans de prison pour incendie criminel et non pour meurtre, la défense ayant mis en évidence que le corps décapité retrouvé n'était pas celui de Belle. Il décéda en prison peu de temps après, en 1909.

Moins d'un an après son décès, le révérend E. A. Schell qui fut le confesseur de Ray, révéla que ce dernier était bel et bien innocent des meurtres et que Belle était toujours vivante. Ray lui avait confié la vérité peu de temps avant sa mort et les détails sordides du scénario morbide et immuable que Belle rejouait indéfiniment à l'abri des regards dans sa propriété. Il commença par avouer que s'il n'avait jamais assassiné personne, il aida souvent Belle à enterrer les corps de ses victimes. Belle accueillait tous les hommes qui avaient répondu à sa petite annonce. Elle les recevait de la façon la plus charmante possible afin de les mettre en confiance, leur préparant des mets excellents. Puis elle veillait à droguer les cafés de ses invités, et une fois que ceux-ci étaient plongés dans un état second, elle les assassinait avec un découpeur de viande.

D'autres fois, Belle attendait que son soupirant s'endorme pour aller le trouver et lui appliquer par la force sur le visage, un linge imbibé de chloroforme. Femme robuste, elle n'avait aucun mal à déplacer les corps qu'elle descendait à la cave où se trouvaient tous les instruments de boucherie de son second époux. Le corps placé sur une table de découpe, la dissection pouvait débuter. Grâce à son second époux et à tous ses conseils avisés, Belle était devenue une experte dans l'art de la découpe de viande. Il lui était aussi arrivé, pour gagner du temps, d'empoisonner directement le café de ses victimes avec son poison fétiche, la strychnine. Elle donnait parfois aux porcs les restes de ses victimes à manger. Ray contribua aussi à lever le mystère de la femme sans tête. Belle avait tout orchestré d'une main de maître. En effet, elle fit croire à une femme de Chicago, dont l'identité à ce jour n'a toujours pas été établie, qu'elle recherchait une femme de ménage.

Celle-ci vint à La Porte, pensant avoir trouvé un travail. Elle fut droguée, frappée à la tête et enfin décapitée. La tête fut jetée dans un marais non loin de là avec de lourdes pierres pour qu'elle ne refasse jamais surface. Belle utilisa ensuite du chloroforme pour endormir ses enfants, puis elle les étouffa et plaça leurs corps près de celui de la femme de Chicago qu'elle veilla à vêtir de ses propres vêtements. Belle arracha elle-même ses prothèses dentaires pour faire croire que le corps sans tête était bien le sien. La mise en scène macabre achevée, elle mit le feu à la maison. Après cela, avec l'aide complice de Ray, elle prit un train pour Chicago, riche d'une fortune estimée à plus de 250 000 dollars, ce qui était énorme pour l'époque.

Pendant près de vingt ans, divers témoins affirment l'avoir vu dans différentes villes du pays et pendant vingt ans le shérif de La Porte reçut chaque mois au moins deux rapports au sujet de Belle.

En 1931, une femme dénommée Esther Carlson fut arrêtée à Los Angeles pour le meurtre de son époux. Deux personnes qui connaissaient Belle l'identifièrent sur les photos qui circulèrent dans la presse, mais l'identification ne fut jamais confirmée par les autorités. Esther Carlson décéda dans l'attente de son procès.

L'exemple de Belle permet de restituer à la violence une diversité sexuelle moins marquée, en montrant que l'exercice d'une violence extrême n'est pas une prérogative masculine.

La cruelle

Enfin, nous avons isolé celles que nous avons désignées comme cruelles, non pas que les autres criminelles que nous avons évoquées le soient moins que celles dont les portraits vont suivre, mais les violences qu'elles exercent s'en démarquent. En effet, la violence institutionnalisée des femmes est une forme de violence qui semble complètement inimaginable et dont la mémoire semble nous échapper. Dans tous les grands conflits armés, l'homme apparaît transformé en machine de guerre, dépersonnalisé et soumis à servir la cause de la patrie. Il perd d'une certaine manière ce qui fait son humanité, à savoir le libre arbitre mis en sommeil en cas de conflit. Les soldats ne sont en effet plus amenés à penser par eux-mêmes mais à exécuter les ordres qui leur sont donnés. Cette chair à canon informe ayant devoir de servir une cause est masculine lorsque l'on évoque les fronts, féminine lorsque l'on dénonce les victimes civiles qui souffrent de la guerre. Une fois encore, le féminin est confiné dans un rôle passif ou dans un rôle d'assistance. La prise en main par les femmes du travail dans les usines durant les deux grands conflits mondiaux, pour ne citer que ces exemples, est révélatrice de la duale valorisation/dévalorisation de la féminité.

Valorisation parce que les femmes reprennent le travail de leurs époux, pères et frères, en apportant leur aide dans la fabrication de munitions et autres produits indispensables à la guerre. On admire et loue leur dévouement, leur habilité à la confection en exaltant la mère-patrie qui s'illustre en chaque femme qui œuvre à la victoire de son pays. Dévalorisation, parce que la « nature féminine » rend inapte les femmes à prendre les armes et à soutenir les offensives ennemies. Mais la violence en cas de guerre ne s'exerce pas que sur les seuls fronts. Elle se décline et s'instille dans toutes les sociétés aux prises de mille et une façons. Les femmes auraient-elles donc été étrangères à cette violence diffuse et globalisante ? De quelle manière l'Histoire a-t-elle gardé mémoire de ces violences féminines en temps de guerre ?

Corinne Bonafoux-Verax, dans un des chapitres d'un manuel dédié aux sociétés en guerre, indique que la production historiographique ne s'est pas particulièrement intéressée aux femmes « d'une part à cause du poids de l'histoire militaire et politique » parce qu'elles avaient un rôle marginal à y jouer « mais aussi sans doute à cause de l'émergence tardive de l'histoire des femmes, notamment en France [178] ». Depuis, la bibliographie de l'histoire des femmes s'est très largement étoffée, mettant en avant leur rôle dans la Résistance par exemple. Encore faut-il s'interroger sur cette mise en lumière dans ce cas de figure. Il a semblé impératif et légitime de mettre, à côté de la figure du héros de guerre, celle de l'héroïne qui fut longtemps laissée dans l'ombre du masculin. Si aujourd'hui le patriotisme féminin est enfin reconnu et rendu visible, il ne loue qu'une partie des femmes confrontées à la guerre, laissant les autres sur le bord du chemin comme des anonymes victimes.

À l'opposé de l'image étincelante de la résistante, celle de la traîtresse qui s'est fourvoyée avec l'ennemi, celle des femmes tondues à la libération pour leur trahison de la nation. Mais entre la résistante et la tondue, n'y aurait-il donc que des femmes victimes ou victimisées ? La participation à la violence de guerre ou à son combat ne se résumerait-elle qu'à ses deux figures emblématiques et antithétiques ? N'y a-t-il pas eu des femmes nazies ? N'y a-t-il pas eu des fascistes convaincues et militantes ? Totalitarisme et féminisme seraient-ils totalement antinomiques ? Le cas des criminels nazis est à ce titre éclairant. Lors du procès de Nuremberg,

---

178. BONAFOUX-VERAX (Corinne), « Femmes entre guerre et paix », in *Guerres, paix et sociétés 1911-1946*, Paris, Atlande « Clefs concours », 2004, pp. 497-517.

les monstres consacrés tels que Gîring, Ribbentrop, Hess et autre Seyss-Inquart, ont quelque peu éclipsé les « petites mains » masculines de l'horreur qui furent également jugées. Le grand débat qui a passionné les historiens entre un ralliement obligatoire ou bien pleinement assumé de certains Allemands à l'idéologie nazie [179], à quelque peu laissé dans l'ombre le cas des femmes qui, contraintes ou de façon délibérée, ont embrassé la cause du national-socialisme.

Élisabeth Badinter souligne à juste titre que la mémoire des actes violents féminins au moment de la Seconde Guerre mondiale est presque absente. L'ouvrage *Féminismes et Nazisme* qui fut dirigé par Liliane Kandel [180], dans la continuité des travaux de Rita Thalmann, attire l'attention sur la difficulté que rencontrent certaines féministes à verbaliser certains moments sombres de l'histoire des femmes. En effet, dès les premières pages, Liliane Kandel souligne que toutes les femmes ne furent pas des héroïnes ni des résistantes au pouvoir alors en place, pas plus que toutes ne furent des martyres. Une psychologue allemande, Helga Schubert, a voulu, dans un livre remarquable intitulé *Judasfrauen* étudier la collaboration des Allemandes avec la police politique du IIIᵉ Reich. Son projet était de tenter de comprendre « les effets exercés par un état totalitaire sur le comportement quotidien de ses citoyens en prenant l'exemple d'actes de dénonciations politiques auxquels des femmes se sont livrées [181] ». Certaines femmes sont allées au-delà de la simple sympathie envers les idées du Führer. Certaines en effet adhérèrent inconditionnellement à l'idéologie nazie, mais encore y apportèrent leur soutien physique, en rejoignant les groupes SS dans lesquels elles furent amenées à exercer des violences idéologiques et physiques.

La démarche pour devenir SS témoigne à elle seule de cette volonté de soutenir totalement une idéologie profondément violente. Les « aspirantes »

---

179. KERSHAW (Ian), *L'opinion allemande sous le nazisme. Bavière, 1933-1945*, Paris, CNRS Éditions, 2002.

180. KANDEL (Liliane) (sous la direction de), *Féminismes et Nazisme*, en hommage à Rita Thalmann, Tours, Cedref, Publication de l'université Paris 7 – Denis Diderot, 1997.

181. SCHUBERT (Helga), *Judasfrauen*, Deutscher Taschenbuch Verlag GmbH & Co., 1995.

devaient remplir de nombreux critères non seulement très précis, mais ayant encore pour finalité de distinguer davantage celles qui seraient reçues parmi l'élite SS. Pour remplir les critères retenus, elles devaient se soumettre à un examen médical minutieux afin de permettre d'établir la pureté de leurs origines, recherche prolongée par une étude attentive de l'arbre généalogique des prétendantes, remontant jusqu'à 1750. Les futures femmes SS devaient suivre un stage de préparation à la maternité, lequel était surtout l'occasion de vérifier leur fiabilité politique[182]. Les femmes ayant rempli tous ces critères (et d'autres) étaient investies de la dignité de SS. Ce parcours initiatique, quasi rituel, devait leur inspirer la conviction d'appartenir à une élite, à une race supérieure, à une germanité la plus pure. Liliane Kandel, citant une statistique de la SS, indique qu'au 15 janvier 1945 sur les 36 674 surveillants en fonction, on a recensé 3 817 surveillantes.

Le cas de Gertrud Scholtz-Klink, qui se qualifiait elle-même de *Reichsfrauenführerin*, est intéressant en ce qu'il montre que les femmes non seulement adhéraient à un programme nourri de violence, mais encore qu'elles pouvaient le soutenir et le propager[183]. Elle fut l'une des plus ferventes admiratrices d'Hitler, et ce jusqu'à sa mort en 1999. Elle rallia très tôt le parti nazi au sein duquel elle devint très active[184]. Dès 1929, elle prit la tête de la section des femmes de Berlin. À l'arrivée au pouvoir d'Hitler en 1933, elle fut nommée à la tête de la ligue des femmes nazies. Elle assura un intense travail de propagande auprès des femmes du Reich. Elle parvint par ses talents d'oratrice à séduire un nombre croissant d'Allemandes. Elle fut entre autres chargée de

---

182. En effet durant ces stages, leurs conduites, leurs conversations, leurs opinions étaient minutieusement analysées.

183. DELPA (François), *Les tentatrices du diable : Hitler, la part des femmes*, Paris, L'Archipel, 2005.

184. STEPHENSON (Jill), « The Nazi Organisation of Women 1933-39 », in STACHURA (Peter) (éd.) *The Shaping of the Nazi State*, Croom Helm (New York, NY, London), Barnes & Noble, 1978, pp. 186-210. Voir également LACEY (Kate), *Feminine Frequencies. Gender, German Radio, and the Public Sphere, 1923-1945*, Ann Arbor (Mich.), The University of Michigan Press « Social History, Popular Culture and Politics in Germany », 1996, p. 111.

convaincre les femmes de travailler pour soutenir le régime[185]. L'ambition de Gertrud Scholtz-Klink était de promouvoir une femme nouvelle, façonnée par les idées du national-socialisme, femme soumise à sa famille et à l'autorité de l'État. Cette propagande violente se fondait très largement sur les idées de *Mein Kampf*.

Des femmes ont également officié dans les camps de concentration en qualité d'*Aufseherin*, telle Angelika Grass ou encore Margarete Bisaecke qui furent en fonction à Ravensbrück et Buchenwald[186]. À l'issue de la guerre, la première s'évanouit dans la nature et la seconde fut condamnée à un an de prison pour mauvais traitements sur les femmes détenues dans le camp. Les femmes entrèrent en fonction dans les camps de concentration dès 1942, tout d'abord à Auschwitz, Majdanek et Ravensbrück. La plus célèbre des *Aufseherin* est probablement Irma Greese qui fut vulgairement surnommée la « salope de Belsen ». Elle officia dans plusieurs camps de concentration, Ravensbrück, Auschwitz et Bergen-Belsen. Elle dut son surnom à son comportement particulièrement pervers et cruel, faisant d'elle l'une des plus grandes criminelles nazies.

Née dans une petite ville de la région du Mecklenburg, à Wrechen, Irma Greese est issue d'une famille d'agriculteurs dont la mère s'est suicidée alors qu'elle était encore une enfant. Très rapidement elle se détourne de l'école pour rejoindre la *Bund Deutscher Mädel*, une ligue de filles allemandes, apparentée aux Jeunesses hitlériennes. Après plusieurs tentatives infructueuses pour devenir infirmière, Irma Greese s'engage dans la SS et finit par devenir gardienne SS à Ravensbrück. Elle est par la suite transférée à Auschwitz en tant qu'*Aufseherin*. Elle gravit très rapidement les échelons et parvient à obtenir le grade de surveillante-chef (*Oberaufseherin*) à Birkenau. Elle a sous son commandement plus de 30 000 détenus dont 18 000 femmes. Son ascension fulgurante au sein de la SS contraste fortement avec la médiocrité de sa scolarité. Irma Greese a enfin le

---

185. STEPHENSON (Jill), « The Nazi Organisation of Women 1933-39 », *op. cit.*, pp. 97-129. Voir aussi SIGMUND (Anna-Maria), *Women of the Third Reich*, NDE Publishing, 2000.

186. KNOPP (Guido), *Les femmes d'Hitler*, Paris, Payot, 2003. Voir aussi BERTOLDI (Silvio), *Le signore della svastica : protagoniste e vittime del Reich di Hitler*, Milano, Rizzoli, 1999.

sentiment d'avoir trouvé sa vocation et l'occasion de s'illustrer en montrant qu'elle est la meilleure. Au procès de Belsen, elle fut accusée de crimes de guerre, de mauvais traitements, d'assassinats sommaires de détenus, d'avoir ordonné des fusillades massives et pratiqué des exécutions individuelles au pistolet. Elle fut également accusée d'avoir infligé des humiliations sexuelles aux détenus, d'avoir veillé personnellement au choix des condamnés aux chambres à gaz et d'avoir livré en pâture des détenus à des chiens affamés. Lors de son procès, Irma Greese plaida non coupable en dépit des témoignages accablants de rescapés du camp de Belsen. Elle fut condamnée à mort par pendaison le 13 décembre 1945.

Peu connue, la production artistique clandestine et féminine des camps de concentration met très souvent en scène les mauvais traitements infligés par les *Aufseherin*. Les scènes de fustigation et autres maltraitances couchées sur le papier dans le plus grand des secrets montrent bien à quel point la violence exercée par des femmes sur d'autres femmes était traumatisante. La verbalisation graphique dans les croquis et autres dessins, exécutés avec les moyens du bord, attire l'attention sur cet aspect qu'il ne faut pas oublier. Les chances de voir cet art féminin concentrationnaire nous parvenir étaient infimes, mais le seul fait de prendre le risque de les exécuter, trahit à mon avis la volonté de dire quelle était la réalité des violences quotidiennes et de dénoncer la part que les femmes ont pu prendre dans le vaste système concentrationnaire.

Le cas des *Aufseherin* n'a pas été choisi au hasard. Une fois de plus l'attention est portée sur ce que l'on désigne comme relevant du particulier, du ponctuel, et donc ne nécessitant pas de commentaires spécifiques. Il existe très peu d'études dédiées aux femmes nazies et plus particulièrement sur leurs activités au sein des camps de concentration. Tous les faits marquants qui ont contribué à sortir les femmes de l'ombre pour les placer dans une stricte équité avec les hommes ont été des temps de singularité et non de régularité. Or tous les travaux, en cours et quelle que soit la discipline des sciences humaines qui s'intéresse aux femmes en tant que sujet d'étude, s'attardent à démontrer la différence flagrante qui existe entre une pratique convenue d'un discours sur les femmes et la réalité. Toutes les situations qui jusqu'ici ont été admises comme ponctuelles, telles que la participation des femmes à la guerre et leur exercice de la violence, sont à en vérité autant de situations inscrites de façon régulière. Le schéma bourdieusien de domination masculine, s'il envisage les formes et les modalités d'exercice d'un pouvoir masculin, laisse quelque peu de côté la résilience féminine face à ces situations de domination. Accepter l'idée d'une domination masculine totale s'exerçant de façon indiscutable depuis toujours reviendrait, au-delà du fait de confiner les femmes dans un rôle d'éternelle victime, à admettre une supériorité masculine qui n'aurait d'autre fondement que la force. C'est une idée qui contente et rassure certains hommes, mais qui est surtout infondée et infamante à l'égard des femmes.

L'exemple des *Aufseherin* réinscrit les femmes dans un système plus vaste que celui d'une différenciation des sexes dans les pratiques et les usages de la violence. Si le régime nazi est par bien des aspects misogyne, il offrait à ces femmes désireuses de sortir de leur condition d'autres perspectives. Himmler exigeait que les surveillants, quel que soit leur sexe, soient traités sur un pied d'égalité. Entre la pratique et la théorie il y eut probablement un monde, mais ce qu'il est intéressant de voir ici, c'est de quelle manière un état totalitaire a su rendre docile un grand nombre de femmes tout en leur concédant dans quelques cas précis une certaine reconnaissance. Toutes les surveillantes des camps furent-elles des Irma Greese ? Il est difficile de le savoir. Il y a eu, quoi qu'il en soit, un réel désir de la part de ces femmes SS de donner à voir au IIIᵉ Reich une autre valence à la féminité. Irma Greese a-t-elle été violente par conformisme ou bien par mimétisme ? S'était-elle convaincue que c'était dans l'exercice de la violence qu'elle sublimerait sa nature pour être enfin jugée l'égale des hommes et supérieure au commun des femmes ? Le contexte de guerre n'est évidemment pas étranger à ces comportements profondément violents, mais y avait-il chez Irma Greese prédisposition à la cruauté ou adéquation à l'idéal politique nazi ?

C'est parce qu'elle a accepté, compris et intériorisé le projet de destruction des juifs, bref qu'elle a adhéré à une logique du massacre qu'elle a pu donner libre cours à sa violence. Elle-même au cours de son procès affirma, comme beaucoup d'autres Allemands, se plier aux ordres,

La violence des femmes et l'Histoire

l'armée n'étant pas le lieu de la réflexion mais de l'exécution, de l'exécution des ordres et des vies qui sont prises à l'ennemi. S'agit-il alors d'une violence étatique reçue passivement et reproduite activement, ou bien d'une violence initiale source de toute initiative violente ? Nous ne trancherons pas ici un débat. Ne retenons seulement que la cruauté, qui n'est qu'une forme exacerbée de la violence, n'est pas le propre des hommes pas plus qu'elle n'est le lot commun des femmes. Il y a capacité à la cruauté tout autant qu'à la violence chez les deux sexes. Mais alors comment expliquer cette dissymétrie des représentations ?

Les femmes : éternelles victimes ?

Jusqu'ici, l'exercice de la violence a arbitrairement été confié au masculin, reléguant *ipso facto* les femmes dans le rôle rassurant de victime[187]. La victimisation de la femme a été possible parce que le processus qui a contribué à imposer de façon péremptoire ce statut inique s'est fait sur le temps long, conduisant à une intériorisation progressive de la part des femmes de cette condition. La « victime » unique pourtant, au même titre qu'une « violence » unique, n'existe pas. Elle doit être nécessairement désexualisée pour devenir véritablement objet d'étude, débarrassée des « a priori » et des partis pris. C'est le rapport des femmes à la violence qui est envisagé et problématisé et c'est ce même rapport qui permet de priver la victime de sexe pour sortir les femmes et les hommes du schème dominant-dominé, masculin asservissant le féminin, homme brutal/femme victime. Actuellement, la victimisation excessive des femmes n'interdit-elle pas à ces dernières de prétendre à une totale égalité avec les hommes ?

En effet, nous sommes en droit de nous poser cette question. La victimisation institutionnalisée, par la loi tend à stigmatiser leur faiblesse physique, au travers des différents textes qui combattent les violences

187. Voir par exemple ROCCO (Aldo), *Les Femmes battues se rebellent*, Paris, Alban Éditions, « Thèmes d'aujourd'hui », 2007.

156

dont les femmes sont victimes [188]. La démonstration et la reconnaissance effectives ou tacites de la domination masculine sont si ancrées dans les mentalités qu'elles privent les femmes d'une part nécessaire et véritable de liberté. La dévictimisation des femmes passe par la reconnaissance des violences féminines.

Violences féminines et politique : une victimisation institutionnalisée ?

La femme victime, éternellement violentée, est une image si profondément ancrée dans les représentations collectives dans son acception la plus large, qu'il y a tout naturellement une réappropriation de la part des pouvoirs publics de cette image. Cette réappropriation se concrétise actuellement par un projet de loi [189] ayant pour finalité de renforcer les sanctions à l'encontre de ceux qui exercent des violences sur les femmes. Mais qui se trouve visé si ce ne sont les hommes [190] ? À l'heure des dénonciations sexistes et des revendications égalitaristes, le gouvernement institutionnalise une dissymétrie entre les hommes et les femmes, niant par là même la capacité des femmes à exercer des violences sur des hommes.

Au-delà, il s'agit de nier les violences inter féminines dont on commence à évoquer tout juste l'existence, et encore de façon très restreinte, puisque pour le moment, ne sont prises en compte que les

---

188. CHETCUTI (Natacha), JASPARD (Maryse), SALOMON (Christine), ROMITO (Patrizia), *Violences envers les femmes. Trois pas en avant deux pas en arrière*, Paris, L'Harmattan « Bibliothèque du féminisme », 2007.

189. Voir site de l'Assemblée nationale, 13ᵉ législature, Nᵒ 525. Loi-cadre contre les violences faites aux femmes, Proposition de loi de madame Marie-George BUFFET et plusieurs de ses collègues cadre contre les violences faites aux femmes, nᵒ 525, déposée le 20 décembre 2007 et renvoyée à la Commission des lois constitutionnelles, de la législation et de l'administration générale de la République.

Nᵒ 400 Violences faites aux femmes, Proposition de loi de madame Huguette BELLO visant à l'adoption d'une loi-cadre contre les violences faites aux femmes, nᵒ 400, déposée le 12 novembre 2007 et renvoyée à la Commission des lois constitutionnelles, de la législation et de l'administration générale de la République.

190. Voir par exemple : Collectif Droits des Femmes, *Contre les violences faites aux femmes : une loi-cadre !*, Paris, Syllepse, « Arguments et mouvements », 2006. Le masculin y est clairement diabolisé sous les traits d'un despote ayant aliéné le féminin par le biais des violences.

violences féminines exercées dans le cadre des couples lesbiens[191]. Ceci favorise donc une législation partiale qui contribue à une ségrégation sexuelle fondée sur un rapport de force inégal. Si les violences masculines sont manifestes, encore faut-il être vigilant dans leur appréciation et dans la typologie de ces dernières. Élisabeth Badinter ne dit pas autre chose en soulignant, tel un truisme, le partage des rôles avec le masculin coupable et le féminin victime. L'intrusion des « a priori » et des représentations sexuées et sexuelles du rapport de domination originel instauré par les Écritures, pour ne citer qu'elles, favorisent l'évidente brutalité masculine et la maltraitance féminine.

Le *Rapport d'information n° 1799* de l'Assemblée nationale de juillet 2009, « Violences faites aux femmes : mettre un terme à l'inacceptable », conforte l'idée d'une certaine partialité de la loi en regard des violences domestiques qui s'exercent au quotidien. La loi statue pour le plus grand nombre et en fonction des chiffres qui montrent que 96,8 % des victimes de violences conjugales sont des femmes. Chiffre effectivement conséquent, mais la loi doit-elle pour autant oublier les 3,2 % d'hommes victimes de violences conjugales ? La loi ne doit-elle pas s'appliquer à tous et en toute circonstance ?

Le rapport s'ouvre sur les mots suivants : « Les violences faites aux femmes sont inacceptables, quelle que soit leur forme. Leurs conséquences sont considérables sur les femmes qui en sont victimes, sur leurs enfants qui en sont témoins, sur la société dans son ensemble[192] ». Le rapport fait d'ores et déjà « fausse route » pour reprendre le titre d'un des livres d'Élisabeth Badinter[193]. Une amorce équitable aurait dû être formulée de la sorte : « Les violences faites aux femmes et aux hommes sont inacceptables, quelle que soit leur forme ».

---

191. WATREMEZ (Vanessa), « Élargissement du cadre d'analyse féministe de la violence domestique masculine à travers l'étude de la violence dans les relations lesbiennes », Lyon, Labrys, *Études féministes*, n° 1-2, juillet/décembre 2002.

192. Assemblée nationale, rapport d'information n° 1799 tome 1. « Violences faites aux femmes : mettre enfin un terme à l'inacceptable », Mission d'information, juillet 2009, p. 11.

193. BADINTER (Élisabeth), *Fausse Route, op. cit.*

La stigmatisation du sexe masculin aurait ainsi été évitée et le texte aurait fait preuve d'une plus grande équité[194]. Quelques lignes plus loin, on peut lire : « D'autre part, la lutte contre les violences faites aux femmes doit être affirmée comme un des fondements de notre pacte républicain, c'est-à-dire inscrite dans la Constitution. (…) C'est une charte de la dignité de la personne humaine qu'il faut introduire dans le préambule de la Constitution, qui devrait comporter une condamnation solennelle des violences de genre ». Le genre a fait son entrée dans la sphère législative française, mais il me semble inadapté à qualifier de façon exacte les violences car le terme est trop fortement connoté. La protection de la dignité humaine quel que soit le sexe, l'orientation sexuelle, ou encore l'origine ethnique, doit être la priorité absolue.

Pascal disait : « L'homme n'est ni ange ni bête et le malheur veut que qui veut faire l'ange fait la bête ». L'homme qu'il désigne, c'est l'homme universel, c'est-à-dire l'humanité dans sa totalité. Dans un même élan, Pascal met en perspective la dualité essentielle des hommes, espace d'une lutte constante entre la part animale qui subsiste en tout un chacun à l'état résiduel et le logos dont l'humanité est capable. Pascal met également en avant la pudibonderie exacerbée que certains et certaines feignent d'affecter pour exister en société et se donner à voir comme des modèles de vertus à admirer. Mais cet élan des cœurs n'en demeure pas moins déshonnête. La véritable vertu ne doit pas être vécue comme un effort que la raison guide mais seulement et véritablement comme un élan du cœur. C'est parce que cela est chose quasi impossible qu'il y a chez certains désir d'en faire plus que de raison, afin d'attirer sympathie et reconnaissance. Il ne s'agit plus alors de générosité mais de vanité et d'orgueil. Nous sommes hélas cernés par les bêtes. Pascal, lorsqu'il parlait de la « bête », désignait le diable et son action corruptrice. Nous renvoyons en ce qui nous concerne par l'usage du pluriel à tous ceux et toutes celles qui se complaisent dans les formes de zèle possibles et qui

---

194. *Violence en famille. Conflits privés, pudeurs publiques, dire, rendre justice réparer ?*, IHESI, Les Cahiers de la sécurité intérieure, Paris, n° 28, 1997.

La violence des femmes et l'Histoire

pensent ainsi tirer de cet excès une quelconque supériorité sur leur prochain. La pensée pascalienne ne nous invite nullement à la suspicion généralisée mais à se méfier des donneurs de leçons, des prétendus justiciers et autres pourfendeurs du mal. Il y a derrière toute action une intention bien souvent divergente de la justification donnée en société.

Qu'il s'agisse du politique ou du judiciaire, la question des femmes violentes est totalement occultée, ou peu s'en faut, au profit d'une féminité souffrante, victime et donc demandeuse d'une forme d'assistance. Se faire l'ange gardien des femmes est certes noble action, mais est-ce que cet élan est sincère ?

La loi juge-t-elle de la même façon les hommes et les femmes ?

La question est particulièrement provocante, car elle laisse sous-entendre qu'il pourrait exister dans nos démocraties une justice partiale et à deux vitesses. Cela reviendrait à supposer que le rôle de sanction de la justice ne serait pas guidé par la nature et la gravité du crime mais par le sexe de l'accusé. C'est une question délicate et il me semble qu'un travail de fond devrait être consacré à cette problématique. Poser cette question, c'est mettre en tension pouvoir judiciaire, sexualité et représentations, terme qui me semble préférable à celui de « psychologie ». Placer au cœur de ce trio les représentations renvoie directement au subjectif qui en théorie n'a pas sa place en matière de jugement. Mais il y a dans la fonction de juger une obligatoire part de construction du jugement dans son sens premier fondée sur les faits bien sûr, mais aussi sur l'intime conviction qui sous-tend toute décision. Cette intime conviction est le produit des représentations inconscientes qui peuvent interférer au moment de juger. Tous les clichés traditionnels qui postulent les femmes comme des victimes et non des coupables à une inconsciente incidence. On pourrait objecter que la raison est suffisamment alerte pour éviter de se laisser manipuler par la tradition. Mais sommes-nous aujourd'hui entièrement libérés du joug de deux mille ans de croyances concernant le statut et le rôle de la femme ?

Il est difficile d'infléchir ou de confirmer cette hypothèse autrement que par les chiffres. Les chiffres officiels ne donnent qu'un aperçu du rapport de la justice à la féminité, rapport qui le plus souvent se manifeste dans le cadre de l'exceptionnel, du délit ou du crime grave qui apparente et rapproche dans les imaginaires le masculin du féminin. Ainsi, les crimes de sang, qui traditionnellement sont associés au masculin, placent les femmes dans une position de correspondance de l'horreur qui s'éloigne alors des menus délits pour lesquels une femme serait plus aisément excusée qu'un homme. Les chiffres officiels dont nous disposons sont au final peu nombreux. Au-delà de la possible incidence de la sexuation dans la répression judiciaire, c'est la fonction de juger qui est au cœur du problème, question largement débattue et étudiée par les historiens qui ont beaucoup écrit à ce sujet. Le jugement en fonction du sexe de l'accusé est, en revanche, moins abordé, car c'est un phénomène qui existe et se révèle difficile et polémique.

Véronique Jaquier et Joëlle Vuille signalent l'existence chez les criminologues de recherches sur ce phénomène appelé *judicial chilvary* ou *judicial paternalism*. Selon cette théorie, les autorités très largement masculines éprouveraient quelque difficulté à sanctionner une femme qui s'est rendue coupable d'un délit. Les femmes seraient moins sévèrement jugées que les hommes et, partant, moins condamnées. La pertinence de la théorie étant discutable, elle fut reformulée sous le nom de selective chivalry ou d'*evil woman thesis*, c'est-à-dire « galanterie sélective » ou « théorie de la mauvaise femme. [195] » Selon cette théorie, « ce ne sont pas toutes les femmes qui profitent de la clémence des juges, mais uniquement celles qui commettent des "délits typiquement féminins", tandis que les femmes qui bousculent les conventions en perpétrant des délits violents – sortant ainsi du rôle traditionnellement attaché à leur sexe – seraient traitées comme les hommes, voire plus sévèrement qu'eux [196] ». Pour apprécier les différences (ou l'absence de différences d'ailleurs) des sanctions qui peuvent être décidées pour un même crime et en fonction des sexes, il est éclairant de se tourner vers l'étude des condamnations simultanées qui peuvent intervenir

---

195. JAQUIER (Véronique), VUILLE (Joëlle), *Les femmes : jamais criminelles, toujours victimes ?*, Paris, Éditions de l'Hèbe, « La question », 2008, pp. 41-45.
196. JAQUIER (Véronique), VUILLE (Joëlle), *op. cit.*

dans le cadre des couples. La justice juge-t-elle en cas de complicité avérée l'homme et la femme avec la même rigueur ?

Il faudrait véritablement produire des chiffres relatifs à ce type de condamnations simultanées et en apprécier les résultats. Mon intuition première serait de supposer qu'ils montreraient que les femmes s'en sortent en général bien mieux que leur complice, mais cette intuition n'est-elle pas un piège des représentations ? Il ne s'agit pas de se laisser corrompre par des clichés ni par des « a priori », mais bien davantage de suggérer une piste de recherche aux criminologues et autres juristes. Pour apporter un timide début de réponse à cette question de la partialité ou de l'impartialité de la justice à l'égard des sexes, j'ai retenu deux exemples de couples terribles, l'un américain, l'autre européen.

Le couple Karla Homolka/Paul Bernardo constitue l'un des exemples les plus tristement célèbres. Surnommés « Ken et Barbie », en raison de leur beauté, ces Américains perpétrèrent à la fin des années 1980 et au début des années 1990 une série de meurtres d'une violence sans nom. L'horreur de ces crimes fut poussée plus loin encore parce qu'ils furent systématiquement filmés. Le couple meurtrier se complaisait à voir et revoir l'acte mortifère et à éprouver à chaque visionnage le sentiment de puissance que la prise d'une vie pouvait procurer. L'acte sexuel et l'élan de mort étaient associés dans un même désir qui ne pouvait atteindre son plein accomplissement autrement. La moralité, les interdits familiaux, tous ont été sacrifiés sur l'autel des désirs et le contentement sexuel du couple. Karla Homolka livra en 1990 à Paul Bernardo sa sœur qu'elle drogua elle-même afin que ce dernier puisse la violer. La scène fut filmée. La sœur de Karla, tout juste âgée de 15 ans, décéda en avalant son propre vomi pendant que Paul abusait d'elle. Il obligea Karla à se livrer à des jeux sexuels alors qu'elle était déjà morte.

En juin 1991, Karla prit l'initiative d'offrir à son époux une autre victime de 15 ans. Après avoir invité cette jeune fille à son domicile, Karla la drogua, et prévint son époux qu'une surprise l'attendait à la maison. Une fois encore, le couple se filma en train de violer la fille inconsciente qui se réveilla le lendemain matin vaseuse, et fut reconduite chez elle.

162

Leslie Mahaffy, une autre victime, eut quant à elle bien moins de chance. Enlevée par Paul Bernardo, elle fut rouée de coups et violée. Karla qui se trouvait à la maison ce soir-là [197] et, en dépit des cris de Leslie, resta confortablement installée à lire un roman. Après 24 heures de tortures et de sévices sexuels, Bernardo étrangla Leslie Mahaffy avec un câble électrique, dissimula le corps au sous-sol qu'il découpa en dix morceaux noyés dans du ciment à prise rapide. Les blocs de ciment furent ensuite abandonnés dans un lac. Le 1er septembre 1995, Paul Bernardo fut condamné à la prison à perpétuité et déclaré criminel dangereux (*dangerous offender*). La participation criminelle de son épouse tout aussi répréhensible n'a pas été jugée avec la même sévérité, ce qui en soi n'est pas logique.

Condamnée à douze ans de prison en juillet 1993 pour homicide involontaire, Karla est aujourd'hui libre, alors qu'il est évident que sa participation aux délires sexuels de son époux était volontaire et non pas le fruit d'une crainte des représailles.

Plus proche de nous, le cas de Michelle Martin, compagne de Marc Dutroux, est intéressant. Le 17 juin 2004, Marc Dutroux fut condamné à la prison à perpétuité. Son épouse, ancienne institutrice fut, quant à elle, condamnée le même jour à trente ans de prison pour avoir laissé mourir deux des victimes de Dutroux, pour complicité d'enlèvement et de séquestration. Nicole Malinconi a consacré à Michelle Martin un livre intitulé *Vous vous appelez Michelle Martin*, fruit d'une longue série de rencontres et d'échanges entre les deux femmes [198]. Nicole Malinconi s'est, en effet, rendue à plusieurs reprises en prison pour rencontrer Michelle Martin qui avait elle-même sollicité un écrivain pour raconter sa vie en prison, mais en aucun cas l'épisode Dutroux. Toutefois, l'auteur, en acceptant d'écrire une partie de la vie de Michelle Martin, ne pouvait

---

197. Bernardo fut confondu grâce à un test ADN. Très rapidement, les enquêteurs découvrirent à son domicile les vidéos qu'il avait faites de ses victimes dont il avait filmé les viols et les meurtres.

198. MALINCONI (Nicole), *Vous vous appelez Michelle Martin*, Mayenne, Delanoël, 2008.

pas faire comme si de rien n'était, comme s'il ne s'agissait que de dénoncer les conditions de détentions difficiles et faire abstraction des raisons qui avaient conduit Michelle Martin derrière les barreaux. L'un des points forts de cet ouvrage est, d'abord, d'avoir su dépasser et refuser la position victimaire derrière laquelle Michelle Martin s'était retranchée. En effet, tout au long de l'instruction de son procès, la défense présenta Martin comme une victime du « gourou » Dutroux, qui l'avait manipulée du début à la fin de ce terrible épisode de l'histoire belge. Or, lors du procès, les experts avaient clairement établi que Michelle Martin était parfaitement responsable de ses actes. Dutroux, ou devrions-nous dire l'ogre Dutroux, n'en avait pas moins trouvé son ogresse, Michelle Martin. Qui des deux est, en définitive, le plus coupable ? Celui qui a perpétré les pires atrocités ou celle qui a laissé faire sans rien dire ? Michelle Martin jouissait du pouvoir de mettre un terme aux agissements de Dutroux, mais elle n'en fit rien.

Femme meurtrière, femme complice, femme criminelle, on voit bien que la question des femmes violentes est particulièrement complexe et problématique. Nous avons présenté jusqu'ici les formes de violences jugées exceptionnelles que nous avons tenté de regrouper et d'interroger. Mais au quotidien, quelles formes la violence des femmes peut-elle prendre ? C'est, en effet, cette question qui nous intéresse le plus et qui nous parle davantage que ces criminelles dont certains itinéraires ont été retracés.

Une typologie des violences est-elle possible ?

La seule véritable enquête menée en France sur la question des violences subies par les femmes l'ENVEFF [199], rendue publique en 2001, permet d'élaborer une typologie un peu plus précise des formes de violences exercées sur les femmes. Cependant, cette enquête évacue

---

199. ENVEFF, enquête commanditée par le Service des Droits des femmes et le Secrétariat d'État aux Droits des femmes, en partenariat avec l'ANRS, la CNAF, le FAS, l'IHESI, l'OFDT, le Conseil régional d'Île-de-France, le Conseil régional de Paca et la mission de recherche Droit et Justice.

totalement la possibilité d'une souffrance masculine, car elle considère que la perturbation de la cellule conjugale relève uniquement des hommes. Une autre enquête réalisée par l'Institut BVA pour *L'Express*, quant à elle, a pris en compte dans son approche des violences conjugales le couple dans sa globalité, permettant d'atténuer quelque peu le sentiment d'un couple dans lequel la composante « violence » ne serait détenue et exercée que de façon unilatérale[200]. Cette enquête met en évidence qu'il existe une violence réciproque qui s'exerce au sein du couple, aussi bien perçue par les hommes que par les femmes. Au-delà du constat d'un mal-être partagé, ponctuel ou chronique, il y a un glissement qui tente de s'opérer au travers des discours des enquêtés.

On passe du supra masculin, dictateur au sein du couple, à une certaine forme de parité dans l'exercice de la violence, quoiqu'il faille se montrer prudent à cet égard. Les cas de violences conjugales, qu'ils soient masculins, féminins ou réciproques, aussi nombreux puissent-ils être, ne sont pas, *a priori*, le mode de vie le plus généralement en vigueur au sein des couples qui se fondent, en majorité, sur la politique du consensus et du compromis. Il existe, malgré tout, à un moment x ou y, un temps de rupture, faible ou de très forte intensité qui intervient et donne l'occasion aux sexes de s'opposer plus ou moins violemment, lorsque toute politique de conciliation ou de médiation a échoué. Ces violences peuvent revêtir plusieurs aspects.

Les mots, et par extension le langage, peuvent être utilisés pour exercer une violence symbolique, qui peut annoncer le passage à la violence physique. La femme recourt au même titre que l'homme à ces formes de violences verbales, vexatoires. L'enquête BVA indique que 44 % des sondés, aussi bien hommes que femmes, mettent en avant cette pratique de la violence. Nous souhaitons attirer l'attention sur la nécessité d'établir une stricte définition des violences subies ou exercées à l'encontre des deux sexes. Il faut pour ce faire sortir du cycle dominant-dominé, pour

---

200. Enquête réalisée pour *L'Express*, entre le 3 juin et le 11 juin 2005. Publiée dans *L'Express* du 20 juin 2005. Voir l'enquête : http://www.bva.fr/data/sondage/sondage_sondage/ 513/sondage_fichier/fichier/violencescouple050619_de865.pdf

La violence des femmes et l'Histoire

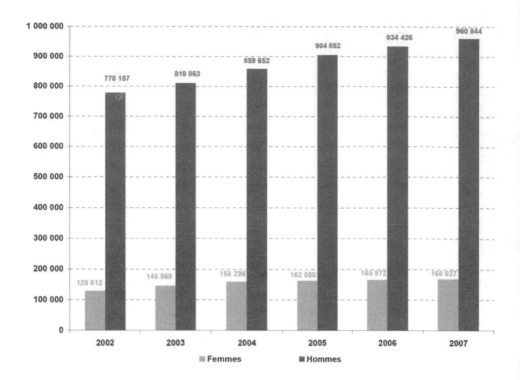

Graphique 1 : Nombre de femmes et d'hommes mis en cause
entre 2002 et 2007 (Source : État 4001 annuel, DCPJ,
cité dans INHES/OND Rapport 2008. Fiche thématique n° 10.
Les femmes et les hommes mis en cause en 2007).

rendre à chacun la réalité du pouvoir de violence qu'il détient. La violence
est un substrat commun, dans lequel hommes et femmes puisent. En
revanche, les hommes et les femmes n'instrumentalisent pas la violence de
la même façon ; on attribue plus volontiers aux femmes la jouissance
d'une violence psychique[201], plus complexe, moins immédiate et
repérable que les violences physiques, le seul apanage des hommes. Là
encore, le raccourci est critiquable, parce que nous ne disposons pas, à
l'heure actuelle, de véritables travaux sur les manifestations de ces

---

201. DROUET (Jean-Baptiste), *Les maltraitances invisibles. Les nouvelles violences morales*, Paris,
Le Cherche Midi, « Documents », 2008.

	2002	2003	2004	2005	2006	2007	Variation entre 2002 et 2007 (en %)
Tout mis en cause	906 969	956 423	1 017 948	1 066 902	1 100 398	1 128 871	
Variations annuelles (en %)		5,5 %	6,4 %	4,8 %	3,1 %	2,6 %	24,5 %
Hommes mis en cause	778 157	810 863	859 652	904 852	934 426	960 844	
Variations annuelles (en %)		4,2 %	6,0 %	5,3 %	3,3 %	2,8 %	23,5 %
Femmes mises en cause	128 812	145 560	158 296	162 050	165 972	168 027	
Variations annuelles (en %)		13,0 %	8,7 %	2,4 %	2,4 %	1,2 %	30,4 %
Part des femmes parmi les mis en cause	*(en %)*	14,2 %	15,2 %	15,6 %	15,2 %	15,1 %	14,9 %

Tableau 1 : Les personnes mises en cause de sexe masculin et féminin de 2002 à 2007 (Source : État 4001 annuel, DCPJ, cité dans INHES/OND Rapport 2008. Fiche thématique n° 10. Les femmes et les hommes mis en cause en 2007).

violences du quotidien au sein du couple. Toujours est-il qu'il y a, au-delà d'un début de reconnaissance aux femmes de la capacité à exercer la violence, une volonté de catégoriser ces violences.

D'un point de vue institutionnel et juridique, la définition de la violence est circonscrite par la loi qui la distribue en grandes catégories, afin de mieux la sanctionner. D'une part, les violences faites aux biens et aux personnes, d'autre part les escroqueries et autres infractions économiques [202]. Les chiffres fournis par l'Observatoire national de la délinquance permettent de préciser davantage les types de mises en cause, dont les femmes sont aujourd'hui les auteurs, et de réinscrire la part de ces dernières dans le cadre plus vaste des infractions, tout sexe confondu.

---

202. Atteintes aux biens, atteintes volontaires à l'intégrité physique, escroqueries et infractions économiques et financières, infractions révélées par l'action des services.

Quoique le nombre de femmes mises en cause reste relativement stable, il n'a pas cessé depuis 2002 de progresser. En 2002, 128 812 femmes ont été mises en cause par les services de police et les unités de gendarmerie pour un crime ou un délit, 168 027 en 2007, soit une progression de 39 215 cas en cinq ans. La progression masculine, quant à elle, entre 2002 et 2007 est de 182 687 cas supplémentaires.

L'OND constate en comparant le nombre de mises en cause de femmes en 2002 et en 2007, une progression de plus de 30,4 %, alors que pour une même période la progression des hommes n'est que de 23,5 %. Si numériquement les hommes sont toujours fortement majoritaires dans les cas de mises en cause, la progression de la part des femmes sur cinq ans a été plus forte que celle des hommes.

Si l'on s'intéresse de plus près aux types d'infractions ici présentées, on se rend compte que la progression du nombre de femmes mises en cause pour chaque infraction est plus forte que celle des hommes. La progression la plus spectaculaire est celle qui concerne les atteintes volontaires à l'intégrité physique [203]. Une personne mise en cause sur huit pour violences ou menaces est une femme. S'il faut se méfier des chiffres et les utiliser avec prudence, force est d'admettre en regard de ces derniers que l'accès des femmes à la violence est rendu de plus en plus remarquable. Ce qui ne signifie pas que les femmes sont aujourd'hui plus violentes qu'hier, mais que le renforcement de l'état sécuritaire entraîne un durcissement des mesures à l'égard des individus tous sexes confondus, et de fait les rend plus visibles. Cet essor du risque ne peut plus dès lors prendre en compte seulement les hommes sous prétexte qu'ils sont traditionnellement les responsables des actes de violence. Peu à peu, les œillères se lèvent pour laisser apparaître la violence dans sa diversité sexuée. Il n'est plus question d'hommes ou de femmes violents, mais de

---

203. Code pénal, Paragraphe 1 : Des tortures et actes de barbarie (Articles 222-1 à 222-6-1) ; Paragraphe 2 : Des violences (Articles 222-7 à 222-16-1) ; Paragraphe 3 : Des menaces (Articles 222-17 à 222-18-1).

	Hommes mis en cause			Femmes mises en cause		
	2002	**2007**	*Variations (en %)*	**2002**	**2007**	*Variations (en %)*
Toute infraction	77 157	960 844	*23,5 %*	128 812	168 027	*30,4 %*
Atteintes aux biens	264 499	265 959	*0,6 %*	43 910	48 694	*10,9 %*
Atteintes volontaires à l'intégrité physique (hors vol)	142 724	198 180	*38,9 %*	17 840	29 078	*63,0 %*
Escroquerie et infractions économiques et financières (hors droit)	50 084	57 223	*14,3 %*	18 625	22 433	*20,4 %*
Infractions révélées par l'action des services	226 273	326 500	*44,3 %*	20 578	30 738	*49,4 %*
Autres infractions	94 577	112 982	*19,5 %*	27 859	37084	*33,1 %*

Tableau 2 : Évolution du nombre de femmes et hommes mis en cause selon la nature de l'infraction. (Source : État 4001 annuel, DCPJ, cité dans INHES/OND Rapport 2008. Fiche thématique n° 10. Les femmes et les hommes mis en cause en 2007).

sujets, d'éléments ou d'individus responsables du trouble de l'ordre public qui, dans le contexte actuel, sont au cœur de toutes les préoccupations.

Il y a, là encore, une instrumentalisation des craintes du citoyen, craintes de l'autre qui nous est étranger, crainte de tout ce que nous ne comprenons pas ou ne voulons pas comprendre. Le péril de l'ordre public ne peut plus venir que des seuls hommes. Nous pouvons supputer sans trop nous tromper que cette progression des violences féminines, qui apparaît à l'heure actuelle comme un phénomène inédit, fruit d'une émancipation des femmes et lié aux progrès dans l'acquisition de droits, se poursuivra. Mais, en tout état de cause, la violence des femmes n'est pas un phénomène lié à nos sociétés contemporaines. Retenons que les évolutions des sociétés actuelles contribuent à rendre visible une réalité déjà en place de longue date. La modernité, si elle a pu contribuer à exciter ou exacerber certaines formes de violence, n'a pas engendré la violence des sexes. Le tableau qui suit précise davantage encore que le précédent, les types de mises en cause (voir tableau 3).

	Femmes			Hommes			Part des femmes en 2007 (%)
	2006	2007	Évolution 2006/2007 (%)	2006	2007	Évolution 2006/2007 (%)	
Total des mises en cause	**165 972**	**168 027**	**1,2 %**	**934 426**	**960 844**	**2,8 %**	**14,9 %**
Atteintes aux biens	**48 777**	**48 694**	**– 0,2 %**	**269 988**	**265 959**	**– 1,5 %**	**15,5 %**
Vols sans violence	39 451	39 646	**0,5 %**	171 227	169 535	**– 1,0 %**	**19,0 %**
Vols spécialisés (vols liés aux véhicules à moteurs, cambriolages)	3 878	3 394	**– 12,5 %**	75 703	76 216	**0,7 %**	**4,3 %**
Autres vols sans violence	35 573	36 252	**1,9 %**	95 524	93 319	**– 2,3 %**	**28,0 %**
– dont vols à l'étalage	21 179	22 210	**4,9 %**	36 124	34 986	**– 3,2 %**	**38,8 %**
Vols avec violence	1 665	1 549	**– 7,0 %**	20 810	19 950	**– 4,1 %**	**7,2 %**
Destructions et dégradations	7 661	7 499	**– 2,1 %**	77 951	76 474	**– 1,9 %**	**8,9 %**
Atteintes volontaires à l'intégrité physique (hors vols violents)	27 122	29 078	7,2 %	186 870	198 180	6,1 %	12,8 %
Violences physiques non crapuleuses	21 510	23 669	10,0 %	138 114	148 713	7,7 %	13,7 %
– dont coups et blessures volontaires non mortels	16 662	18 556	11,4 %	113 327	123 516	9,0 %	13,1 %
– dont violences, mauvais traitements et abandons d'enfants	3 056	3 319	8,6 %	7 180	7 961	10,9 %	29,4 %
Violences sexuelles	336	285	– 15,2 %	13 940	14 254	2,3 %	2,0 %
Menaces et chantages	5 262	5 121	– 2,7 %	34 709	35 116	1,2 %	12,7 %
Escroqueries et infractions économiques et financières (hors infractions à la législation du travail)	**21 823**	**22 433**	**2,8 %**	**56 526**	**57 223**	**1,2 %**	**28,2 %**
– dont escroquerie et abus de confiance	11 521	12 634	**9,7 %**	31 298	32 965	**5,3 %**	**27,7 %**
– dont infractions aux chèques et aux cartes de crédit (falsifications et usages)	5 982	5 609	**– 6,2 %**	9 728	8 862	**– 8,9 %**	**38,8 %**
Infractions révélées par l'action des services	30 937	30 738	– 0,6 %	306 990	326 500	6,4 %	8,6 %
– dont infractions à la législation des stupéfiants	11 991	12 780	6,6 %	140 133	142 571	1,7 %	8,2 %

	Femmes			Hommes			Part des femmes en 2007 (%)
	2006	2007	Évolution 2006/2007 (%)	2006	2007	Évolution 2006/2007 (%)	
– dont infractions à la législation sur les étrangers	9 285	8 454	– 8,9 %	89 401	103 388	15,6 %	7,6 %
Autres infractions	**37 313**	**37 084**	**– 0,6 %**	**114 052**	**112 982**	**– 0,9 %**	**24,7 %**
– dont délits au sujet de la garde des mineurs	11 975	11 907	**– 0,6 %**	6 560	6 298	**– 4,2 %**	**65,4 %**

Tableau 3 : Nombre de femmes et d'hommes mis en cause en 2006 et 2007 et évolutions annuelles par indicateurs. (Source : État 4001 annuel, DCPJ, cité dans INHES/OND Rapport 2008. Fiche thématique n° 10. Les femmes et les hommes mis en cause en 2007).

Le détail des « atteintes volontaires à l'intégrité physique » montre deux choses : d'une part, et il ne faut pas l'oublier, la disproportion évidente qui existe entre le nombre de mises en cause féminin et le nombre de mises en cause masculin. D'autre part, il nous permet de mieux apprécier cependant quelle forme la violence criminelle féminine peut endosser et il appert qu'il y a une progression dans l'utilisation de la violence physique là où l'on attendrait, à la limite, une hausse de la violence verbale.

Mondialisation des violences féminines

Les femmes sont des victimes mondialisées, tant dans les pays riches que dans les pays en voie de développement. Cette incarnation totalitaire est remarquable dans les mots d'Amnesty International qui proclame cette intériorisation collective de la femme victime[204]. Cette mondialisation est

---

204. Voir la brochure d'Amnesty International de 2004 : « Partout dans le monde, des femmes subissent des actes ou des menaces de violence. C'est une épreuve partagée, au-delà des frontières, de la fortune, de la race, ou de la culture. À la maison et dans le milieu où elles vivent, en temps de guerre comme en temps de paix, des femmes sont battues, violées, mutilées en toute impunité » ; Amnesty International, *Les violences faites aux femmes en France : Une affaire d'État*, Paris, Éditions Autrement « Mutations », n° 241. À aucun moment, dans cet ouvrage, ne sont envi-

accentuée par une médiatisation non moins totalitaire de la femme souffrante, comme si les maux de la vie ne pouvaient s'abattre que sur les femmes.

La question des femmes violentées est un enjeu majeur de nos sociétés. Il ne s'agit en aucun cas de les nier et encore bien moins de les minimiser. Il y a de très fortes disparités sur la planète et d'une culture à une autre en ce qui concerne les réponses ou les non-réponses apportées par les autorités en place à la question des femmes battues. Toutefois, il est impératif de cesser de stigmatiser un sexe sous couvert d'en protéger l'autre. Tout d'abord parce que cette politique de différenciation contribue à entretenir une multitude de stéréotypes. La dernière campagne d'Amnesty International, lancée en début d'année 2010, avec le titre *Lutte contre les violences faites aux femmes : la France doit mieux faire*, est très largement injuste et sexiste. On y voit un homme en train de battre son épouse sur un podium de défilé de mode, avec un public impassible et peu concerné. L'objectif de cette image choc est de sensibiliser l'opinion publique à cette réalité en dénonçant, dans un même élan, non seulement le manque d'implication des Français pour la question, interpellant les pouvoirs publics, mais aussi de rappeler que les hommes sont toujours les agresseurs des femmes qui, elles, sont des victimes. Cette campagne publicitaire est problématique. Où sont représentées, dans cette image, les femmes qui subissent des violences d'autres femmes dans le cadre des couples lesbiens ? Où sont représentés, dans cette campagne, les maris battus par leurs épouses ? Est-ce ainsi que la violence doit être comprise et intériorisée des Français ? On peut lire dans le rapport d'Amnesty International que :

> « Force est de constater qu'aujourd'hui, en France, la violence contre les femmes au sein du couple n'a pas diminué. En 2008, cent cinquante-six femmes sont décédées, victimes de leur compagnon ou ex-compagnon, soit un décès tous les deux jours et demi. Sur la même

---

sagées les violences susceptibles d'être exercées par les femmes, plaçant ces dernières dans l'éternelle position des victimes.

année, vingt-sept hommes sont également décédés, victimes de leur compagne ou ex-compagne, onze d'entre eux étaient auteurs de violence sur leur partenaire. Les femmes sont donc en très grande majorité victimes de cette violence qui est une violence spécifique, universelle mais pas inévitable. [205] »

On commence, enfin, à prendre en compte la question des violences exercées sur les époux, mais il ne s'agit là que des violences les plus extrêmes, celles qui peuvent être identifiées, parce qu'il y a eu meurtre. Les pouvoirs publics prennent peu à peu conscience que pour lutter efficacement contre les violences s'exerçant dans la sphère privée, il faut se montrer à l'écoute des deux sexes. La proposition de loi « relative aux violences au sein des couples et aux incidences de ces dernières sur les enfants », déposée au Sénat le 25 novembre 2009 (ci-après nommée Proposition de loi du Sénat du 25 novembre 2009), va dans ce sens :

« D'après l'enquête "cadre de vie et sécurité" réalisée conjointement par l'Insee et l'OND en 2007, 410 000 femmes, soit 2,3 % de l'ensemble des femmes âgées de 18 à 60 ans, ont été victimes de violences physiques de la part d'un conjoint ou d'un ex-conjoint en 2005-2006.

Par ailleurs, il convient de rappeler que les violences conjugales ne concernent pas uniquement les femmes. D'après les estimations de l'Observatoire national de la délinquance, **130 000 hommes âgés de 18 à 60 ans, soit 0,7 % d'entre eux**, auraient subi des violences infligées par une conjointe ou une ex-conjointe en 2005-2006. **Le taux de plainte des hommes victimes de violences conjugales** serait inférieur de moitié à celui des femmes victimes des mêmes violences, l'enquête précitée l'évaluant à **moins de 5 %.**

L'établissement d'un profil type des auteurs de violences et de leurs victimes apparaît malaisé, mais quelques lignes de force semblent pouvoir être dégagées :

---

205. Le rapport est téléchargeable sur le site d'Amnesty International : http://www.amnesty.fr/index.php/agir/campagnes/femmes/textes_et_documents/textes_d_amnesty_international/la_france_doit_mieux_faire

– tous les milieux sociaux sont concernés par le phénomène des violences conjugales, même si l'isolement, la religion, l'âge ou une situation de chômage semblent avoir une influence sur les violences subies. Les femmes étrangères ou françaises d'origine étrangère sont également plus exposées aux violences conjugales que la moyenne ;

– la consommation d'alcool et, dans une moindre mesure, de produits stupéfiants, aggrave le risque de violences. Une enquête menée dans le ressort d'un grand tribunal de grande instance de la région parisienne a par exemple montré que 34 % des auteurs de violences conjugales étaient alcoolisés au moment des faits ;

– par ailleurs, 15 % des auteurs de violences conjugales souffriraient de troubles psychiatriques clairement identifiés.

En dépit de ces données parcellaires, des progrès notables dans la lutte contre les violences conjugales ont été réalisés par les pouvoirs publics depuis une dizaine d'années. [206] »

Néanmoins, il semble difficile de faire coexister une campagne dénonçant les violences faites aux femmes et une législation plus égalitaire concernant le couple. Le travail de sensibilisation aux violences commises contre les femmes est une excellente initiative, mais ne faut-il pas y voir aussi le risque de renforcer davantage la position de victime dans laquelle les femmes sont de plus en plus enferrées ? Doivent-elles être secourues par un sauveur providentiel ? L'État peut-être, qui a fait de la lutte contre les violences envers les femmes une « cause nationale » ? Ce n'est pas ainsi que l'on œuvre à l'égalité des sexes. Il faut dénoncer la violence, quelle qu'en soit la forme et quel que soit le sexe auquel on l'impose. Dans le nouveau rapport d'Amnesty International, on a progressé… deux lignes sur le cas des hommes battus, cinquante pages sur les moyens de lutter contre les violences commises contre les femmes. Marie-France Hirigoyen indique que les hommes sont toujours agresseurs [207]. Dans le cadre des violences

---

206. http://www.senat.fr/rap/l09-228/l09-2281.html#toc5

207. HIRIGOYEN (Marie-France), *Le harcèlement moral : la violence perverse au quotidien*, Paris, La Découverte & Syros et édition de poche Pocket, 1998 ; Ead, *Malaise au travail. Harcèlement moral : démêler le vrai du faux*, Paris, La Découverte & Syros et édition de poche Pocket, 2001 ; Ead, *Les nouvelles solitudes*, Paris, La Découverte, 2007.

conjugales, il n'est pas toujours facile de demeurer neutre, parce que l'on transfère, inconsciemment, sur l'homme la capacité à exercer la violence, tandis que l'on concède plus facilement à la femme le recours à une violence de préservation et d'autodéfense. Cette légitime défense, avérée ou pas, évacue la part de cette violence dans l'escalade du conflit et dans les prolongements éventuellement tragiques. La seule enquête conduite à ce jour sur les violences conjugales a été réalisée par l'Institut de la statistique du Québec en février 2005, une enquête qui a tenté d'élaborer une typologie, certes encore imparfaite, des violences en distinguant les violences graves des violences mineures. L'étude révèle ainsi que 92,4 % des hommes et 94,5 % des femmes se sont déclarés exempts de violences physiques. Dans cette enquête, on s'est inspiré des travaux du psychologue américain Michael P. Johnson[208] qui distingue trois types de violences :

- le terrorisme conjugal qui induit des violences graves ayant pour finalité d'annihiler le conjoint de toutes les manières possibles ;
- la violence situationnelle, essentiellement féminine, qui a pour objet l'autodéfense ;
- la violence interactive.

L'égalité du point de vue des violences psychologiques semble acquise. Si ces chiffres ne restent que des chiffres qui concernent un pays occidental, jouissant d'un contexte économique et culturel propre, ils sont cependant intéressants. Pour tenter d'envisager un peu mieux la teneur et la réalité des violences féminines, nous disposons des récents travaux canadiens qui traduisent timidement cette nécessaire prise de conscience. Elle est impérative, parce qu'elle doit contribuer à la destruction de l'association de la femme victime et de la femme-objet.

---

208. P. JONHSON (Michael), *A Typology of Domestic Violence : Intimate Terrorism, Violent Resistance, and Situational Couple Violence*, Boston, Northeastern University Press, 2008 ; Id., « Domestic violence : The intersection of gender and control », in L. O'TOOLE (Laura), R. SCHIFFMAN (Jessica), KITER EDWARDS (Margie) (dir.), *Gender Violence : Interdisciplinary Perspectives*, New York, New York University Press, 2007, 2nd edition, pp. 257-268.

La violence des femmes et l'Histoire

Chapitre 3

La violence des femmes, une fracture morale et sociale ?

Si la plupart des réflexions sur les femmes ont pris pour point de départ l'épopée d'Ève et du fruit défendu pour justifier et imposer la légitimé masculine sur la femme « perfide », il est possible de prendre le problème beaucoup plus haut dans l'histoire de l'humanité, l'ontogenèse de la violence surpassant les simples références scripturaires. Par ontogenèse de la violence, il convient de saisir le développement de la violence comme un organisme vivant que serait l'humanité, dont l'évolution est intrinsèquement liée à l'évolution des sociétés. L'idée d'une évolution concomitante de la violence et de l'humanité est fondamentale. C'est en effet dans l'humanisation progressive des comportements de l'homme en devenir qu'il faut, autant que possible, rechercher les origines d'une non-reconnaissance aux femmes à exercer la violence. Si l'homme se distingue des animaux par sa capacité à penser, à exercer son logos, il n'en demeure pas moins un animal instinctif et passionné, avant d'être raisonnable. On peut lire dans une dissertation très avant-gardiste du XVIII° siècle que :

> « nous n'ignorons pas que nous avons la raison ; c'est la seule prérogative que la Nature nous ait donnée pour nous élever au-dessus de la sphère des animaux sensitifs : cette même raison qui nous fait sentir notre supériorité sur eux, nous apprendroit aussi celle des hommes sur nous, si nous pouvions découvrir en eux le moindre degré de sens au-dessus de ce que nous en avons ; mais nous ne pourrions sans manquer à cette raison même,

nous reconnoître inférieures à des créatures qui n'ont de bon sens dont ils font parade, que pour se soumettre aveuglément à des passions, qui leur sont communes avec les brutes. [209] »

Si l'on a accepté et lié humanité et civilisation, dans l'intention de traduire le stade de développement supérieur induisant une rationalisation du quotidien, distinct dans l'absolu de toute organisation sociale animale, on a, dans un même temps, intériorisé l'idée d'une supériorité physique du mâle sur la femelle, transposée aux Hommes. Et pourtant, dans le règne animal, le féminin est très souvent dans la position du dominant. Pensons à la mante religieuse qui dévore son partenaire à la fin de la copulation…

Les violences domestiques au quotidien : expression d'une tension des sexes

Même si l'idée de l'existence d'une violence féminine est la plupart du temps rejetée, lorsque l'on daigne l'admettre du bout des lèvres, c'est en règle générale pour l'évoquer dans le cadre très intime et particulier des violences domestiques. Le singulier, le ponctuel, tels sont les maîtres mots inhérents à la question de la violence féminine. Que faut-il entendre par violences domestiques ? Celles-ci désignent toutes les formes de contraintes s'exerçant au sein d'une cellule conjugale, aussi bien dans le cadre du foyer qu'en dehors de ce dernier, des contraintes ayant pour finalité d'imposer arbitrairement à l'autre sa volonté. Nous évacuons volontairement de notre définition l'usage de la force qui n'est qu'un moyen parmi d'autres à cette imposition.

Pour quelle raison est-il préférable de parler de « violences domestiques » plutôt que de « violences conjugales » ? Car la première expression est plus neutre que la suivante, qui est associée, consciemment ou non, aux femmes battues. Pour preuve, dans leur ouvrage consacré à ce sujet, François Dieu et Pascal Suhard, dès leur introduction, indiquent

---

209. DE PUISIEUX (Madeleine), DE PUISIEUX (Philippe-Florent), *Dissertation dans laquelle on prouve que la femme n'est pas inférieure à l'homme*, Londres, 1751.

que la « situation de la "femme battue", que recouvre la notion moins crue de "violence conjugale", est un sujet qui suscite d'ordinaire des débats passionnés [210] ». La violence conjugale serait une violence sans équivoque, celle que l'époux inflige à son épouse…

Le glissement au sein du foyer d'une violence féminine sur les hommes relève de ce même schéma de violences gynécéennes – pour les distinguer du terme « conjugal » particulièrement connoté et pour forger un nouveau terme. On retrouve, ici, non seulement l'influence d'une appropriation d'une prétendue supériorité du mâle, mais aussi l'influence spirituelle qui fait de l'épouse la servante de son mari. La femme qui exerce une violence sur un homme catalyse, outre les craintes du spectre d'une égalité totale entre les sexes, les refoulements de la société dans son acception la plus large. À l'heure actuelle, les seules violences féminines envisagées dans le cadre de la cellule formée par le couple, ne concernent que, timidement, les couples lesbiens. La société relègue, diffère, redoute, cette violence féminine, ce qui explique que l'on se tourne vers les couples homosexuels, qui sont encore associés à l'idée d'une non-normativité, et à l'exception. Si, en matière de couple, il n'y a aucune distinction possible et admissible, un couple de femmes étant l'égal le plus total d'un couple homme/femme, force est d'admettre que l'apparition des premières études consacrées à ces violences féminines s'attache avant tout à voir les couples femme/femme comme des cas particuliers, numériquement moins importants que les couples « traditionnels ».

Les violences domestiques sont assimilables à une brutalisation progressive des systèmes relationnels qui ne se fondent plus sur la communication mais au contraire sur une sorte de totalitarisme ménager. Dans le couple, l'individualité s'installe et l'autre est vécu comme un obstacle au bonheur ou à toute autre fin. La réciprocité, le partenariat et l'échange, qui sont, en théorie, source d'unité dans le couple, sont dissous, et chacun se retrouve en rivalité avec l'autre dans l'accomplissement de soi, l'autre étant dès lors considéré comme une entrave. Cette violence est

---

210. DIEU (François), SUHARD (Pascal), *Justice et femme battue. Enquête sur le traitement judiciaire des violences conjugales*, Paris, L'Harmattan, 2008, p. 11.

parfois unilatérale, parfois réciproque, difficilement sexuée. Difficilement sexuée, parce que, pour tenter de qualifier la part respective des sexes dans l'exercice des violences domestiques, il faudrait être en mesure de voir et d'entendre tout ce qui se dit et se passe dans les foyers. Ceci étant heureusement impossible, nous ne disposons que des chiffres issus de différents organismes chargés de prévenir ou de combattre les violences domestiques. Il appert que les femmes sont les principales victimes, qu'elles semblent subir de façon plus visible que les hommes.

S'il est hors de question de nier la souffrance de toutes les femmes qui subissent des outrages au quotidien, que faire alors de tous ces hommes qui sont également victimes et en état de souffrance ? La sphère conjugale est aussi la sphère du privé et de l'intime, un espace d'échanges, dont il est particulièrement difficile d'apprécier les formes et les manifestations. Au sein des foyers, bien des choses se passent, et si les chiffres minorent la part des violences exercées sur les hommes, ils n'empêchent pas à ces dernières d'exister. Ainsi Daniel Wezler-Lang s'interroge : « Le phénomène des hommes battus est-il fréquent ? » :

> « Je ne peux répondre à cette question. Sur les trois cents à quatre cents informateurs/trices ayant contribué à notre recherche, seule une vingtaine de personnes ont pu nous expliquer de telles pratiques. Cela ne présente aucune valeur statistique pour plusieurs raisons. Je n'ai commencé à intégrer les hommes battus dans mes questions que tardivement, le secret qui entoure cette forme d'inversion de position de sexe appartient au tabou total. Il reste difficile donc d'en estimer l'ampleur. La question des hommes battus semble délicate et le silence reste la règle. Le phénomène semble minoritaire comparé à celui des hommes violents ; non par quelque comparaison de chiffres, mais pour une autre raison : les hommes violentés rencontrés ne sont jamais ceux qui récriminent sans cesse contre la violence des femmes. L'homme violenté est l'antithèse du macho, sexiste, appelant au retour des valeurs dites féminines traditionnelles. (…) La violence des hommes et celle des femmes ne sont pas symétriques. Aujourd'hui, vouloir symétriser femmes et hommes battu(e)s correspond souvent à une volonté de nier la nature masculine et viriarcale de la

violence masculine domestique. Or l'observation des hommes battus ne fait que confirmer la corrélation entre pouvoir et violence[211]. »

Daniel Wezler-Lang, s'il saisit la confidentialité de la question des hommes battus et la difficulté à les quantifier, n'en demeure pas moins convaincu de la dissymétrie des violences pouvant exister entre les sexes, le masculin forcément plus souvent agresseur qu'agressé[212]. L'homme violenté serait, selon Daniel Wezler-Lang, l'antithèse du macho sexiste, laissant sous-entendre que c'est la démonstration de virilité et le débordement d'une « mâle-attitude » qui seraient en corrélation avec la femme victime. Mais un macho n'est rien d'autre qu'un stéréotype hétéronormé qui donne à voir en société tous les codes et clichés qui participent à l'élaboration de l'image du macho. Mais jouer les machos en société interdit-il, en privé, d'être victime de violence domestique ? Je ne le pense pas. Il y a entre l'image que l'on produit de soi en société et la réalité de la sphère privée très souvent une forte distinction. L'image du macho, risible autant que douteuse, donne à voir, par effet de miroir, l'image d'une féminité soumise aux caprices du masculin.

Ne serait-il pas plus sage de ramener sur le terrain de nos préoccupations une réflexion sur le rapport des sexes libérée des clichés – celui du macho à celui d'une femme soumise – qui ne font que polluer toute volonté d'analyse objective ? Le macho est une construction culturelle, au même titre que l'image de la victime. Poser la question des hommes battus s'avère donc être aussi incongru que mettre sur la table le problème de la violence des femmes, tant l'un et l'autre représentent des aberrations dans l'imaginaire collectif. Pourtant, il émerge de ces images contradictoires, voire antinomiques, des réalités sourdes qui ne parviennent pas à s'extraire de la canopée des idées reçues et des préjugés. À la puissance virile s'oppose

---

211. WELZER-LANG (Daniel), *Les hommes violents*, Paris, Payot « Petite Bibliothèque Payot », 2005.

212. L'ouvrage de ABDULLAH-KHAN (Noreen), *Male Rape. The Emergence of a Social and Legal Issue*, Palgrave Macmillan, 2008, s'intéresse aux cas des hommes violés. Il existe une souffrance masculine qui est bel et bien réelle. Il n'est pas essentiel de la comparer à celles subie par les femmes mais de la prendre en compte.

la fragilité du beau sexe. Il est frappant de voir à quel point des a priori et des idées préconçues se montrent rebelles à toute tentative de réflexion et de mise à distance tant il est évident pour le plus grand nombre qu'une femme est toujours victime et un homme toujours agresseur. Il est intéressant de remarquer, d'ailleurs, que le nom « agresseur » n'a pas de féminin, preuve d'une évidence inconsciente et très largement partagée. Or, comme nous souhaitons le montrer, l'évidence du sens commun est très fortement déconnectée de la réalité empirique du quotidien. L'homme battu souffre d'une conjoncture d'idées qui interdisent, la plupart du temps, à une telle réalité de pouvoir exister sur la vaste scène des violences.

La violence subie par les hommes est silencieuse et difficilement appréciable, tant il est dur pour eux de reconnaître une violence, taxée de faiblesse et de lâcheté. Car c'est bien de cela qu'il s'agit. Subir la violence d'une femme, c'est en quelque sorte renier ce qui, dans les imaginaires, fait l'homme (ou devrions-nous dire le « mâle ») investi du rôle de protecteur et partant de dominateur, celui qui protège devant né-cessairement être plus fort que celui ou celle qui est protégé(e). La figure de l'homme battu désacralise les attributs virils subordonnés à l'ire féminine, bref à une violence qui ne devrait avoir aucune réalité, ni aucune incidence, sur la puissance masculine. Ces idées archaïques, au carrefour du naturel et du culturel, nous plaçant dans la plus obscure primitivité, sont pourtant toujours d'actualité. Dès la plus haute Antiquité, la figure de la femme « qui porte la culotte », utilisée pour mépriser, déviriliser et moquer les hommes a su se faire elle aussi une place dans le panthéon des idées reçues, dont nous ne sommes pas près de nous extirper.

Cette mythification d'une femme virile et toute-puissante fait partie de ces réalités détournées, pour être mieux transformées, remaniées et utilisées avec une finalité accusatrice. Qui n'a jamais entendu, au moins une fois dans son entourage, un homme ou une femme stigmatiser un tiers en le targuant d'être une femmelette, parce qu'il n'avait aucune autorité sur sa femme ou parce que celle-ci le malmenait ? Mais à la différence des situations où ce sont les femmes qui subissent les outrages des hommes, c'est le rire, la moquerie et la dérision qui se substituent aux discours habituels de compassion adressés aux femmes malmenées. Ne sont invisibles que les choses que nous refusons de voir. Cette inversion des violences ne peut être appréhendée que sur le mode du comique, mieux vaut rire d'une situation qui jette un trouble, qui peut mettre mal à l'aise, que de critiquer ouvertement un état de fait refusé par le plus grand nombre. Dans les années 1970, la sociologue américaine Suzanne Steinmetz forgea le « syndrome du mari battu », ultérieurement remplacé par celui d'« homme battu[213] ». La sociologue a montré que les femmes commettent la moitié des violences physiques domestiques[214] et a écrit que le « crime le plus sous-estimé n'est pas la femme battue, mais le mari battu ». Si la méthode employée par la sociologue américaine demeure discutable, ses travaux ont eu en revanche le mérite – et, sans doute, le malheur – d'attirer l'attention des médias sur une question taboue[215]. Les conclusions de Suzanne Steinmetz furent reprises par de grands organes de presse qui firent leur une en dénaturant complètement les chiffres proposés par la sociologue, puisqu'on pouvait, en effet, lire alors que près de douze millions d'Américains subissaient des violences conjugales ! La volonté de sensationnalisme a finalement décrédibilisé en partie la portée des travaux de la sociologue, dont la méthode était déjà controversée. Là encore, les chiffres ont montré leurs limites, mais ce qui est à retenir, c'est qu'il existe des hommes battus, et que cette réalité devrait donc favoriser la prise en compte d'un problème qui, à l'heure actuelle, semble loin d'être objet d'attention.

213. STEINMETZ (Suzanne), *Handbook of Marriage and the Family*, New York-Londres, Plenum Press, 1988.

214. STEINMETZ (Suzanne), *Behind Closed Doors : Violence in the American Family*, Londres, Transaction publ., 2007.

215. Pour mener à bien son enquête, elle interrogea cinquante-sept couples avec deux enfants. Parmi ces cinquante-sept couples, quatre époux se déclarèrent victimes de violences conjugales. En rapportant ces chiffres à cent mille couples et au quarante-sept millions de familles américaines, elle parvint à estimer qu'environ deux cent cinquante mille hommes étaient battus aux États-Unis.

La violence des femmes, une fracture morale et sociale ?

Pour preuve, il n'existe en France aucune structure d'accueil pour les hommes victimes de violences conjugales, car la violence est une affaire masculine avant tout. Du moins est-ce ainsi que nous assimilons et articulons, de façon tacite, ces deux réalités. Pourtant, cette articulation infondée, sexiste et stupide est loin d'aller de soi. Les chiffres officiels mettent en évidence une violence plus largement exercée par les hommes, mais ces chiffres rendent-ils compte de toutes les formes de violence possibles et imaginables ? Évidemment, non.

La violence est un peu comme un iceberg, elle nous laisse en effet entrevoir une partie d'elle-même, mais dissimule le reste. La difficulté définitionnelle de la violence associée au poids du silence qui écrase les deux sexes fait qu'il est difficile d'apprécier la réelle ampleur de la violence au quotidien. Ceux et celles qui la rendent visible parce qu'ils en sont victime, sont, à mon avis, minoritaires. Les hommes sont à cet égard concernés à double titre par cette peur du jugement et de la condamnation d'une société, laquelle inculque à tous que la violence est la digne épouse du masculin. Mon propos n'est pas de dire qu'il y a plus d'hommes battus que de femmes et inversement, ceci ne m'intéresse pas. En revanche, dire que la violence est pratiquée par les deux sexes me semble un impératif essentiel, car l'égalité des sexes passe aussi par l'acceptation de cette réalité qui ne doit pas être refusée ou redoutée, car la nier c'est desservir la quête de l'égalité des sexes.

De quoi disposons-nous concrètement pour parler de la souffrance des hommes battus ? Jusqu'à l'arrivée d'Internet, mis à part des témoignages anecdotiques tirés de la littérature ou du fait divers, la visibilité des hommes battus était quasi nulle. Puis l'humanité mise en ligne, les Hommes se livrent, se racontent, acceptent consciemment ou non de se soumettre au regard des autres, non pas dans la perspective de se voir juger, mais dans celle de rompre une forme de solitude. L'anonymat que l'on prête à la toile, anonymat illusoire et factice, on le sait, est de circonstance, propre à la confidence des choses indicibles, inaudibles. Pourtant, Internet est loin d'être la panacée de tous les maux et encore moins la confidente universelle de chaque individu. La toile constitue cependant une forme de sociabilité nouvelle qui dispose du pouvoir de rassembler des éléments singuliers et de montrer leurs aspects pluriels. La bibliographie sur la question des hommes battus est maigre, pour ne pas dire squelettique, alors que celle dédiée aux violences exercées sur les femmes est inflationniste. La toile est, quant à elle, moins avare, et l'illusion de l'anonymat autorise les langues à se délier, favorisant peu à peu une verbalisation d'une réalité entièrement taboue par le biais d'une série de confessions. Les hommes battus commencent enfin à parler, mais encore de façon discrète et prudente.

J'ai rencontré certains d'entre eux, tandis que d'autres ont préféré me confier leur expérience par écrit ou par téléphone. Il faut être vigilant quant à l'utilisation de l'enquête et des témoignages, surtout lorsqu'il s'agit d'envisager un aspect de la société qui ne va pas de soi. Je n'ai pas la prétention de faire le travail d'un sociologue, mais d'attirer l'attention sur les formes que peuvent prendre les violences exercées par une femme sur un homme, lesquelles ne sauraient être réifiées aux seules atteintes physiques. Les témoignages sont peu nombreux, puisque nous n'en avons obtenu qu'une trentaine, chiffre néanmoins satisfaisant étant donné la difficulté que rencontrent les hommes dans la verbalisation d'une souffrance, laquelle, dans leur esprit, les prive de leur virilité. Du moins est-ce un des sentiments qui, combiné à la honte, les retient parfois dans leur volonté de témoigner.

La question des hommes battus ne peut être formulée en termes de fréquence, car il est extrêmement difficile d'évaluer l'ampleur du phénomène. Aussi faut-il davantage chercher à en apprécier l'essence. Dans l'ouvrage déjà cité *Les hommes violents*, Daniel Welzer-Lang s'interroge sur l'évolution des violences féminines en ces termes :

« À l'époque actuelle où on assiste à une évolution rapide des rapports sociaux de sexe, le phénomène des femmes violentes peut-il se développer ? Quel sera l'avenir ? À vrai dire, qui peut le dire ? Nous assistons à de multiples transformations des vies sociales domestiques, à des essais d'égalité, d'inversion de positions de sexe... Quand elle est dominante face à un homme, ou une femme soumis-e, il n'y a aucune raison qu'une

La violence des femmes, une fracture morale et sociale ?

femme n'utilise pas les outils du pouvoir. Qu'elle n'y soit pas préparée, et que sa violence puisse être plus dangereuse que celle des hommes, cela est probable. Le reste, les *scenarii* sur le futur, les écrits prospectifs, œuvres d'imminent-e-s futurologues autoproclamés, sont souvent assez pauvres en réflexions historiques et anthropologiques. (…) Retenons que les hommes battus existent, qu'ils sont à l'heure actuelle un signe d'inversion des positions de sexe, et que ce phénomène est minoritaire et non symétrique avec la violence domestique des hommes. [216] »

Je suis d'accord avec Daniel Welzer-Lang sur les incertitudes qui entourent l'évolution des rapports sociaux de sexe. En revanche, j'objecterai qu'il est vain de supputer sur l'avenir d'un phénomène qui n'est en rien récent, la violence des femmes étant une constante sociétale. Il n'est nullement besoin d'être un futurologue pour affirmer sans trop se tromper que les violences féminines ne seront pas de plus en plus nombreuses, mais de plus en plus visibles, parce que l'évolution de la société, la redéfinition des rapports sociaux autorisent cette visibilité accrue. La violence des femmes n'est donc pas concomitante à leur émancipation. C'est leur émancipation qui a permis de faire émerger dans l'espace public l'existence d'une violence jusqu'ici dissimulée. Daniel Welzer-Lang indique encore que :

« les hommes battus par les femmes existent. Toutefois l'analyse de leurs discours fait apparaître que les femmes violentes ont un discours masculin (c'est-à-dire pratiqué usuellement par des hommes), expliquant comment les violences s'inscrivent dans un continuum dont l'objectif était de faire céder l'autre, alors que les hommes violentés décrivent un discontinuum de violences. Il faut, en anthropologie comme ailleurs ne pas confondre le sexe biologique et le sexe social qui n'ont que des rapports statistiques. »

L'historien sourit quelque peu à la lecture de cette idée selon laquelle il existerait dans l'exercice de la violence des femmes une imitation d'un modèle de violence proposé par les hommes. D'une part c'est faire insulte

---

216. Welzer-Lang (Daniel), *Les hommes violents*, op. cit.

à l'esprit d'initiative des femmes et à leur créativité ; d'autre part, c'est épouser des discours galvaudés qui n'ont aucun fondement scientifique. La virilisation des actes violents féminins est une pratique courante et largement utilisée par le passé. Jeanne d'Arc, par exemple, se battait « comme un homme », et toutes les femmes illustres qui se sont singularisées dans des faits d'armes étaient déféminisées pour pouvoir justifier la pratique d'une violence guerrière[217]. Il est très étonnant de constater sous la plume d'un anthropologue une démarche analytique similaire qui, de fait, nie l'existence d'une violence féminine exercée dans le cadre du couple. Il n'y a pas *imitatio*, mais *praxis* qui n'est nullement l'émanation d'une réappropriation d'une violence masculine.

L'affirmation de la domination domestique des hommes se fonde actuellement sur des données statistiques et une série de témoignages. L'historien se méfie toujours des chiffres, parce qu'ils sont parfois pernicieux. Tout d'abord, il est normal, voire évident, qu'une surreprésentation des violences subies par les femmes émerge des enquêtes effectuées. D'une part, grâce aux mouvements d'émancipation qui ont donné la parole aux femmes et permis de les rendre plus visibles au sein des sociétés occidentales ; d'autre part, parce que la violence des femmes n'a pas encore été admise en ce qui concerne les hommes battus. Si l'on avait soumis les femmes du XIXe siècle, voire du début XXe, aux enquêtes actuelles, les résultats auraient largement démontré que les violences, au sein du couple, auraient été minimes, voire inexistantes. En effet la chape de plomb que faisait alors peser la société sur les mœurs et sur la définition du couple interdisait, au nom de la pudeur et de la respectabilité, de dénoncer les violences quotidiennes, non seulement parce que la loi a longtemps été peu empressée à sanctionner les maris dénoncés, mais aussi, parce qu'il y avait chez les femmes une forme d'intériorisation, de résignation à l'intolérable.

---

217. KORNEMANN (Ernst), *Femmes illustres de l'Antiquité*, Paris, Horizons de France, 1958.

La violence des femmes, une fracture morale et sociale ?

Nous sommes dans un cas de figure analogue en ce qui concerne les hommes d'aujourd'hui et d'hier. À l'heure actuelle, en dépit des progrès en matière de mœurs, les hommes ne sont toujours pas débarrassés des représentations, dont ils sont les projections vivantes, celles de la force, de la conquête et de l'asservissement. Ils sont encore investis de la charge morale qui est celle de subvenir au bien-être de leur famille et d'assurer la prospérité du ménage, même si cette image tend peu à peu à s'éroder. Les violences exercées sur les hommes procèdent en partie de cette logique. Lorsque l'époux ou le conjoint ne parvient plus à assumer son rôle, il y a parfois mépris, perte d'estime, voire châtiments verbaux et physiques. Il faut donc se montrer prudent sur la question et, au-delà des chiffres produits par les enquêtes, remettre dans leur contexte les situations de violence non seulement du point de vue de leur inscription sociale, mais aussi dans le cadre spatio-temporel et moral qui les accueille. On trouve dans l'ouvrage du psychiatre Philippe Brenot *Les violences ordinaires des hommes envers les femmes*, une fine introduction des violences féminines, sous le couvert d'un titre qui accuse les hommes d'être responsables des violences conjugales[218]. L'auteur ouvre sa réflexion en pastichant le célèbre « J'accuse » de Zola. Non sans précaution, il veille à mettre en évidence la lourde responsabilité des hommes dans les cas des violences qui s'exercent au sein du couple, tout en introduisant timidement une certaine part de responsabilité des femmes. En effet, dès le deuxième chapitre, l'auteur s'intéresse au cas des violences féminines en les introduisant prudemment, en les reconnaissant, mais en les minimisant. Ces violences existent, mais ne sont pas majoritaires. À nouveau, la prétendue rareté du phénomène doit-elle autoriser de négliger le problème ? Par certains aspects, les hommes battus, réifiés à une minorité et non à des victimes, sont problématiques et dangereux. Permettons-nous une comparaison quelque peu inattendue. Les souffrances des hommes battus peuvent être assimilées à la souffrance des esclaves africains envoyés au Nouveau Monde, afin de travailler les champs. Avec

---

218. BRENOT (Philippe), *Les violences ordinaires des hommes envers les femmes*, Paris, Odile Jacob, 2008.

l'abolition de l'esclavage, le 18 décembre 1865, le peuple noir affranchi est devenu ce que l'on désigne comme une minorité. La reconnaissance de la minorité noire, d'un point de vue civique et politique, fut longue et jonchée d'embûches. Ce n'est qu'en 1966 que les Noirs américains jouirent enfin pleinement de leurs droits civiques avec la fin de la ségrégation. Doit-on envisager pour les hommes battus un destin équivalent ? Doit-on faire d'une minorité des persécutés ou doit-on par souci de justice et d'équité accepter de mettre sur un même pied d'égalité la femme battue et l'homme battu ? Il me semble que toute démocratie qui se respecte ne devrait pas introduire parmi ses citoyens d'éléments discriminants. Bien sûr que non, et il en va de même pour bien des causes qui sont d'ailleurs activement défendues et, à juste titre, par les femmes, égalité des salaires, parité, etc.

Aussi bien pour Welzer-Lang que chez Brenot, symétriser les violences relève de l'erreur, parce qu'il y aurait disproportion entre les deux formes de violences. Si on avait maintenu une telle vision des choses aux États-Unis, par exemple, les minorités n'auraient jamais dû obtenir des droits civiques. Il faut se rendre à l'évidence. Il ne peut pas exister, dans une démocratie, une égalité à deux vitesses. Lorsqu'on entre dans un moteur de recherche, par exemple Google, les termes « femmes battues » (*battered women*) et « hommes battus » (*battered men*), la disproportion est tout à fait révélatrice de la dissymétrie qui existe dans les liens femmes/violence/hommes. En effet, on trouve 35 570 entrées pour « hommes battus » contre 755 800 entrées pour « femmes battues », soit vingt et une fois plus d'entrées ! La disproportion parle d'elle-même, mais le fait que 35 570 références concernant les hommes battus émergent est aussi significatif d'une progression de la prise en compte de cette réalité. Remarquons que la présence numérique apparemment moindre ne veut pas dire une importance moindre.

La non-reconnaissance des violences exercées sur les hommes soulève une autre difficulté, celle de l'accueil brièvement souligné. Puisque l'homme battu relève de la rareté et du ponctuel, il n'est nullement besoin d'organiser la mise en place de structures adéquates pour accueillir ces hommes-là. C'est un mépris révoltant, non seulement parce qu'il y a, d'un point de vue institutionnel, un dysfonctionnement qui se solde par une non-assistance et permet la formation d'un contingent de laissés pour compte, mais aussi parce les hommes battus sont déclassés et ne sont plus « virils ». C'est manifeste dans les témoignages, lorsque les hommes battus tentent de porter plainte au commissariat. Les fonctionnaires de police chargés de prendre les plaintes font sentir leur incrédulité, mais surtout leur dédain face à des hommes qui n'en sont pas à leurs yeux. Mais alors quel étrange et terrible paradoxe ! Au détour d'une recherche sur Internet, on rapporte dans un forum le cas d'un homme battu. Voici parmi les réactions (édifiantes) ce que l'on peut lire :

> « Que tous ces minus émasculés apprennent le sens du mot virilité et à se comporter véritablement en homme... ce que je viens de lire est pathétique... que vous ont appris vos pères ? [219] »

Un homme qui bat sa femme n'est pas un homme, c'est un lâche, mais un homme battu par sa femme ne vaut pas beaucoup mieux. Alors où situer le masculin ? La société est, de ce point de vue, schizophrénique, victime de la répartition des rôles et de leur application automatique, car elles restent ancrées dans les subconscients collectifs. Le meilleur compromis est, dès lors, le suivant : dénoncer et punir les hommes qui battent leurs femmes, et imposer aux hommes battus le silence, parce que verbaliser et dénoncer leur souffrance, c'est porter atteinte à la toute puissante virilité, véritable fantôme d'opérette. Tant d'avancées culturelles et de progrès pour buter sur un point qui nous lie de façon étroite avec notre histoire la plus primaire, celle où l'on portait encore des peaux de bêtes et où toute forme de civilité se résumait à la prédation et à la guerre. La France serait-elle la seule démocratie machiste ? Que la bonne conscience des Français soit apaisée, la très grande majorité des pays nient le problème. Aux États-Unis, il existe des centres susceptibles d'accueillir des hommes battus dans vingt-huit états. Nous précisions « susceptibles »,

---

219. http://violencesconjugales.skynetblogs.be/post/3545930/hommes-battus-une-legende

car tous ne sont pas des centres expressément dévolus à l'accueil des hommes battus, la plupart étant des centres mixtes.

En Europe, des centres pour accueillir les hommes font leur apparition, quoi qu'encore timide. Les Pays-Bas, par exemple, en ont ouvert un dans les quatre grandes villes du pays : à Amsterdam, Rotterdam, La Haye et Utrecht. Ces centres sont spécialisés dans l'assistance des hommes victimes de violences domestique, physique ou psychique, de la part de leurs partenaires ou autres membres de leur famille. On trouve également des refuges pour hommes battus au Royaume-Uni, en Allemagne, mais ils sont encore trop rares. Que sont donc censés faire les hommes qui ne disposent pas à proximité de chez eux d'un lieu où se retirer si besoin est ? Doivent-ils comme les protestants au moment des guerres de religion en France être contraints à l'exil ? Doivent-ils se résoudre à tout quitter pour se rendre en des lieux où l'on donne crédit à leur peine ? Il serait logique de croire que non, mais la non-reconnaissance institutionnelle interdit en France l'éclosion de structures d'accueil pour les hommes battus. Et pourtant, dans certaines situations, certains hommes n'ont pas d'autre alternative que d'aller à l'hôtel ou de dormir dans leur voiture, car il est pour eux la plupart du temps impensable de solliciter l'hospitalité d'un proche, parent ou ami, sans risquer de dévoiler qu'ils viennent de subir les coups de leur compagne. Ainsi Pierre, 36 ans, sévèrement corrigé par Annabelle, un œil au beurre noir, le visage griffé et la chemise à moitié déchirée, expliquera le lendemain à son travail qu'il a été agressé par des délinquants à la sortie d'un bar... Pierre m'a confié que le poste à responsabilité qu'il occupe lui interdit de faire savoir que c'est une femme qui l'a mis dans pareil état. Que penseraient ses collaborateurs ? Mieux vaut garder le silence. Mais les violences dont Pierre est l'objet ne se limitent pas aux seuls coups, Annabelle use de divers stratagèmes pour faire violence à son époux, à l'instar de bien d'autres femmes qui ne se contentent pas des coups pour heurter leur compagnon.

La violence des femmes au quotidien

La violence est une interaction inégalitaire. Il semblerait qu'il soit évident pour une femme d'envisager de recourir à un comportement violent, mais cet usage doit demeurer ponctuel et singulier, circonscrit à l'espace domestique. Il n'y a pas de lien social suffisamment fort pour établir entre toutes les formes d'exercice de violences féminines une visibilité éclairante, c'est-à-dire que la gangue qui les entoure est telle qu'elle ne peut pas faire l'objet d'une revendication de groupe et encore bien moins fédérer les énergies comme il serait possible de le faire dans le cadre de revendications reconnues et admises comme justifiables. Si la violence des femmes existe, il semble qu'il ne soit pas naturel de chercher à la distinguer, mais bien plutôt à la comprendre, au nom de tous les arguments classiques qui sont indissociables de la féminité. Une femme est violente parce qu'elle a perdu ses nerfs, parce qu'elle fait une crise d'hystérie, ou parce qu'elle est attaquée. Actuellement la violence féminine au sein des foyers est majoritairement réduite à une force d'opposition à l'oppression et à la maltraitance dont elles peuvent faire l'objet dans le cadre du couple, oppression bien évidemment masculine…

Les violences exercées par les femmes seraient donc essentiellement des violences défensives. Les hommes qui se plaignent d'être violentés seraient alors des usurpateurs qui tentent de déposséder les femmes de leur rôle de victime ? On en est pourtant bien là. Je crois que face à une telle réalité, il nous importe de souligner de nouveau qu'il n'est pas ici question de minimiser les violences dont les femmes sont l'objet, il s'agit avant tout de tenter de montrer que la féminité peut s'affirmer et s'établir autrement que sur les bases d'une victimisation excessive, ou bien sur une condamnation tous azimuts du masculin. Le militantisme féministe mène une juste cause, mais adopte pour affirmer sa pensée un discours finalement très vindicatif. Mais quelles sont donc ces violences dont les hommes battus se plaignent ?

Dans près de 70 % des témoignages, la violence subie par les hommes commence par un dénigrement systématique de la virilité, qui leur ferait défaut. La violence silencieuse est avant tout une violence psychologique. Les femmes violentes dénigrent à la fois le mari, l'amant et le père, en parvenant à faire progressivement admettre à leur compagnon qu'ils sont des incapables. C'est cette incapacité à la virilité qui annonce les coups en devenir. Il s'agit de faire admettre ce manque au compagnon afin qu'il intériorise et inconsciemment se convainque lui-même de ne pas être un homme à part entière puisqu'incapable de remplir les rôles dans lesquels la société l'attend. Qui mieux que leurs compagnes pourraient en effet juger du succès ou de l'échec de leurs prestations ? D'après tous les témoignages étudiés, il n'y a jamais au départ de violences physiques. Une fois encore, la répartition des rôles, qui est chez Bourdieu l'une des causes de la domination masculine, est battue en brèche par un travail de conditionnement psychique propre à introduire du doute dans le schème bien trop net des attributions respectives des sexes.

Cette confusion des genres est permise par la déroute psychique que peuvent susciter les femmes dans la façon que leurs maris ont de se percevoir eux-mêmes. Il est à remarquer que ce brouillage des codes et des représentations est tout aussi vivace dans l'autre sens, les hommes aujourd'hui recourant eux aussi aux mêmes expédients que leur compagne pour détruire symboliquement, puis parfois physiquement l'épouse, l'amante, la mère.

Les tensions psychologiques sont à mon sens les plus dévastatrices, qu'il s'agisse des cas de violences hommes/femmes, femmes/hommes, hommes/hommes ou femmes/femmes. La destruction sur le temps long de l'image de l'autre, celle qui ancre socialement hommes et femmes dans leur quotidien et la sociabilité qui en découle est à mon avis le substrat sur lequel croît et prospère l'ensemble des violences domestiques. Il n'existe pas une violence domestique type, mais bel et bien des systèmes complexes de détérioration de l'unité initiale sur laquelle reposent les couples unis volontairement. En effet, dans le cadre des mariages forcés, c'est très souvent la violence première qui est celle de la contrainte des sentiments qui est source de tous les travers et débordements les plus terribles pouvant par la suite intervenir au sein de la cellule conjugale. Encore une fois quitte à sembler insistant, mon propos n'est pas de nier les violences dont les femmes sont victimes, pas plus que de nier celles que les hommes subissent ; il s'agit de montrer les possibles et les applications concrètes d'une violence dont la pratique ne devrait étonner personne : les femmes peuvent être violentes au même titre que les hommes, voilà le point sur lequel se déchirent bien des théoriciens et des militants, qui s'affrontent non pas sur la réalité d'une violence mais sur les représentations, les projections, et les conditionnements que les différentes sociétés ont attribués aux sexes.

Des femmes battent leurs compagnons en jouissant de toute leur raison et de la pleine possession de leurs moyens. La violence est aujourd'hui incriminée, pénalisée, et moralement décriée au point que son usage ne peut procéder que d'un trouble pathologique ou bien encore témoigner d'une preuve d'inadaptation à des codes qui garantissent la bonne marche de toute société.

La maîtrise des émotions et des pulsions violentes est une tension permanente qui ne peut pas être garantie de façon immuable et la plupart des pathologies mentales connues sont en fait le résultat d'une non-assimilation des codes, des troubles de la perception et surtout d'une trop grande place accordée à l'instinct dont la maîtrise demande une attention de tous les instants. Le simple fait d'employer une expression du type « je ne sais pas ce qui me retient de ne pas... » est particulièrement révélateur de ce travail de maîtrise quotidienne auquel nous nous livrons.

Dans le cadre du couple et des violences domestiques, l'isolement, la dissimulation derrière les murs du foyer, l'habitude de l'autre et sa connaissance, font qu'il y a un relâchement de l'application des codes, une relation à l'autre plus sauvage. Je ne dis pas que tous les couples sont des animaux ! Préservons-nous de tout prolongement douteux, mais tenons en nous aux témoignages. Le cas des femmes battues, les formes de leurs maltraitances et les impacts de ces dernières sur leur vie psychique commencent à être connus de mieux en mieux. Les conséquences des violences féminines exercées sur les hommes, elles, le sont beaucoup moins. Afin d'illustrer les manifestations de ces violences féminines exercées à l'encontre des hommes, nous avons pris le parti de citer quelques-uns des témoignages recueillis et qui sont pour le moment les seules premières pistes dont nous disposons, les chiffres officiels étant à peu près inexistants.

Hommes battus : qui, quand, comment, pourquoi ?

Afin de mieux envisager les formes de violences féminines exercées dans le cadre des violences domestiques, j'ai reproduit des témoignages tirés du forum SOS Hommes battus[220]. Le premier témoignage est celui d'un père de famille qui a refait sa vie avec une femme elle-même mère d'une fille d'un premier mariage.

« J'ai 38 ans, papa d'un petit garçon de 12 ans, d'un premier mariage. J'ai vécu en couple avec ma compagne, mon fils et sa fille durant quatre ans. Nous nous sommes séparés il y a trois semaines. Nous nous étions déjà séparés plusieurs fois pour x raisons selon ses dires, mais la véritable raison était qu'elle me battait. Je suis allé sur votre site, et mon histoire que je croyais exceptionnelle, rare, passionnelle n'est en fait qu'une histoire banale d'un homme amoureux frappé par sa compagne. Lorsque je l'ai rencontrée, je vivais seul avec mon fils de 8 ans dont j'ai la garde. Très vite, elle s'est installée chez moi avec sa fille de 2 ans, mais rapidement elle est devenue possessive, jalouse, agressive. Elle était tout le temps triste, déprimée, fatiguée. La première grosse gifle est arrivée au bout d'un an et je l'ai jetée *illico* à la porte avec sa fille, puis je m'en suis voulu durant des mois au point de revenir la chercher. Je l'aimais encore, la petite me manquait. Elle est revenue vivre à la maison avec la petite et cela pendant deux ans. Elle me battait régulièrement, en moyenne une fois par mois, voire plus. Elle m'insultait devant les enfants, elle me frappait devant sa fille que je considérais comme la mienne, ne supportait par mes déplacements professionnels, surveillait ce que je disais, ce que je mangeais, supposait ce que je pouvais penser, fouillait mes affaires... Après chaque coup porté, elle s'effondrait, vulnérable, malheureuse, anéantie et pouvait pleurer pendant des heures ; me suppliant ainsi de l'excuser, de lui pardonner. « C'est parce que je t'aime » disait-elle. Pour ma part, je la prenais dans mes bras, en priant que tout cela cesse, qu'elle me laisse, qu'elle change, qu'elle m'aime autrement, moins si possible. Nous finissions nos soirées à faire l'amour à 2 heures du matin, épuisés. Je lui pardonnais, encore une fois. Le lendemain était souvent compliqué,

---

220. http://soshommesbattus.over-blog.com

des crampes et des coups partout, je ne pouvais m'empêcher de lui en vouloir mais je pensais aux enfants, cette petite gamine qui tenait tant à moi et cette nouvelle vie, cette nouvelle chance pour mon fils. Je renonçais à briser tout ça. Mais plus ça avançait, pire c'était. En février je lui ai demandé de voir un psy, seule condition pour que nous puissions continuer cette relation sordide, et elle a accepté. Malheureusement, ces séances soulevaient certaines choses de son esprit qui la rendaient encore plus violente. Il y a deux mois environ, j'ai décidé de ne plus me laisser faire, je l'ai avisée que la prochaine fois répliquerai, et ce fut le cas. Une fois, une seule contre tant d'autres, elle a compris ce que je pouvais ressentir, la honte et la douleur. Cela n'a rien changé, elle a continué à me frapper mais j'ai renoncé à lui faire subir le même sort, je m'en étais trop voulu de lui avoir fait du mal, et puis elle ne s'était pas gênée pour le clamer bien haut et surtout aux oreilles de mon fils… Bref.

Cette fille dont je ne veux plus citer le nom, était devenue agressive avec mon fils, elle était négligente envers lui, le trouvait souvent débile. Avec sa fille, elle criait tout le temps, la petite avait peur d'elle et restait souvent près de moi, elle me manque aujourd'hui, cette petite. Pourquoi je vous raconte tout ça ? Parce que dans six mois nous devions emménager dans une nouvelle maison, qu'elle avait arrêté la pilule, que nous voulions *a priori* un enfant ensemble, qu'un mariage était prévu dans un an. Parce qu'aujourd'hui encore, je suis amoureux d'elle, qu'elle continue à me parler à travers des messages sur le ton qu'on lui connaît et que je la maudis d'avoir tout brisé. Je veux en finir avec elle, je voudrais qu'elle sache ce qu'elle a détruit, et ce qu'elle n'aura pas ou plus, j'aimerais que sa famille qui me croit un salaud sache que j'aurais fait n'importe quoi pour leur fille, et que j'ai tout supporté jusqu'à il y a trois semaines. J'étais en voyage et un nouvel incident avec mon fils, un truc débile que j'aurais dû gérer à 10 000 km de chez moi entre cette compagne et mon ex, la mère du petit. Les deux femmes ne pouvaient pas se voir, comme d'habitude. À mon retour dans l'avion j'ai su que c'était fini, la fatigue, le stress, le décalage… Elle m'a une fois de plus annoncé qu'elle partait chez sa mère, le chantage habituel. Arrivé, je l'ai appelée, je ne voulais plus recevoir de coups, ne plus être insulté, je voulais être seul. Elle n'était pas partie chez sa mère alors je lui ai demandé de le faire. Depuis qu'elle a déménagé, elle appelle mon bureau, m'envoie des messages et pourrit ma réputation auprès de ses parents. »

On retrouve dans ce témoignage les mêmes rouages ou presque que ceux rapportés par les femmes battues. La présence des enfants rend plus complexes les comportements individuels qui sont motivés par la préservation de l'équilibre et du bonheur familial, tout aussi factice soit-il. L'illusion l'emporte sur la réalité d'un couple aux abois.

Le rapport à l'autre se brouille, il devient problématique et soumis à une redéfinition constante de ce qui fonde l'unité d'un couple. Ce n'est plus l'entente et le respect mutuel qui priment mais plutôt l'exercice de la force qui met le couple dans une tension permanente. Cette redéfinition interne des rapports est particulièrement visible dans l'évolution même des rapports conjugaux qui dérivent peu à peu de l'entente à l'opposition. Tout d'abord une gifle, puis l'usage de coups redoublés et de vexations en tout genre. Il y a confusion entre haine et sentiments amoureux, la limite entre les deux, on le sait, étant souvent diaphane. C'est parce que la vie de couple induit aux yeux de la société une certaine stabilité sociale, que le lien conjugal est maintenu dans un premier temps. Progressivement, la réalité du quotidien surclasse la place troublée des sentiments subordonnés à la vision du couple comme un problème majeur et une entrave au bonheur. La séparation, si elle ne met pas un terme aux liens affectifs qui ont lié le couple, préfigure l'acceptation et le rejet d'une forme de communication et d'échanges violents dès lors regardés comme insupportables. Le témoignage qui suit n'est pas celui d'un homme, mais de sa fille qui écrit sur le forum de SOS hommes battus pour dénoncer la violence que sa mère exerce sur son père.

« Je vous écris car mon papa est battu par ma mère depuis des années… Mon père est parti de la maison en 2002, ils ont alors divorcé. Une fois mon père parti, c'est à nous qu'elle s'en est pris. Nous sommes restées un an chez ma mère, jusqu'au jour où elle nous a menacées de mort et battues. Nous sommes parties en catastrophe. Nous sommes restées quatre ans avec notre père. Tout se passait très bien. Ma sœur s'est mise

La violence des femmes, une fracture morale et sociale ?

en appartement, moi j'ai pris mon propre logement. Et de là, notre mère a réussi à faire revenir notre père à la maison, ce qui n'a pas été difficile car il y avait fait tous les travaux. Même en étant divorcé, trop gentil, il continuait à lui payer le loyer. Aujourd'hui tout est reparti de plus belle, une fourchette enfoncée dans le bras, des *t-shirts* déchirés, des griffures sur le visage et sur les bras (nous avons des photos de cela). Lors de leur dernière dispute, mon père faisait la vaisselle, il s'est retourné et lui a mis un coup de coude sans faire exprès au coin de la bouche, elle est partie directement chez le médecin faire constater et à la gendarmerie porter plainte. L'avant-dernière dispute, où elle l'a griffé partout, il l'a poussée pour qu'elle arrête et elle s'est cogné une côte sur le coin d'un meuble. Idem : médecin et gendarmerie. Mon père passe bientôt au tribunal. Lui n'a jamais fait constater ses blessures : il était trop gentil et il avait peur d'elle. Aujourd'hui, elle a un bon dossier sur lui, mais lui n'a rien sur elle. »

Les témoignages sont suffisamment éloquents. Ils sont toutefois également révélateurs d'une mécanique de la violence subie, qui peut en partie expliciter, tant chez les hommes que chez les femmes d'ailleurs, l'apparent attentisme, voire le mutisme dans lequel les victimes de violences domestiques se murent. Les hommes battus, au même titre que les femmes battues, se sentent pris au piège et entrent alors dans un cycle de la violence qui peut se résumer à quatre étapes :

– **La récusation/le déni** : les hommes, dans un premier temps, refusent d'admettre qu'ils sont victimes de violences domestiques et cela en dépit des coups reçus, coups attribués la plupart du temps à un dérapage qui ne se reproduira plus. Ils essayent de justifier l'acte de leur compagne, d'en minimiser la portée, bref d'excuser un débordement qui n'est qu'un simple accident.

– **La culpabilité** : l'homme battu pense mériter son sort. La situation dans laquelle il se trouve est directement imputable à son défaut de virilité, à son incapacité à contenter sa compagne. Il y a un sentiment de déficience de soi, qui empêche l'épanouissement du couple, et son bonheur. Le comportement violent de la compagne est alors vécu comme un juste châtiment assimilé à l'expression d'une souffrance qui *ipso facto* autorise le recours à la violence. L'autre devient alors un *punching-ball* sur lequel on déverse le trop-plein de douleur. Les hommes battus intériorisent à tel point l'idée qu'ils sont responsables du mal-être de l'autre que la violence/pénitence est dès lors acceptée.

– **La prise de conscience :** l'homme battu sait qu'il se trouve dans une situation anormale, voire intolérable, mais il s'en accommode tant bien que mal, ne serait-ce que pour ne pas être privé de ses enfants, ou tout simplement parce qu'il demeure épris de son bourreau. Il refuse d'apporter une solution au problème qui pourrait entraîner des représailles plus grandes ou tout simplement la fin du couple. Il y a dans la violence dépendance.

– **La réaction :** dépassée la prise de conscience d'une situation qui se dégrade de plus en plus, l'homme victime de sa compagne décide de réagir, et de mettre un terme à la situation, non pas forcément de façon officielle par une demande de divorce, mais bien plus souvent par une prise de distance salvatrice. Il se retire dans sa famille ou chez des amis, voire prend un nouvel appartement. Il y a des cas cependant où ce retrait est impossible parce que si l'homme battu accepte la réalité de sa situation, il refuse parfois d'en informer ses proches par crainte du qu'en-dira-t-on. Le sentiment de honte, que partagent d'ailleurs encore beaucoup trop de femmes, peut être à l'origine d'une situation dont les issues peuvent être tragiques. Lorsque toute échappatoire est impossible, la délivrance de la situation par le recours à un acte désespéré devient une option irréversible qui achève de détruire le reste d'estime de soi qui pouvait encore subsister.

Pour conclure ce premier cycle de témoignages, je souhaiterais citer celui d'une femme qui explique son lien à la violence conjugale et les causes qui l'ont poussé à violenter son époux :

« Je veux juste dire qu'il y a aussi des hommes qui sont battus et écoutés à la légère. Eux ne peuvent pas se défendre sinon la femme veut les envoyer en prison en disant que c'est elle qui est battue. Qui va croire

La violence des femmes, une fracture morale et sociale ?

l'homme ? En tant que femme j'ai le beau rôle. Si mon mari en parle, on va rire de lui.

Ça fait vingt ans que je suis mariée. Les trois premières années de mon mariage, je frappais mon mari. S'il regardait une fille un petit peu trop belle, je le fessais. Si en regardant la télévision, il y avait par malheur une femme en minijupe et qu'il ne tournait pas la tête ou ne fermait pas les yeux, il s'en mangeait une. Je lui ai même déjà fracturé les côtes, l'empêchant d'aller à son travail. Je l'ai déjà frappé avec une ceinture quand il était dans son bain. La nuit, je rêvais qu'il partait avec une autre fille et je me réveillais en le fessant, tellement certaine que ça allait arriver un jour ou l'autre. Je le traitais de chien, de sale bon à rien et de mauvais coup. Durant trois ans, il n'y a pas eu une semaine où il ne s'en est pas mangé une.

Un jour, j'ai voulu le mettre à bout en le giflant et en lui disant de me frapper. Je lui ai dit qu'il était incapable de se défendre et qu'il avait peur. Il s'est écroulé en pleurant. Du coup, je ne l'ai plus frappé pendant cinq mois. J'ai ensuite recommencé avec une claque qui est partie toute seule, mais mon mari était devenu moins patient qu'au début. Je savais juste quand arrêter avant de le mettre à bout. Je voulais juste qu'il sache qu'il avait mérité cette punition, que je pouvais lui faire mal. Qu'il ne pouvait pas faire ce qu'il voulait. Durant les quatre ans qui ont suivi, je ne l'ai plus vraiment frappé. À part la fois où je l'ai surpris en train de se masturber. Il savait qu'il était en tort.

Il m'a fallu longtemps pour lui refaire confiance. Je me cachais pour voir ce qu'il faisait et j'espionnais l'historique de son ordinateur pour voir s'il allait sur des sites pornos. J'ai vu un psychologue pendant neuf ans. Tout allait bien jusqu'à ce que je le reprenne à se masturber devant la télévision alors qu'il regardait un film X. Je savais à l'intérieur de moi que quelque chose n'allait pas. Nous en avons discuté toute la nuit et la semaine d'après je l'ai forcé à regarder des films de sexe avec moi. Au début, il ne voulait pas, mais je l'ai forcé pendant trois mois. Ça m'a aidé. Je voyais bien que le désir ne venait pas des filles, mais de l'effet de voir du sexe à la télévision… Mon mari m'a ensuite convaincue d'arrêter. Il disait que ça supprimait les préliminaires et que l'on pouvait devenir accro. En tout cas, je suis devenue moins jalouse.

Aujourd'hui, ça fait vingt ans que l'on est ensemble. Tout va bien, sauf qu'il est resté marqué car lorsqu'une femme est dévêtue à la télévision ou qu'il y a une scène de cul, il tourne la tête ou ferme les yeux au cas où je me fâcherais. J'ai encore de la violence en moi mais je me maîtrise plus. Sauf si un jour je le surprenais avec une autre fille. Il le sait aussi. Sans remettre en cause les vrais témoignages, je pense que beaucoup de femmes ont joué faussement les victimes. [221] »

On retrouve ici tous les éléments constitutifs de la « mégère ». Mégère est à l'origine le nom de l'une des trois Furies [222]. Ce n'est que pas la suite que ce nom propre est devenu un substantif employé pour désigner une femme méchante et emportée. J'emploie sciemment le terme de mégère, non pas dans son acception actuelle, mais bien davantage en référence à la Furie qui portait ce nom. Dans ce témoignage, on retrouve exprimé le comportement intransigeant des Furies, refusant tout compromis et pourchassant inlassablement jusqu'à la fin celui qu'elles avaient désigné comme coupable. Le harcèlement dont fait preuve cette femme est assimilable à l'opiniâtreté des Furies. On observe également une gradation dans la violence, puisqu'elle s'amorce par la fessée pour se porter au visage de l'époux. Translation symbolique intéressante à y regarder de plus près. L'épouse châtie symboliquement les fesses de son mari parce que c'est cette partie de l'anatomie féminine qu'on taxe les hommes de regarder souvent ; puis, elle s'en prend au visage, siège des pensées lubriques de son époux. La sexualité virtuelle, introduite dans le foyer par le concours de films pornographiques est tout autant châtiée, dès lors que l'épouse se convainc de ne pas ou de ne plus être l'objet de désir.

En violentant son époux, elle violente son couple et donc se violente elle-même. Le manque de confiance en elle, la concurrence éventuelle des autres femmes, contribuent à exciter ses craintes, à nourrir ses peurs et à alimenter en guise de réponses des comportements violents. Dans le cas de ce témoignage, malgré l'apparente régularisation qui intervient au sein

---

221. http://degasne.over-blog.com/article-1834079.html
222. Alecton, Tisiphone et Mégère.

La violence des femmes, une fracture morale et sociale ?

du couple, on voit très bien qu'il n'y a plus de sérénité en dépit d'un retour à la normale. La violence peut parfois aller malgré tout beaucoup plus loin et engager le couple dans des voies plus extrêmes, pouvant aller jusqu'au décès de l'un des deux (ou des deux) conjoints.

Le cas des femmes « maricides » relève, là encore, de l'interdit social le plus total. L'ouvrage de la criminologue Sylvie Frigon [223] propose une reconstitution et une analyse très fine des procès de vingt-huit Canadiennes condamnées pour le meurtre de leur mari entre 1866 et 1954. Elle tente d'analyser de quelle manière la justice les a considérées et traitées. Ses travaux mettent en évidence le fait que les meurtrières étaient avant tout jugées sur des critères moraux bien plus que sur les lois [224]. Admettre la violence des femmes revient à bousculer la vision établie d'une féminité incapable de violence hors des cadres de la folie : les femmes ont toujours réussi à s'extirper des cadres rigides et moraux que la société tentait de leur imposer. Huit à 10 % d'hommes seraient victimes de violences conjugales. En 2006, trente et un d'entre eux sont décédés, soit un décès tous les treize jours. Par comparaison, 10 % des femmes se déclarent victimes de violences conjugales et une femme est tuée par son compagnon tous les quatre jours. Le second chiffre est très régulièrement rappelé et mis en avant pour dénoncer les violences subies par les femmes, alors que le premier, celui qui concerne les hommes, intervient très rarement et le plus souvent investi d'une valeur anecdotique. Cependant, la violence domestique ne s'exerce pas uniquement sur le conjoint. Les femmes peuvent se montrer également violentes envers leur progéniture.

---

223. FRIGON (Sylvie), *L'homicide conjugal au féminin, d'hier à aujourd'hui*, Montréal, Les éditions du remue-ménage, 2003.

224. L'auteur revient longuement sur le SFB (Syndrome de la femme battue) qui a d'ailleurs était intégré au DSM IV (Diagnostic and Statistical Manual – Révision 4), outil de classification développé aux États-Unis pour définir de plus en plus précisément les troubles mentaux. Le SFB est un ensemble de signes cliniques qui traduisent un état post-traumatique dû à la violence subie sur une longue période. La personne souffrant de ce syndrome se sent piégée et développe une peur légitime d'être tuée. En cas de « maricide » (le terme n'existe d'ailleurs pas), une femme peu plaider le SFB pour justifier son meurtre dans les pays qui reconnaissent ce syndrome.

Violence scandaleuse, violence incestueuse : une trahison de la féminité, de la maternité, ou de la naturalité ?

Dans le cadre de la sphère familiale, bien d'autres violences féminines peuvent exister, des violences beaucoup plus sourdes, pour ne pas dire muettes, qu'il incombe pourtant de souligner, afin de leur resituer la voix qui leur fait encore défaut. Si les violences conjugales sont les plus visibles, celles qui s'exercent sur les enfants sont particulièrement difficiles à percevoir et à approcher. Ces violences infligées à l'enfance sont plurielles et nous n'avons pas ici la prétention de les épuiser toutes ni de nous lancer dans une analyse exhaustive d'une violence qui procède le plus souvent de la psychiatrie et de la justice. Nous nous attacherons ici à envisager ce qui, à notre sens, est peut-être la forme de violence la plus extrême et la plus inavouable, celle qui catalyse autant les haines que les passions, à savoir la pédophilie.

Pas celle à laquelle les médias nous ont tristement accoutumés, pas celle des monstres pervers qui, dans les représentations collectives, est arbitrairement associée aux hommes parce qu'ils seraient plus facilement portés à exercer ce genre de crime, mais celle que le silence enveloppe de son manteau.

Pour admettre la pédophilie féminine, il faut admettre que la « nature féminine » n'est qu'une construction culturelle et nullement une réalité. La charpente théorique sur laquelle repose la « nature féminine » n'est au final qu'une normalisation de la femme par l'idée, par le discours et par l'excès. Débarrassé de ce présupposé d'une féminité douce par nature, de cet essentialisme coupable et infamant parce qu'il confine la femme dans un rôle, il est dès lors possible de se tourner vers l'efficience des crimes et de les libérer de toute attribution sexuée. Une femme au même titre qu'un homme est une criminelle potentielle, capable d'infliger souffrance et destruction.

Il n'y a point de paranoïa ni de misogynie, point de raccourcis hâtifs, ni faciles, mais seulement le désir d'accepter de construire l'égalité des sexes y compris dans la déviance. Parmi les formes possibles de pédophilie, l'inceste est peut-être l'une des formes les plus extrêmes. Si l'inceste exercé par les pères sur leurs filles est très souvent mis en avant aussi bien dans les médias que dans les ouvrages concernant la question, force est de reconnaître que l'inceste maternel est aujourd'hui peu étudié, parce que peut-être plus encore que l'infanticide qui est très souvent expliqué par un acte de folie, l'inceste maternel induit un malaise plus profond, inscrivant un amour criminel dans la durée, et bravant l'interdit le plus total observé par la majorité des sociétés. Tout comme la pédophilie et sa découverte qui sont relativement récentes, le problème de la pédophilie féminine suscite dès le départ un profond malaise, source de silence, mais aussi de révolte. La société n'a pas encore admis l'idée qu'une femme, et à plus forte raison une mère, puisse utiliser sa progéniture dans le but d'en jouir et d'en tirer du plaisir.

L'étymologie du mot « inceste » renvoie à l'idée d'une absence de chasteté (du latin *incestus*, de *in* et *castus*, chaste). L'évolution de la définition de ce terme est intéressante. Si l'on regarde dans le dictionnaire de Furetière [225] à l'article « Inceste », on peut lire qu'il s'agit d'un « crime qui se commet quand on a la compagnie charnelle de personnes qui sont parentes jusqu'à un certain degré prohibé par l'Église ». La définition fait preuve d'une très grande modernité, du moins en apparence. À aucun moment, il n'y a désignation sexuée des individus, la définition laissant sous-entendre que l'inceste peut s'observer entre membres d'une même famille, aussi bien entre un père et sa fille, une mère et son fils, mais aussi entre un père et son fils ou encore une mère et sa fille. Le *Dictionnaire Larousse* de 2004 est pour le coup beaucoup moins partial dans sa façon de définir l'inceste. En effet, le Larousse définit l'inceste comme des « relations sexuelles entre un homme et une femme liés par un degré de parenté entraînant la prohibition du mariage ». Si la relation de parenté doit interdire tous liens charnels, l'inceste se pose ici comme une jouissance hétérosexuelle de ses enfants, divisant par deux les possibles incestueux au sein du couple. Or, l'inceste s'il peut être sexuel, n'est pourtant pas sexué [226]. Il affecte indistinctement les membres d'une même

---

225. Furetière (Antoine), *Dictionnaire universel*, La Haye, A. et R. Leers, 1690.

226. La définition telle qu'elle est présentée renvoie aux interdits et aux dangers qu'entraîne la consanguinité. Ce danger ne peut effectivement intervenir que dans le cadre de rapports hétéro-sexuels. Il y a donc dans cette définition une restitution classique des interdits propres à presque toutes les sociétés liés aux conséquences de la consanguinité mais aussi une non-prise en compte des autres formes d'incestes qui peuvent intervenir.

famille aussi bien de façon horizontale que verticale, ou pour mieux dire en en détournant le sens, aussi bien de façon agnatique que cognatique.

Jean-Yves Hayze et Emmanuel de Becker dans leur ouvrage *L'enfant victime d'abus sexuel et sa famille*[227], montrent que l'abus sexuel résulte en partie « d'une dynamique transgénérationnelle : d'amont en aval, certains comportements, sentiments et paroles des grands-parents, contribuent à installer une organisation intrapsychique, une vision et une pratique fausses de la sexualité chez les parents, ce qui, le moment venu, déséquilibrera la personnalité des enfants ». L'inceste serait donc à la base le fruit d'une perturbation initiale, qui favoriserait un brouillage des représentations et une sexualité déréglée. Cette altération de la sexualité concerne indifféremment les deux sexes. Néanmoins, l'inceste maternel reste très largement insoupçonné.

Que dit la loi française ?

Il n'existe à l'heure actuelle aucune loi spécifique à l'inceste en France. Le terme même d'inceste n'est d'ailleurs mentionné ni dans le Code pénal ni dans le Code civil. Il est pourtant intéressant de remarquer que sous l'Ancien Régime en revanche, l'inceste était prohibé et criminel. La *Grande ordonnance criminelle* de 1670 y consacre de longs développements, en cherchant à en apprécier toutes les subtilités possibles. Il s'agit avant tout d'isoler les incestes sur lesquels pèsent des interdits moraux et spirituels les plus lourds. Sous l'Ancien Régime, il n'y a pas de peine spécifique à l'égard des cas d'inceste. Les juges sont invités à recourir pour prononcer leur jugement aux lois romaines et à se conformer à la jurisprudence des arrêts. Le châtiment quoi qu'il en soit est toujours proportionnel au degré de parenté qui lie les couples incestueux. Ainsi les « incestes contre nature » sont punis de mort. « La peine de l'inceste d'un fils avec sa mère ou son aïeule, ou d'un père avec sa fille ou sa petite-fille, est la mort[228] ». Il en est de même entre frères et sœurs.

---

227. HAYEZ (Jean-Yves) et DE BECKER (Emmanuel), *L'enfant victime d'abus sexuel et sa famille : évaluation et traitement*, Paris, PUF « Monographies de la psychiatrie de l'enfant », 1997, p. 34.

228. JOUSSE (Daniel), *Traité de la justice criminelle de France*, Paris, chez Debure père, 1771, 4 vol.

La violence des femmes, une fracture morale et sociale ?

La célèbre affaire de Julien et Marguerite de Ravalet en 1603 illustre parfaitement le malaise moral et social qu'un amour fraternel et incestueux a pu susciter[229]. Remarquons qu'il s'agissait ici toutefois d'un amour mutuel et non pas d'un abus sexuel de l'un sur l'autre. L'enjeu de cette affaire ne fut pas tant le crime d'inceste que le partage réciproque de ce crime jugé comme étant le fruit d'une perversion sans bornes. Si la loi d'Ancien Régime comme la loi aujourd'hui a du mal à se positionner dans ses affaires, c'est parce qu'elle a à prendre en compte l'amour qui peut unir deux membres d'une même famille, déceler la part de consentement ou son absence, le degré de violence et de contrainte exercées et surtout tenter de savoir comment cette situation réprouvée a pu exister. Ce n'est pas facile. La condamnation très largement unanime de l'inceste oblige la justice à contourner le problème en ramenant l'inceste à un simple crime d'agression sexuelle ou de viol, évacuant par la même la complexité psychologique du geste.

Avec la Révolution française, l'inceste disparaît du Code pénal. Il devient alors aux yeux de la loi une circonstance aggravante dans les affaires d'agressions sexuelles, viols, etc. sur mineurs. En France, l'atteinte sexuelle sur mineur est une infraction prohibant et condamnant les relations sexuelles consenties entre un majeur et un mineur. Cet acte considéré comme un délit est jugé au correctionnel. L'atteinte sexuelle est considérée comme illégale si elle est commise par un majeur sur un mineur de moins de 15 ans (articles 227-25 à 227-27 du Code pénal) ou par une personne (pas nécessairement majeure) ayant autorité sur un mineur de moins de 18 ans, sauf émancipation par mariage ; c'est un délit (jugé devant un tribunal correctionnel). Les peines en la matière sont aggravées par l'article 227-26 du Code pénal si l'atteinte sexuelle sur mineur est commise par un ascendant ou par une personne ayant autorité sur la victime.

Autre délit, la corruption de mineur (article 227-22) qui n'implique ni contacts ni relations sexuelles, mais (entre autres) l'exposition à du matériel pornographique ou à des scènes sexuelles. Une agression sexuelle

---

229. CARMONA (Michel), *Une affaire d'inceste. Julien et Marguerite de Ravalet*, Paris, Perrin, 1987.

est définie par l'article 222-22 du Code pénal comme « toute atteinte sexuelle commise avec violence, contrainte, menace ou surprise ». Enfin, le viol est défini par l'article 222-23 du Code pénal comme « tout acte de pénétration sexuelle, de quelque nature qu'il soit, commis sur la personne d'autrui par violence, contrainte, menace ou surprise ». Le viol est un crime jugé en cour d'assises. En dehors de ces cas, une relation sexuelle incestueuse consentie entre individus majeurs n'est donc pas une infraction. La proposition de loi déposée à l'Assemblée nationale le 18 mars 2009 par madame Marie-Louise Fort et plusieurs de ses collègues ayant pour finalité de faire inscrire l'inceste dans le Code pénal, a été adoptée en première lecture par l'Assemblée nationale le 28 avril 2009. Le texte précise qu'un mineur ne peut être considéré comme consentant à un acte sexuel avec un membre de sa famille. L'Assemblée nationale a, dans ce cadre, porté de deux à cinq ans de prison et à une amende de 75 000 euros (au lieu de 30 000) l'atteinte sexuelle sur un mineur de plus de 15 ans, contrainte ou non, même si dans leurs rapports avec des personnes extérieures au cadre familial les mineurs de plus de 15 ans sont majeurs sexuellement.

Les femmes « agresseuses sexuelles » en France

Les rares spécialistes qui se sont intéressés au cas des femmes pédophiles ont forgé un néologisme pour qualifier ces femmes. Le féminin du substantif agresseur n'existant pas dans la langue française, le terme d'« agresseuse » fut alors élaboré pour désigner les femmes faisant usage de violence sexuelle. Nicole Vidon, psychologue à la direction régionale des services pénitentiaires de Rennes (Cerecc), s'est intéressée dans le cadre d'un article publié dans un ouvrage sur les abuseurs sexuels, aux cas des femmes incarcérées à la prison de Rennes[230]. Dans cet article, Nicole Vidon commence par rappeler tout d'abord quelques chiffres, en indiquant qu'en 1997, la part totale des femmes prévenues en France

---

230. VIDON (Nicole), « L'abus sexuel au féminin », in CARIO (Robert) et HÉRAUT (Jean-Charles) (dir.), *Les abuseurs sexuels : quel(s) traitement(s) ?*, Paris, L'Harmattan, « Science criminelle », 1998.

s'élève à 5,24 %, celles de condamnées à 3,47 %. Les femmes en prison sont numériquement moins nombreuses que les hommes. S'intéressant à la population féminine incarcérée à Rennes, Nicole Vidon établit une typologie des femmes détenues par type d'infraction.

Infractions	Nombre	Pourcentage (1)
Vols	280	27,1
Trafic de stupéfiants	250	24,2
Crime de sang	249	24,1
Violences/mineurs	76	7,4
Infractions sexuelles	73	7,1
Homicide (2)	10	1
Autre (3)	96	9,3

Femmes incarcérées au 01/01/1997 selon l'infraction[231].

(1) % par rapport à l'ensemble des femmes incarcérées au 01/01/1997.
(2) Homicides et autres atteintes involontaires.
(3) Autres : informations à législation sur les chèques, ou sur les étrangers, incendie volontaire, infractions militaires.

Au regard des chiffres, il appert que les agressions sexuelles sont marginales mais ne sont pas pour autant absentes ou à minorer. En effet, Nicole Vidon constate depuis 1993 la lente mais véritable augmentation du nombre d'infractions sexuelles (5,8 % en 1993, 7,1 % en 1997). Sur trente-quatre dossiers étudiés, vingt-neuf concernent des agressions sexuelles commises par des mères sur leurs propres enfants. Jean-Marc Deschacht et Philippe Génuit, psychiatre et psychologue, se sont également intéressés au cas des femmes délinquantes sexuelles[232]. L'échantillon des deux spécialistes

---

231. Tableau réalisé par Nicole Vidon, *ibid.*
232. DESCHACHT (Jean-Marc) et GÉNUIT (Philippe), « Femmes agresseuses sexuelles en France », CIAVALDINI (André), BALIER (Claude) (dir.), *Agressions sexuelles : pathologies, suivis thérapeutiques et cadre judiciaire*, Paris, Masson, 2000. Les auteurs indiquent qu'ils ont suivi les soixante premiers cas et que pour les neuf autres, ils n'ont eu accès qu'au dossier pénal.

porte sur soixante cas de femmes incarcérées entre 1990 et 1998, et sur neuf autres détenues avant 1990, soit au total soixante-neuf cas. La distribution des agressions sexuelles établie par les auteurs se décline comme il suit :

Types d'Infractions	Nombre de cas
Complicité de viol(s) aggravé(s)	36
Viol(s) aggravé(s)	23
Agression(s) sexuelle(s) aggravée(s)	12
Proxénétisme aggravé	7
Viol(s) simple(s)	5
Complicité de viol simple	3

Infractions commises par soixante-neuf femmes coupables d'agressions sexuelles. [233]

La complicité de viol n'implique pas qu'une simple participation passive des femmes à ce type d'agression. En effet, le procès Outreau en 2004 et la tristement célèbre Myriam Badaoui ont fortement ébranlé l'image de la mère aimante et protectrice. Condamnée à quinze ans de réclusion criminelle pour les viols de sept enfants, Myriam Badaoui a été accusée de plusieurs infractions, aussi bien complice que prédatrice, corruptrice que perverse. Le procès d'Angers de 2005, le plus grand procès de pédophilie jamais organisé en France, offre là encore au-delà de l'horreur et du sordide des violences infligées à des enfants, plusieurs autres exemples des violences maternelles protéiformes. Soixante-six accusés, dont vingt-sept femmes, quarante-cinq enfants victimes, « âgés de six mois à douze ans au moment des faits, dix-neuf garçons et vingt-six filles [234] ». Le cerveau de ce réseau de pédophile, Patrica M., 32 ans, et son ex-époux Franck V. ont ainsi été condamnés respectivement à seize et dix-huit ans de réclusion. Patricia a

---

233. Tableau réalisé par Deschacht (Jean-Marc) et Génuit (Philippe), *op. cit.*, p. 50.

234. Poiret (Anne), *L'ultime tabou. Femmes pédophiles. Femmes incestueuses*, Paris, Patrick Robin éditions, 2006, pp. 75-96.

La violence des femmes, une fracture morale et sociale ?

entre autres été reconnue coupable du viol d'une de ses filles et d'avoir prostitué un grand nombre d'enfants. Franck a, en ce qui le concerne, été déclaré coupable du viol de quatorze enfants, parmi lesquels trois de ses propres enfants. À l'audience, l'avocat général les avait comparés au couple hugolien des Thénardier et avait accusé la mère d'être la « trésorière » du commerce des corps de l'enfance.

Les travaux de Jean-Marc Deschacht et Philippe Génuit sur ces soixante-neuf femmes permettent d'établir des points de comparaisons avec ces deux grands procès pour pédophilie. En effet, le profil des victimes est quasiment le même.

Âge des victimes	Nombre de victimes
Moins de 15 ans	111
Entre 15 et 18 ans	5
Plus de 18 ans	18
Total	134

**Caractéristiques des victimes d'après Jean-Marc DESCHACHT
et Philippe GÉNUIT.**

Les auteurs montrent que 82 % des victimes sont des mineurs de moins de 15 ans dont la moyenne d'âge se situe autour de 9 ans. Parmi ces victimes, cent sont de sexe féminin et trente-quatre de sexe masculin. Les victimes d'agressions sexuelles féminines sont donc avant tout des filles, ce qui est encore renforcé par la nature des liens qui unissent les victimes et ces prédatrices. En effet, sur l'ensemble des cas étudiés, il appert que dans trente-trois cas, les victimes de sexe féminin sont victimes de leur propre mère, six cas seulement impliquent des liens mère/fils. La délinquance sexuelle est donc avant tout liée à l'inceste. Le profil des femmes agresseuses est assez homogène. Il s'agit de femmes peu instruites, n'ayant pas d'antécédents psychiatriques majeurs à type de maladie mentale caractérisée. Cependant, Jean-Marc Deschacht et Philippe Génuit montrent bien que ces femmes pour la plupart en couple (soit mariée, soit en concubinage) souffrent d'une « grande immaturité psychoaffective, d'une dépréciation de soi, [d'] une vie sexuelle chaotique avec une importante dynamique sadomasochiste, une grande dépendance vis-à-vis du conjoint[235] » auquel elles sont incapables de s'opposer dans l'assouvissement d'actes pervers.

L'observatoire national de la délinquance a consacré en 2006 un numéro entier de sa revue trimestrielle aux cas des violences féminines[236]. Peu de femmes sont mises en cause pour violences sexuelles, mais peu ne veut pas dire qu'il n'y a pas des femmes coupables de ce type de violence. Les autorités ont en effet enregistré une nette progression de cette forme de violence. En 1996, 371 femmes ont été mises en cause pour violences sexuelles (dont 175 femmes pour viols, et 196 pour harcèlements sexuels et autres agressions sexuelles). En 2004, 438 femmes furent mises en cause pour violences sexuelles (dont 157 pour viols et 281 pour harcèlements et autres formes d'agressions sexuelles). Rapportés aux chiffres qui concernent les hommes, force est d'admettre que la part des femmes dans ces mises en cause est très nettement inférieure. En 1996, 11 950 cas d'hommes mis en cause (dont 5 681 pour viols, et 6 269 pour harcèlements et autres formes d'agressions sexuelles), en 2004, 15 659 cas d'hommes mis en cause pour violences sexuelles (6 937 viols, 8 722 harcèlements et autres agressions sexuelles)[237].

Les chiffres montrent effectivement que la violence sexuelle est une violence presque exclusivement masculine en comparaison de ceux qui

---

235. *Ibid.*, p. 57.

236. *Violence(s) au féminin. Femmes délinquantes, femmes violentes, femmes déviantes*, Les cahiers de la sécurité n° 60, Paris, INHES, 1ᵉʳ trimestre 2006.

237. Source : état 4001 annuel, DCPI. « L'état 4001 est le regroupement de tous les crimes et délits portés à la connaissance des services de police et de gendarmerie. Il ne recense donc pas l'ensemble des faits de délinquance. Créé en 1972 et peu modifié depuis, l'avantage de sa structure stable est de permettre des comparaisons temporelles sur longue période et d'être mieux connu des forces de police. Le respect des règles d'enregistrement et de leur interprétation homogène sur l'ensemble du territoire national est une des missions confiées aux corps d'inspection de la police et de la gendarmerie nationales, notamment au cours de leurs audits périodiques. » (source : site Internet du Sénat : http://www.senat.fr/rap/l04-074-322/l04-074-32240.html)

La violence des femmes, une fracture morale et sociale ?

concernent les femmes. Mais doit-on pour autant minimiser la part des femmes dans ce type de violence ?

Pour les psychologues qui se sont intéressés à la question, la part des femmes agresseuses sexuelles est sous-estimée : « La criminalité sexuelle des femmes est bien souvent perçue comme un phénomène criminologique d'importance secondaire. En effet, les actes criminels des femmes sont vus comme des comportements anormaux, ne relevant pas de la nature féminine. Les stéréotypes traditionnels de la femme nourricière, gentille, passive et soumise refusent d'admettre toute possibilité d'agression ou de comportement violent comme réaction féminine naturelle. (…) Peu d'études sont consacrées à cette criminalité, notamment dans les domaines de la psychologie clinique et de la psychopathologie. [238] » Il est frappant de constater, à l'heure de la rationalisation par la science de la plupart du quotidien des Hommes, l'introduction dans une définition scientifique de l'expression « nature féminine ». Cette expression érigée depuis au moins Platon et Aristote comme une notion, ou devrions nous dire un postulat, présuppose une codification de la femme, tributaire des stéréotypes qui sont évoqués, qui non seulement la définiraient, mais encore la rendraient prisonnière de sentiments et de traits de caractère desquels, par nature, voire par essence, elle ne saurait se soustraire. Je crois que pour envisager la femme, il faut tenir compte de cette fameuse « nature féminine » non pas parce qu'elle définit la femme mais parce qu'elle la conditionne et la conforte dans une vision stéréotypée de la féminité, mais il faut surtout mettre à mort sur l'autel de la science cette même nature féminine qui depuis que la femme est sujet de pensée, trouble les esprits et installe les silences qui lui portent aujourd'hui préjudice.

C'est parce qu'Élisabeth Badinter a souhaité briser à sa façon l'idéal féminin motivé par sa prétendue « nature » que cette dernière s'est attiré les

---

238. HARRATI (Sonia), VAVASSORI (David), M. VILLERBU (Loïck), « La criminalité sexuelle des femmes : Étude des caractéristiques psychopathologiques des femmes auteures d'agressions sexuelles », in TARDIF (Monique) (Éd.), *L'Agression Sexuelle : Coopérer au-delà des frontières*, Cifas, 2005. Textes choisis, Montréal : Cifas-Institut Philippe-Pinel de Montréal. http://www.cifas.ca/ et http://www.psychiatrieviolence.ca/, chapitre 6. Voir également JAQUIER (Véronique) et VUILLE (Joëlle), *Les femmes : jamais criminelles, toujours victimes ?, op. cit.*

foudres de beaucoup de féministes. Et pourtant, force est d'admettre que son propos, que nous rejoignons pleinement, se veut plus féministe encore que le propre discours des féministes, qui, parfois bien trop occupées à ne voir dans le masculin que contrainte et domination, passent à côté de leurs contradictions. Cette même « nature féminine », archétypisée sous les traits de la maternité, de la vie, combattue et dénoncée est pourtant digérée et acquise par les femmes. On a accusé Élisabeth Badinter d'avoir trahi sa condition, sa « nature », en dénonçant chez ses sœurs toutes les réalités que ces dernières refusaient de voir. Alors effectivement, tant que les femmes revendiqueront les vertus forgées pour elles par les hommes, tant qu'elles revendiqueront l'excellence de leur sexe telle que les hommes l'ont rêvé, elles feront « fausse route ». Où situer alors l'inceste maternel exclu de cette « nature féminine » ? La femme ne peut et ne doit être réifiée au carcan d'un avatar, celui de mère, et à l'outrage d'une condition imposée, dictée, et vécue, au nom d'une prétendue nature.

Ce constat nous précipite vers un second, toute femme n'est pas une mère et toute femme qui donne la vie n'est pas obligatoirement mère. Ce n'est pas le biologique qui instaure les liens d'amour entre une femme et sa progéniture, entre une mère et son enfant. Le lien mère/enfant est une consécration du biologique.

Dans le cas des mères incestueuses, il ne s'agit pas d'un manque d'amour ou au contraire d'un trop-plein d'amour. L'enfant victime d'inceste est un enfant qui devient le symbole d'une sentimentalité troublée sur lequel les parents déversent leur sexualité. Nous retiendrons ici deux types d'incestes, l'inceste mère-fils et l'inceste fille-mère, parce qu'ils constituent les formes d'incestes les moins étudiés et dont la visibilité est la plus réduite. La littérature dédiée à ces champs de recherches est effectivement bien chétive en regard des publications pléthoriques dédiées à la question de l'inceste paternel des dernières décennies. Avant de connaître la femme et ses travers, il semble inconsciemment ou au contraire consciemment impératif de s'en prendre aux hommes, naturellement plus violents que les femmes… ou du moins c'est ainsi qu'on se les figure. Quels que soient les ouvrages consultés sur la question de l'inceste maternel, il est frappant de constater finalement

La violence des femmes, une fracture morale et sociale ?

les lacunes intellectuelles que pose cette réalité, réalité qui est parfois même niée.

Yves-Hiram L. Haesevoets indique qu'il « existe encore beaucoup de tabous à ce sujet, de véritables œillères sur le regard des intervenants. Les représentations des intervenants correspondent encore à l'image d'une femme douce, passive, maternante et incapable de sexualiser une relation à un enfant [239] ». Il y a là encore le constat de cette « nature féminine » qui entrave dans un premier temps toute tentative d'objectivisation de cette réalité, dès lors qu'elle porte atteinte à cet idéal de nature. L'auteur précise pourtant que « la femme qui agresse un enfant sur le plan sexuel n'est pas plus monstrueuse qu'un homme abuseur, mais elle vit cachée et/ou utilise un camouflage psychologique et affectif qui étonne les intervenants ».

Jusqu'à encore très récemment, la plupart des cliniciens estimaient l'inceste maternel comme une réalité virtuelle, parce qu'elle entrait totalement en contradiction avec l'image emblématique de la mère. Le psychologue Philippe Génuit, auteur de la première étude consacrée aux femmes pédocriminelles en France, estime que « dire que les femmes ne peuvent être pédophiles est aussi imbécile que lorsqu'au Moyen Âge on leur refusait une âme. Les différences sont à chercher dans les conditions des agressions, c'est tout ! Pédophilie et inceste se confondaient aussi pour les hommes il y a quelques années (…), l'évolution des mœurs va dans le sens d'une augmentation des attaques de femmes en dehors de la sphère familiale ».

Le témoignage de Vincent, que nous avons reproduit en annexe, victime d'une mère incestueuse, est très intéressant tant du point de vue du fond que de la forme. En effet, il se présente sous la forme d'une dissertation, avec une introduction, son développement et une conclusion, une problématique, et une réponse à cette dernière. Il y a de la part de ce témoin une évidente tentative de verbalisation d'une expérience douloureuse, mais aussi un désir de rationalisation de cette expérience par le biais de l'écriture. Ce procédé d'écriture quasi cathartique est le fruit d'une

---

239. L. Haesevoets (Yves-Hiram), *L'enfant victime d'inceste. De la séduction traumatique à la violence sexuelle*, Bruxelles, De Boeck Université « Oxalis », 2ᵉ édition, 2003, p. 156.

longue réflexion et d'une prise de conscience qui se traduisent par la « décision de témoigner ». Dès l'introduction, l'idée d'isolement et la sensation d'avoir subi une violence isolée et invraisemblable, émergent sous la plume du témoin. L'assimilation à des victimes « emmurées vivantes dans l'ignorance » est hautement symbolique et lourde de sens.

Les victimes d'incestes doivent surmonter le silence de leur expérience traumatisante pour enfin parvenir à mettre en mots leurs maux. Le développement se fonde sur une narration du trouble de soi et de la souffrance occasionnée par l'inceste, mais dans un souci de confronter ce vécu à des lectures en lien avec l'inceste. Le secret qui encercle l'inceste, et qui plus est lorsqu'il s'agit d'inceste maternel, peut pousser la victime à se renseigner, et notamment par le biais d'Internet qui conserve l'anonymat de celui ou de celle qui s'interroge sans oser questionner l'entourage proche, par crainte ou par honte. Le témoin évoque tout d'abord « le *nursing* sans limites » ou ce que l'on désigne encore comme « *nursing* pathologique ». En effet, sous couvert d'actes d'hygiène ou de soins divers, l'agresseur profite de ces situations de proximité physique et de nudité pour assouvir ses pulsions en pratiquant des toilettes vulvaires à outrance, des décalottages à répétition, des prises de température injustifiées et autres lavements, pratiques qui peuvent se poursuivre jusqu'à un âge avancé de l'enfant. Le corps de l'enfant censé recevoir des soins est érotisé, voire sexualisé sous couvert d'attention. Le rapport mère/fils est dès lors biaisé, troublé et entraîne la perte de repères comme le souligne notre témoin qui ne sait plus comment qualifier sa mère[240]. La mère est morte, ne subsiste que la femme.

Il n'y a pas de différences fondamentales entre l'inceste mère/fils et l'inceste mère/fille[241]. Dans les deux cas, l'enfant est érigé en tant qu'objet de plaisir égoïste qui n'a d'autre finalité que de contenter non pas la perversité d'une mère, mais celle d'une femme.

Au travers de ces deux témoignages se pose à nouveau la question de la maternité et de ses liens à l'enfance. Le dernier ouvrage d'Élisabeth Badinter, s'il jette un pavé dans la marre en dénonçant la dictature de la

---

240. ANDRÉ (Jacques) (dir.), *Incestes*, Paris, PUF, 2001.
241. Voir le témoignage reproduit en annexe p. •••.

La violence des femmes, une fracture morale et sociale ?

mère que l'on souhaite imposer aux femmes, permet aussi de remettre en cause les sentiments que tisse une mère avec son enfant, sentiments qui ne sont pas obligatoirement clairs et ceux que l'on pourrait être en droit d'attendre d'une mère[242]. Mais comme l'a très bien souligné Élisabeth Badinter, toutes les femmes ne sont pas mères et toutes celles qui le deviennent, que ce soit par obligation ou par souci de se conformer avec la pression sociale qui suggère que toute femme est une mère en devenir, ne parviennent pas à ressentir leur instinct maternel, tout simplement parce qu'il n'existe pas. Les mères incestueuses n'érigent pas leur enfant en tant qu'objet d'amour mais de jouissance. Il n'y a pas de confusions à faire à ce niveau-là. Une femme qui abuse sexuellement de ses enfants peut s'autoriser ce type de comportements uniquement parce que son statut de mère dans son idée lui donne tous les droits sur son enfant, mais ces droits ne sont ni plus ni moins qu'un moyen pour elles de se disculper pour laisser libre cours à leur folie.

Simone de Beauvoir, dans *Le Deuxième Sexe*, dénonce la maternité qui n'est pas un devoir des femmes mais un droit, pas une obligation mais un choix. Simone de Beauvoir brise le totalitarisme de la femme-matrice à laquelle on a toujours tenté de réifier les femmes. Le repli féministe autour de l'image de la mère comme forme de puissance des femmes est un retour en arrière sévère dans la lutte des droits des femmes. Il paraît bien paradoxal de se retrancher derrière l'image de la mère car c'est entériner la conception essentialiste qui réifie les femmes à leur utérus. Les fameux mots de Simone de Beauvoir : « On ne naît pas femme, on le devient », cités à toutes les sauces, à tort et à travers, ont un sens précis. On ne naît pas marqué par le poids de la nature ni même de la culture, on naît au monde vierge de toute influence. C'est l'éducation et le conditionnement social qui infléchissent notre rapport au monde et aux autres. Le choix de devenir mère, c'est celui d'une femme libre de son corps et de ses désirs, libre de choisir de donner la vie. Devenir femme, c'est être libéré de ce que la société lui impose, c'est être maîtresse de sa

---

242. BADINTER (Élisabeth), *Le Conflit, La femme et la mère*, *op. cit.*

destinée et non pas esclave des discours qui ont formaté la féminité. La femme n'est pas un utérus.

Discours de femmes, discours d'hommes sur la violence féminine

L'hétérogénéité des discours et des points de vue autour de la problématique des violences féminines montre à quel point la question est passionnée, passionnelle, et passionnante. Les féministes qui rejettent les violences féminines, pensant qu'elles desserviraient leur cause, soumettent leur combat pour l'égalité aux pressions morales et sociales, diabolisant elles aussi le recours à la violence indissociable du masculin, plaçant le féminin du côté des Justes. La violence est rejetée. C'est comme si tout à coup, une prise de conscience s'amorçait et dont finalement on ne voudrait pas.

La théorisation de la violence, comme nous l'avons dit, n'est pas chose facile et nous ne pensons pas qu'il soit possible d'imposer à la violence un concept qui en restreindrait les expressions, formes et autres modalités. Cette difficulté est plus manifeste encore lorsque l'on considère le cas des violences féminines.

J'ai donc voulu savoir comment la violence était perçue, en soumettant le plus largement possible un questionnaire simple et bref. Avant que de le considérer de plus près, j'ai été très étonné des réactions qu'ont suscité les questions proposées. Réactions différentes mais particulièrement symptomatiques du malaise ou bien encore de la perplexité qu'un tel travail sur les femmes peut susciter. D'un point de vue sexué tout d'abord, dans l'ensemble, les femmes ont accueilli différemment ce questionnaire en fonction de leur âge. Plus les femmes avancent en âge, moins elles sont disposées à vouloir répondre aux questions proposées. C'est à ce moment-là qu'il devient possible d'évaluer la force d'intériorisation des normes imposées par la répartition des rôles. Il semble en effet improbable aux plus âgés de s'opposer ou d'adopter à l'encontre de leurs époux essentiellement un comportement violent. Très peu de femmes au-delà de 60 ans ont accepté de répondre. Si elles n'ont pas été nombreuses à écrire, elles ont dans l'ensemble été bien plus bavardes au

La violence des femmes, une fracture morale et sociale ?

cours des discussions menées. Le sujet lancé, et comme si je n'étais plus alors présent, se réappropriant le fond du problème, elles se sont mises à le commenter, à débattre et ont laissé filtrer dans leurs récits des bribes de vie. S'amorcèrent alors les réflexions aux unes et aux autres, telle Simone apostrophant Marie : « Tu te souviens pas avec ton homme ? Combien de fois tu lui as crié dessus parce qu'il ne t'avait pas monté du bois » ! Et Marie de répondre : « Oh tu sais les hommes si on les brusque pas un peu, on peut toujours attendre d'avoir du feu dans la cheminée ». Ce qui est intéressant tient au fait qu'elles s'estimaient sauves de toutes pratiques violentes, sans se douter que déjà elles épousaient les schémas convenus d'une violence féminine avant tout psychologique.

En aparté Lucienne, une grand-mère de 87 ans, glisse à sa voisine : « J'en ai cassé des plats à cause de lui », et s'en suit un sourire complice d'Adélaïde. Je rappelle ma présence par un trait d'humour en rebondissant sur la remarque de Lucienne, et, aussitôt, ce cercle de femmes âgées se replie sur lui-même comme si la culpabilité d'en avoir trop dit les désignait comme de mauvaises épouses, car au-delà des violences du quotidien, il s'agissait surtout de sauver les apparences pour laisser à la voisine le soin d'être l'objet des moqueries ou au contraire de toutes les attentions.

Chez les femmes entre 25 et 50 ans, la difficulté s'amenuise et les réticences au questionnaire tombent peu à peu. En dessous de 25 ans, je n'ai rencontré aucune réticence parmi les jeunes femmes sondées. Ces trajectoires et ces histoires m'ont permis d'apprécier le passage de l'intériorisation d'une violence tabou à son extériorisation assumée. Chez les hommes, j'ai obtenu beaucoup moins de retour à cette enquête, comme si le simple fait d'évoquer la violence des femmes pouvait annoncer une remise en cause de leur propre virilité. J'ai essuyé des rires et des moqueries de quelques-uns pour qui il ne s'agissait que d'un sujet factice digne d'une émission de Delarue.

Ce mépris de certains hommes trahit dans un même élan mais sous une autre forme le même malaise que celui rencontré chez les personnes âgées. On sait que cette violence existe, mais on la garde secrète, on en connait les formes mais on préfère la garder silencieuse. Le questionnaire que j'ai élaboré est un questionnaire simple dans sa forme mais visiblement difficile dans son traitement. Il a été pensé comme un entonnoir. En effet d'un point de départ assez large sur la violence en tant que telle, peu à peu le propos s'est recentré sur la question des violences féminines. Afin de rendre le développement moins prévisible, le questionnaire propose des entorses, des digressions à la logique qui pourrait être attendues par les enquêtés.

Voici les questions qui ont été posées et auxquelles ont répondu cent enquêtés.

1) Pour vous, qu'est-ce que la violence ? Donnez votre propre définition.
2) Pour vous la violence a-t-elle un sexe ?
3) Existe-t-il selon vous des violences typiquement féminines et des violences typiquement masculines ?
4) Quelle définition donneriez-vous à la violence conjugale ?
5) Que pensez-vous des hommes qui battent leur femme ?
6) Que pensez-vous des hommes battus par leur femme ?
7) Comment définiriez-vous une femme violente ?
8) Qu'évoque pour vous le couple femme/criminelle ?
9) Pensez-vous que la loi s'applique avec la même rigueur aux hommes et aux femmes ?
10) Citez le nom d'une femme qui pour vous symbolise la violence.
11) Que pensez-vous du lien femme/histoire ? Les femmes ont-elles une histoire ?
12) Pensez-vous que les femmes sont physiquement plus faibles que les hommes ?

Avant d'envisager les réponses fournies par les enquêtés, un mot sur le choix des questions. La violence de façon très générale a été l'amorce d'un recentrage sur la question des femmes violentes en tant que telles. Les questions 5 et 6, à la charnière des autres, se sont montrées particulièrement révélatrices de la perception fixiste du rôle des sexes et des clichés inhérents à cette permanence des attributions. Si la question des hommes violents n'est pas du tout problématique, la réciproque quant à elle l'est beaucoup plus.

La violence des femmes, une fracture morale et sociale ?

L'intrusion dans le questionnaire des violences féminines et la déstabilisation qu'elle suscite est perceptible dans les réponses proposées.

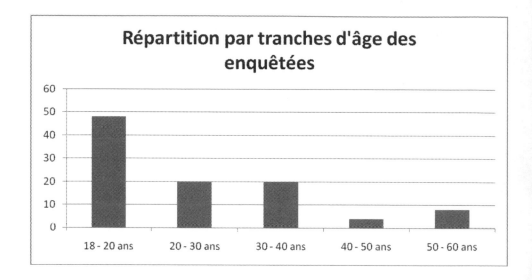

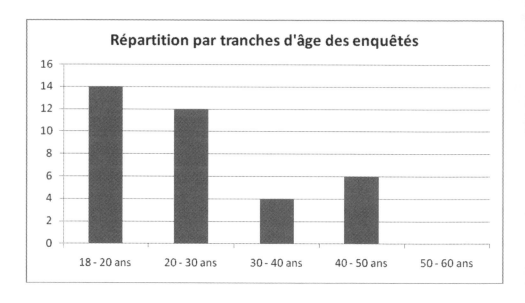

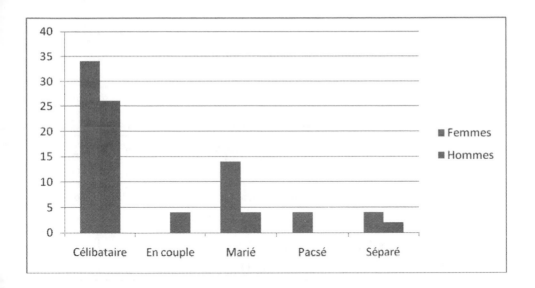

Situation familiale des enquêtés.

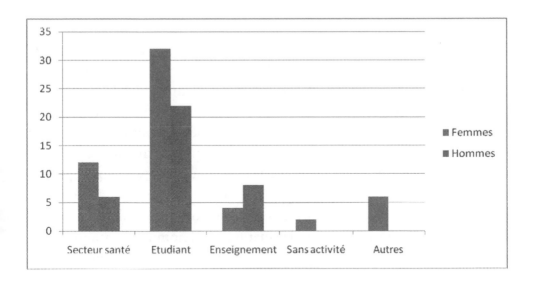

Répartition socioprofessionnelle des enquêtés.

La violence des femmes, une fracture morale et sociale ?

	Femmes	Hommes
Violence masculine perçue comme manque de virilité	-	-
Violence masculine perçue comme faiblesse/lâcheté	10 %	26.6 %
Violence masculine perçue comme maladie	30 %	20 %
Violence masculine comme forme d'irrespect	5 %	13.3 %
Violence masculine perçue comme expression d'une souffrance	5 %	-
Violence féminine perçue comme faiblesse/lâcheté	5 %	13.3 %
Violence féminine perçue comme maladie	22.5 %	6.6 %
Violence féminine perçue comme expression d'une souffrance	5 %	-
Violence féminine comme forme d'irrespect	2.5 %	-
Hommes battus perçus comme lâches/faibles	15 %	20 %

**Formalisation des réponses relatives
à l'exercice de la violence au sein du couple.**

Les enquêtes étudiées permettent de mettre en évidence le rapport quasi schizophrénique qu'entretient la société vis-à-vis des représentations de la violence. Il y a tout d'abord une condamnation unanime de la violence quel que soit le sexe concerné. Cette condamnation est à rapprocher de la pathologie. Qu'il s'agisse des hommes ou bien des femmes, le recours à la violence est assimilé à une psychologie perturbée. Émergent cependant dans les enquêtes certaines contradictions qui me permettent de parler de schizophrénie sociale et morale. Comme le montre le tableau précédent, il y a condamnation de la violence faite aux femmes, mais il y a aussi condamnation de l'homme battu, présenté comme faible et lâche. Certains enquêtés dénoncent dans leur réponse relative aux femmes battues la brutalité masculine, mais ne semblent pas perturbés ensuite par le fait de désigner un homme battu comme un ersatz d'homme, le qualifiant de faible et de soumis. Cet aspect est assez révélateur de l'intériorisation des rôles que nous avons tout au long de ce travail tenté d'envisager. Il subsiste encore chez beaucoup d'entre nous l'idée que l'homme est investi d'une puissance physique supérieure (à la

222

question « Pensez-vous que les femmes soient physiquement plus faibles que les hommes ? », le oui l'a très largement emporté), qui justifie l'exercice d'une protection sur les femmes. Je pense que c'est l'un des points les plus intéressants de cette enquête qui révèle finalement les nombreux archaïsmes liés aux rôles des sexes qui demeurent encore vivaces. Comment dès lors parler d'égalité des sexes lorsqu'il y a double condamnation du masculin présenté comme brute mais aussi comme lâche ? Cette idée d'une féminité victime et d'un masculin violent et de surcroît coupable se retrouve dans les représentations du rapport des sexes à la justice.

	Réponses Femmes	Réponses Hommes	Réponses Femmes/Hommes
Oui	12 %	20 %	15 %
Non	40 %	46.7 %	42.5 %
L'espère	32 %	26.7 %	30 %
Ne sait pas	16 %	6.6 %	12.5 %

**Réponse à la question : Pensez-vous que la loi s'applique
avec la même rigueur aux deux sexes ?**

Seuls 15 % des enquêtés pensent que la justice française s'applique avec la même rigueur aux deux sexes ! Comment parler véritablement d'égalité des sexes lorsque ces derniers s'estiment inégaux devant la loi ? La réflexion sur les femmes violentes permet d'une certaine manière de révéler des contradictions tout autant que des incohérences. La femme est perçue (et trop souvent se perçoit) comme une victime. Est-ce un « statut » qui justifierait la partialité de la loi ? La question demeure en suspens, elle pourrait (devrait) faire l'objet d'un travail à part entière. Homme-bourreau, femmes-victimes, violences masculines combattues, violences féminines minorées, il y a actuellement au sein de nos systèmes politiques et judiciaires de grandes incohérences. Il y aurait tout compte fait un consensus tacite qui, en dépit des mouvements pour l'égalité des sexes, se surimposerait aux sexes, enferrés dans des figurations inconscientes de leurs propres rôles.

Violences politiques	Violences familiales	Criminelles	Violence de guerre	Divers
– Lucrèce Borgia – Marine Le Pen (2) – Margaret Thatcher (8) – Ségolène Royal – Rachida Dati – Valérie Pécresse – Charlotte Corday (4) – Sarah Palin – Catherine de Médicis (3) – Clytemnestre – Impératrice Irène (2)	– Folcoche (4) – Médée (6) – Véronique Courjault (6) – Femmes qui battent leurs enfants (2)	– Élisabeth Bœthory – Bonnie Parker (4) – Sœurs Papins (5) – Aileen Wuornos – La Corriveau – Simone Weber (4)	– Athéna – Femmes nazies – Jeanne d'Arc (7) – Irma Greese	– Évelyne Thomas – Catwoman – Tina Turner – Nikita (2) – Harpies – Pink – Marianne – Marâtre de Blanche Neige – Emma Bovary – Sorcière (5) – Domino Harvey
25	18	16	10	16
Nombre total de réponses : 85 (7 personnes n'ont rien répondu).				

L'analyse des images de la femme violente qui émergent de l'enquête va d'ailleurs dans ce sens.

Il est très intéressant de voir que la figure de la femme violente en politique se distingue des autres. Pourquoi les femmes inspireraient-elles craintes et méfiances ? Il faut tout d'abord remarquer que la grande majorité des noms cités coïncident avec des moments de grands troubles, qu'ils soient politiques, religieux ou économiques mais pas seulement. Ils révèlent également l'inquiétude qui semble persister encore dans le fait de confier à des femmes des responsabilités politiques. Les sondages montrent pourtant le contraire mais les sondés mettent-ils véritablement en pratique leurs idées ? N'y a-t-il pas quelque part un désir de se montrer moderne tout en étant au fond profondément réactionnaire ? La place des femmes est pourtant un impératif et les noms cités par les enquêtés, s'ils sont associés comme nous l'avons dit à des situations de crises et de troubles, ont exercé avec une grande détermination leurs responsabilités politiques. La raison d'État a été bien souvent par la force imposée, mais à situation d'urgence réponse de circonstance. La politique de Catherine de Médicis durant les troubles religieux qui opposèrent protestants et catholiques entre 1562 et 1598 en est un parfait exemple. La postérité de la reine, particulièrement controversée, oscille entre rejet et réhabilitation. Pendant très longtemps l'image négative de la reine fut donnée en exemple afin de justifier la mise à l'écart des femmes de la scène politique. Et pourtant sans l'action de Catherine de Médicis il est fort à parier que la situation aurait été bien pire encore. Émerge encore de ces enquêtes l'association qui peut être faite entre violence et politique. L'action de Charlotte Corday qui a assassiné Marat, l'impératrice byzantine Irène qui fit énucléer son propre fils pour conserver l'exercice du pouvoir, Clytemnestre qui avec l'aide de son amant assassine son époux encombrant, Marine Le Pen qui, associée aux extrêmes politiques, suscite un sentiment de crainte pour beaucoup, bref, le vieux socle des clichés dont les femmes sont taxées n'est pas loin. Irrationalité, débordements et autres excès, autant de travers de longue date reprochés aux femmes qui ne sont pas encore écartés. Il me semble que c'est bien davantage le pragmatisme, la détermination et l'efficacité des femmes qui paradoxalement inquiètent.

Les violences criminelles et infanticides exprimées au travers des noms cités témoignent eux aussi du poids des représentations et du manque d'imagination. On confine les violences féminines dans des formes de violences attendues et paradoxalement rassurantes. Ceci revient à dire qu'il semble difficile de les voir en investir des formes autres que celles qui leur sont habituellement concédées. Violences attendues confrontées à l'autre visage de la femme en proie à la violence, à savoir celle de la victime.

Élisabeth Badinter, dans son ouvrage intitulé *Fausse Route*[243], constate que les féministes contribuent à diffuser cette idéologie « victimiste » des femmes et leur volonté d'humilier les hommes en les confinant dans le rôle de l'asservisseur. Cette vision finalement très manichéenne doit être dépassée. Élisabeth Badinter indique que les femmes ne se contentent pas

---

243. BADINTER (Élisabeth), *Fausse Route, op. cit.*

La violence des femmes, une fracture morale et sociale ?

d'être violentes dans le cadre conjugal, mais qu'elles peuvent également tuer par sadisme et par intérêt et exercer d'autres types de violences. Pour l'heure nous sommes encore bien trop impressionnés par les représentations de la femme, et, oserais-je le dire, cette inconstante « nature féminine » que les femmes, tel un boulet, continuent de traîner dans leur sillage.

Les représentations actuelles de la femme violente

Dans un tout autre registre, il est intéressant de constater la fascination tout autant que la crainte qu'inspirent les femmes violentes aux deux sexes. C'est avec l'arrivée du cinéma que leur image s'est considérablement diffusée. Aux États-Unis, et plus particulièrement à Hollywood dont la production filmique inonde les salles de cinéma du monde entier, l'apparition à l'écran des femmes fortes date selon Émilie Bourque-Bélanger de l'ère Reagan[244]. Ces femmes posent problème aux féministes qui y voient un travestissement de la féminité à laquelle on impute des fonctions, des attitudes et des logiques typiquement masculines. Les femmes violentes au cinéma seraient le double des hommes qui par le biais d'une incarnation féminine des comportements qui leur sont familiers, pourraient fantasmer sur la violence incarnée par une femme.

La femme sexy et violente, ne serait selon elles qu'un artefact, une sorte de totem masculin qui peut être révéré sans pour autant induire une quelconque ambigüité sexuelle. Si les héros masculins excitent l'ego du mâle, ils ne peuvent en théorie faire l'objet de désir. La femme violente quant à elle le pourrait. La traditionnelle condamnation de la femme-objet, s'essouffle quelque peu, car il est grand temps d'admettre qu'une femme peut être jolie, séductrice et violente. Si le cinéma montre une certaine idée que l'on se fait d'une société, il s'attache le plus souvent à reconstruire une partie du réel.

---

244. BOURQUE-BÉLANGER (Émilie), « Les femmes violentes dans le cinéma hollywoodien à l'ère Reagan », *Communication, lettres et sciences du langage*, Revue électronique, Vol. 2, n° 2, printemps 2008, pp. 21-40.

Comme l'a montré Pierre Sorlin, le cinéma n'est pas l'exact reflet de nos sociétés, il en est une interprétation à un moment donné[245]. À la manière d'une fiction littéraire, le cinéma s'il ne reproduit pas la société dans son entière vérité, traduit et trahit cependant la mentalité de la société qui l'engendre. L'œuvre cinématographique du réalisateur américain Quentin Tarantino est révélatrice de cette image ambivalente de la féminité qu'il met en scène de façon duale[246]. Il s'agit de montrer des femmes belles mais surtout des femmes fortes, en se détachant des clichés qui associent femmes fortes à femmes fortement masculines. Il ne s'agit plus d'une féminité totem de la violence mais d'une féminité violente, usant de tous les expédients possibles et imaginables pour s'imposer.

Dans son film *Kill Bill* sorti en 2003 et sa suite sortie en 2004, l'intrigue se noue autour de plusieurs femmes violentes, tueuses à gages, belles et dont l'héroïne, animée par un désir de vengeance sans bornes, se livre à un massacre méthodique de ceux et surtout celles qui l'avaient laissée pour morte le jour de son mariage. L'idée de Tarentino n'est pas de montrer que les femmes peuvent être aussi dangereuses et fortes qu'un homme, mais bien plutôt de faire valoir qu'elles le sont déjà. L'héroïne incarnée par Uma Thurman agit seule, guidée par son unique désir de vengeance. Rien ne semble ébranler sa détermination. Seule la découverte de sa maternité lui inspire de la crainte. Elle n'éprouve pas de peur pour elle-même mais pour la vie de l'enfant qu'elle porte. La maternité devient à la fois faiblesse (elle a peur pour son bébé), et force (venger la mort supposée de son enfant qu'elle croit mort). La femme violente, telle que Tarantino la présente, est femme et mère, la rage de la première animée par celle de la seconde. La vengeance et la violence sont davantage celles de la mère meurtrie que celles de la femme bafouée.

En 2007, le réalisateur met de nouveau en scène les femmes et la violence en en soulignant tout à la fois les forces et les faiblesses. Dans *Boulevard de la mort* (*Death Proof*), Tarantino dépeint au début du film

---

245. SORLIN (Pierre), *Sociologie du cinéma : ouverture pour l'histoire de demain*, Paris, Aubier Montaigne, 1977.

246. MORSIANI (Alberto), *Quentin Tarantino*, Paris, Gremese « Les Grands cinéastes », 2009.

l'image de la femme-objet source de fantasme et de désir au travers d'un groupe de jeunes femmes belles et sensuelles, libérées sexuellement. Ces dernières payent de leur vie leur insouciance, assassinées par un psychopathe pervers qui ne trouve du plaisir que dans la mort des femmes qu'il ne peut posséder. Au premier groupe de femmes, Tarantino oppose une autre image de la féminité par le biais de jeunes femmes déterminées, cascadeuses et pour le coup un peu garçon manqué. C'est à elles que la mission de faire justice est confiée, de punir et de châtier la puissance masculine symbolisée dans le film par la voiture du meurtrier à laquelle on oppose la voiture du groupe de cascadeuses.

Masculinité et féminité s'opposent symboliquement par la machine, faisant passer au second plan les sexes. Cette opposition est encore renforcée par une codification stéréotypée des couleurs des véhicules : noire pour le meurtrier, blanche pour les cascadeuses justicières. Le film s'achève par une ultime confrontation entre le criminel et les trois femmes dans un corps à corps particulièrement violent. En effet, elles rouent de coups celui qui a tenté de les assassiner elles aussi. Les rôles sont alors inversés, ce n'est plus la féminité suppliante qui est mise en scène mais au contraire l'homme dans sa faiblesse, dépourvu du véhicule qui symbolisait sa force. Livré à la vindicte des cascadeuses, il expire sous les coups redoublés de ces dernières, qui d'un coup de talon bien placé, achèvent sur un fond de musique joyeuse le coupable. La violence des femmes est ici associée à une violence justicière qui nie les valeurs de pitié et de pardon, pour mettre en avant la capacité à punir par l'usage d'un châtiment exemplaire. Ce renversement de la violence valorise l'utilisation de la force pour punir l'autre, la violence étant donnée à voir comme un expédient naturel dans ce cas de figure. Il est à noter cependant que si les femmes triomphent dans le film de Tarantino, c'est parce qu'elles sont trois. Si le réalisateur avait voulu pousser jusqu'au bout son idée d'une égalité dans l'exercice de la violence, il aurait opposé au meurtrier non pas trois femmes mais une seule. Certes la solidarité féminine dans l'adversité est mise en valeur, tout en niant cependant à une femme la capacité physique de s'opposer à un homme. Cette codification filmique d'une violence féminine quasi tribale correspond toutefois à une certaine réalité.

On observe depuis quelques années l'émergence de groupes d'adolescentes particulièrement violentes qui semblent s'élaborer sur le modèle des bandes masculines, mais en ayant toutefois des spécificités propres. La part des adolescentes dans les manifestations violentes, quelles qu'en soient les formes, ne fait que croître[247].

Une question se pose alors. Est-ce la société actuelle et tout ce qu'elle implique qui est responsable de cette « brutalisation[248] » des comportements féminins, ou bien doit-on admettre que cette même société, dans laquelle l'information est dense, ne fait que rendre visible une réalité existante de longue date ?

---

247. VERLAAN (Pierrette), DÉRY (Michèle), PAHLAVAN (Farzaneh), BESNARD (Thérèse) (coll.), *Les conduites antisociales des filles. Comprendre pour mieux agir, op. cit.*

248. Concept que j'emprunte et que je détourne quelque peu à l'historien américain Georges Lachmann Mosse, *De la Grande Guerre au totalitarisme, la brutalisation des sociétés européennes*, Paris, Hachette « Pluriel », 1999.

La violence des femmes, une fracture morale et sociale ?

Conclusion

« Je suis femme… une femme n'a-t-elle pas des yeux ?
Une femme n'a-t-elle pas des mains, des organes, des proportions, des sens, des émotions, des passions ?
N'est-elle pas nourrie de même nourriture, blessée des mêmes armes, sujette aux mêmes maladies, guérie par les mêmes moyens, réchauffée et refroidie par le même été, le même hiver, comme un homme ?
Si vous nous piquez, ne saignons-nous pas ? Si vous nous chatouillez, ne rions-nous pas ?
Si vous nous empoisonnez, ne mourons-nous pas ? Si vous nous faites tort, ne nous vengerons-nous pas ?
Si nous vous ressemblons dans le reste, nous vous ressemblerons aussi en cela… [249] »

À la question « la violence a-t-elle un sexe ? », je crois que l'on peut sans la moindre hésitation répondre que non. La rédaction de ce travail ne fut pas facile et certains aspects abordés dans cet essai sensibles. L'immensité et la complexité du sujet ne sauraient s'abolir dans les limites des quelques pages ici proposées. J'ai essayé avant toute chose et malgré l'aspect particulièrement polémique du sujet, de rassembler dans un même ouvrage les pièces éparses d'un puzzle qui reste encore à reconstituer.

Je pense qu'il est très difficile de définir avec précision à quel moment de l'histoire de l'humanité il fut décidé que l'exercice de la violence serait le propre des hommes. La question et l'illusion du moment où une violence naturelle aurait été confiée à un seul sexe sont à mon sens insolubles. Contrat originel entre les sexes ? Conséquences biologiques de

---

249. Citation inspirée de SHAKESPEARE, *Le marchand de Venise*, Acte III, scène 1, tirade de Shylock.

la maternité ? On peut s'interroger mais difficilement répondre de façon péremptoire. D'un point de vue davantage culturel, nous avons vu au travers des trois figures de Pandore, Ève et Lilith de quelle manière et par quels expédients la femme et la féminité ont été encadrées, surveillées, voire brimées. Il semblerait que très tôt on ait intériorisé l'idée que pour qu'un semblant d'ordre s'installe, pouvoir et autorité ne pouvaient être exercés par tous et qu'il fallait pour le bien commun s'en remettre à un seul ou à un groupe pour assurer la cohérence et la stabilité de ce qui deviendrait nos sociétés. Ce désir de cohérence s'est le plus souvent imposé par la force, rarement par le consensus. Il a fallu attendre l'émergence des démocraties pour voir s'instaurer une forme plus légitime de soumission à un groupe auquel par le vote on indique notre confiance. L'Histoire nous a cependant montré que cette confiance est toujours limitée dans le temps et toujours contestable. La stabilité des sociétés n'est jamais définitive.

À l'échelle des foyers, on peut donc penser qu'il en va de même. La constitution des couples en règle générale (je ne parle pas des mariages forcés) relève d'un choix et se fonde sur une confiance respective accordée à l'autre. Cette union, qu'elle soit longue ou bien brève, peut elle aussi à la manière d'un régime politique, être renversée à tout moment par l'un des deux sexes. Il s'exerce dans les couples tout comme dans les États, une forme de pouvoir que je désignerais comme souveraineté domestique, dont les membres qui forment la cellule conjugale se disputent l'exercice. Ceci nous renvoie à la figure de Lilith et à son désir d'égalité la plus parfaite au sein du couple. Son destin illustre très bien qu'il en fut décidé pour elle autrement. Dans le cadre du couple, comme pour fonder la stabilité d'un État, il fallait un *leader* et un chef pour en assurer le bon fonctionnement. C'est au nom de sa suprématie physique que l'homme a pu usurper à son profit cette responsabilité et partant, asservir la femme. Mais cette prétendue supériorité physique n'a jamais empêché l'autre sexe d'exercer lui aussi la violence et de rechercher tous les moyens de dépasser cette inégalité biologique par divers expédients. L'esprit, le génie, le bon sens et aussi la violence, toutes les qualités qui fondent la résilience ont permis tout au long de l'histoire de la « domination masculine » de donner aux femmes la capacité d'exercer un contre-pouvoir plus subtil. Tous les exemples donnés dans ce travail ont montré quelles formes pouvaient prendre cette résilience, telle l'image de la victime que les hommes ont imposée aux femmes et qui devint leur bouclier pour œuvrer et contourner le masculin. Les occasions de la violence des femmes ont toujours été confisquées et réinterprétées par les hommes afin d'assurer la pérennité de leur mainmise sur l'exercice d'une vertu présentée de longue date comme éminemment masculine.

Pourquoi ? Parce que la violence fut longtemps source de pouvoir et qu'il fallait tenir en respect l'autre sexe pour ne pas le voir surgir dans l'arène masculine de lutte pour le pouvoir. Le coup de maître des hommes a été de parvenir à donner l'illusion de leur triomphe et de l'éviction des femmes du champ des violences, bref du champ du pouvoir. Or cela est entièrement faux. La multitude de travaux issus aussi bien des historiens, que des sociologues et autres anthropologues, permet de montrer peu à peu à quel point cette idée d'une féminité asservie et sans aucune latitude pour maîtriser son quotidien est absurde. L'idée de violence draine dans son sillage des idées de réprobations et de rejet pour le plus grand nombre. Y souscrire, c'est revendiquer une certaine forme de primitivité comportementale. La reconquête de l'empire duquel les femmes avaient été écartées s'est faite sur d'autres valeurs et avec d'autres idées. Laisser l'usage de la violence aux hommes, c'est laisser à ces derniers cet héritage barbare que les femmes nient. C'est de cette négation qu'elles tirent finalement la supériorité de leur sexe. Et pourtant, les femmes ne sont pas à l'abri de la violence qui ne concerne pas les sexes mais le genre.

À l'heure actuelle, ce n'est pas la violence des femmes qui augmente mais uniquement sa visibilité. La plupart des domaines qui ont été de longue date défendus aux femmes sont peu à peu investis par ces dernières au point d'instaurer une véritable confusion des genres dans toutes les acceptions possibles du terme.

La violence n'est peut-être pas le terrain le plus propice à une revendication de l'égalité des sexes, mais étant donné qu'elle concerne aussi bien le masculin que le féminin, elle n'en demeure pas moins un terrain de rencontres, de confrontations et d'analyses que l'on ne peut laisser de côté. Je ne fais nullement l'apologie de la violence, ce n'est pas du tout l'objet de cet essai. J'ai cherché à qualifier les usages de la violence que les femmes ont pu faire et font encore parce que jusqu'ici et quoi qu'en en dise, son exercice leur a été refusé ou nié. Nous pourrions parler de violence libératrice des sexes, ou encore de violence destructrice des préjugés et peut-être aurions-nous raison. Je crois cependant que la violence doit être regardée comme l'une des principales causes de tensions et d'oppositions entre les sexes et une façon de les apaiser réside dans notre capacité à reconnaître aux deux sexes la capacité à utiliser la violence. Tant qu'il n'y aura pas reconnaissance de cette faculté commune aux deux sexes, il ne pourra pas y avoir de véritable égalité. La violence a joué et joue un rôle structurant au sein de nos sociétés. Pour enfin la laisser derrière nous et l'exorciser, il faut la comprendre et ne plus, de façon consciente ou inconsciente, la sexuer. Tant que le masculin sera reconnu comme le grand ordonnateur de la violence et que les femmes seront confinées dans leur statut de victimes, il n'y aura pas de progrès.

La lecture dominant/dominé doit être dépassée afin de fonder et d'établir la véritable réciprocité des sexes, dont les seules différences sont physiques. Nous avons ici posé la question de la violence des femmes, mais nous aurions très bien pu évoquer la sensibilité des hommes et nous heurter à des difficultés analogues. Tout le monde admet cette sensibilité mais ce n'est pas la première chose à laquelle on pense lorsque l'on considère dans sa globalité le masculin auquel d'autres vertus ou vices, tout dépend du point de vue que l'on adopte, sont reconnus. L'ensemble des figures de la femme violente proposé ici n'épuise en rien les différentes manifestations de violences féminines. En effet, l'exemple de la pédophilie incestueuse illustre parfaitement bien cette idée. S'il avait été difficile d'accepter l'existence de pères se livrant à des abus sexuels sur leurs enfants, l'idée de mères pédophiles a longtemps été refoulée et pourtant cette réalité ne peut être niée.

Si l'on s'en tient aux chiffres officiels, il est indubitable que les femmes sont moins violentes que les hommes. Mais « moins violentes » ne veut nullement dire qu'elles ne sont pas violentes. Il y a là une confusion assez significative. Élisabeth Badinter, et j'oserais dire moi-même, n'avons jamais dit que les femmes étaient plus violentes ou moins violentes que les hommes, ce n'est pas cela qui nous a intéressés. Nous avons dit que les femmes peuvent être violentes et nous nous sommes attachés à caractériser les formes et les occasions d'expression de cette violence. Le fait que les violences féminines soient reléguées au ponctuel, au phénomène minoritaire ne justifie en rien que cette réalité soit impensée et refusée.

ANNEXES

L'inceste mère-fils :

Témoignage d'un fils abusé par sa mère : récit d'une souffrance, analyse d'une trajectoire.

« J'ai pris la décision de témoigner ici de ce qu'il m'est arrivé pour diverses raisons : d'abord parce que, comme toute victime qui se reconstruit, j'ai besoin de dire et de mettre des mots sur des événements que je tente d'élaborer de nouveau, de partager et de comprendre. Cela m'aide. Ensuite, parce que les témoignages concernant ce même type d'abus sont rares, j'en ai trouvé très peu et que, d'une certaine manière, je me sens un peu « seul dans mon genre », même si je ressens par ailleurs la parenté de vécu qui me lie avec d'autres victimes et survivant(e)s d'inceste et d'abus, quelle que soit leur histoire. Enfin, je crois qu'il est important de faire connaître ce type d'inceste, parce qu'il est peu connu ou reconnu, qu'il est vraisemblablement plus fréquent qu'il n'y paraît et que ses victimes sont emmurées vivantes dans l'ignorance, mais aussi par une pensée commune qui minimise la portée toxique d'une relation sexualisée d'une mère avec son enfant, garçon ou fille, comme c'est aussi le cas de l'inceste en général. D'avance, je m'excuse de la longueur et des précisions apportées à ce récit. Je les crois cependant nécessaires.

J'ai été abusé par ma mère durant mon enfance. Cela a eu lieu pendant une longue période, indéterminable, puisque mes premiers souvenirs d'ambiguïté dans cette relation datent de mes premières années et s'étendent jusqu'à l'extrême fin de mon adolescence. Je ne pourrais pas ici vous parler d'agression violente en tant que telle, ni de maltraitance immédiatement visible. L'abus maternel est une emprise construite précocement et qui détourne insidieusement les relations normales d'une mère avec ses enfants, nouant finement des liens obscurs entre la tendresse naturelle et la séduction incestueuse, depuis l'amour jusqu'à l'étouffement psychique et affectif.

Nursing *sans limites*

Cette relation biaisée a essentiellement eu lieu pour moi par ce que les spécialistes appellent le *nursing* pathologique : ce sont des soins abusifs, répétés, intrusifs, insistants, excitants et irritants sur l'anatomie intime. Ainsi, ma mère prêtait une attention particulière et un plaisir certain à me laver « consciencieusement ». Cela peut ne pas paraître choquant à première vue, et pourtant... Dès mes premières années, je me rappelle avoir été gêné de ces contacts particulièrement énergiques et par certaines sensations qu'ils produisaient, souvent comme une sorte d'engourdissement mécanique. Ces soins étaient parfois intrusifs, notamment sur mon « derrière ». Ces gestes effectués sans ménagement et d'autres étaient accompagnés en permanence de paroles insistantes sur des préoccupations hygiéniques. J'avais en fait l'impression que toute ma vie tournait autour de la propreté ou de la saleté de ces parties. Concernant mon sexe, ces soins et manipulations constituaient implicitement ou parfois plus explicitement une « initiation », réalisée par un décalottage systématique et insistant, elle pratiquait des frottements multiples difficilement supportables. La sensation explosait et je ne pouvais rien en maîtriser. Je m'en sentais coupable car je ne pouvais rien faire de ces afflux de sensation, et plus tard, des désirs qui y sont liés, sinon de rester nerveusement tendu pour limiter ces impressions et le plaisir imposé qu'elles provoquaient par ses gestes appuyés. Je me vidais la tête pour ne pas m'enfuir ou me mettre en colère, je demeurais mentalement paralysé. Et toujours un flot de remarques et de justifications de sa part accompagnait ces contacts car, malgré mes protestations, elle continuait, me disant de me laisser faire, m'expliquant que cela était nécessaire, comme si je ne pouvais pas le faire moi-même. Elle me disait souvent que les hommes étaient sales et ne savaient pas s'occuper d'eux-mêmes. J'avais toujours l'impression que ces parties du corps étaient sales. J'ai appris progressivement à prendre mon corps et mon sexe en horreur, comme si ce dernier était une partie inacceptable de moi-même. Je devais tout lui montrer et lui laisser manipuler tout cela, même si je n'en avais pas envie, toujours sous couvert de soins et parce que, selon elle, c'est elle qui « m'avait fait », elle me disait même : « C'est un peu à moi tout cela ! », en parlant de mon anatomie intime, comme si je lui appartenais et qu'elle pouvait tout voir et tout avoir. Quant à mes protestations, elle les appelait des « manières ». Cela dura ainsi quotidiennement jusqu'à ce que j'ai 9 ou 10 ans. Elle m'avait de cette façon, en quelque sorte, confisqué mon sexe.

J'insiste ici sur de telles pratiques car elles sont encore facilement acceptées par l'entourage, voir même conseillées dans certains cas. J'en ai été hanté pendant des années et je manifestais mon trouble par une anxiété et une activité sexuelle compulsive, précoce et douloureuse. Un corps d'enfant, dans la limite d'une hygiène respectueuse, ne nécessite pas des toilettes particulièrement intensives et le sexe d'un enfant, garçon ou fille, reste son territoire intime et ne supporte pas autant de manipulations que pour un adulte. L'abus dans ce domaine dépend aussi du climat créé par l'adulte, des paroles et de la liberté qui est laissée ou non à l'enfant vis-à-vis de son propre corps. L'âge, la nature des soins sont bien sûr des données importantes, et très rapidement un enfant peut assumer seul certains gestes, surtout s'il émet des protestations ou des réserves quand on veut s'en occuper. L'attitude la plus toxique étant de ne pas tenir compte de ces réactions, même timides, et d'interdire à l'enfant de maîtriser ses propres sensations.

Fusion et confusion

J'ai donc passé mes premières années, jusqu'à 7 ou 8 ans, en permanence avec ma mère. Fils unique, je sortais peu, j'avais peu d'amis et restais dans son giron. Elle ne favorisait guère les sorties, ou bien celles qui l'intéressaient. Je ne voyais qu'elle puisqu'elle ne travaillait pas et restait avec moi. Plus tard, elle venait dans la salle de bain, alors que je prenais ma douche ou mon bain. Je fermais les verrous, mais elle me disait de les laisser ouverts. Elle ou mon père avait toujours quelque chose à y faire. Parfois, elle sortait nue de la baignoire, ou se préparait en sous-vêtements tandis que je faisais ma toilette. Je préférais attendre mais elle disait qu'on n'avait pas le temps… D'autres fois encore, elle me demandait de lui passer le gant de toilette dans le dos, je la voyais donc nue, curieux, impressionné et très confus. J'en ai eu un jour la nausée. Son corps fréquemment exposé m'envahissait, je n'ignorais en fait plus rien de son anatomie. Était-elle ma mère ? Était-elle mon épouse ? mon amante ou… quoi ?! Je pouvais aussi venir dans le lit de mes parents, le matin, jusqu'à un âge avancé. C'était un moment agréable que je réclamais, même si cette situation me troublait parfois, me faisant entrer là où je n'avais pas ma place. Un soir, alors que mon père n'était pas là, ma mère me dit que je pouvais venir dans son lit. Elle se colla à moi, ses bras autour de ma taille, derrière moi, sa main sur mon ventre, ses pieds contre les miens, ses genoux dans le creux des miens et son ventre contre mes fesses. Elle changea de position et elle me dit de ne pas remuer pour ne pas l'empêcher de dormir. Je restais figé, ne sachant pas quoi faire… À quelle place étais-je ? À la place de mon père ! Les câlins fusionnels étaient eux très fréquents, j'en réclamais certains, elle venait chercher les autres. De longs câlins, sur un fauteuil ou par terre, allongés et collés l'un à l'autre. Elle rentrait dans ma chambre quand elle le voulait, de nombreux câlins eurent lieu sur mon lit, elle se mit même plusieurs fois sur moi, saisissant l'occasion d'un « chahut », me bloquant « par jeu », à cheval sur moi. Je me souviens de sa nuque en sueur et de ses seins qui tombaient sur ma poitrine et à quelques centimètres de mon visage, de son regard brillant. C'est à l'image de cette situation que je comprends encore la mesure de son « poids » sur l'enfant que j'ai été. Par sa langue et ses paroles, elle m'envahissait aussi. « On est bien là, tous les deux, non ? », demandait-elle tandis que mon père était en déplacement. Elle se calait contre moi, dans le fauteuil, devant la télé, comme si j'eus été son mari. Elle posait même sa tête sur mes cuisses ou frottait ses pieds contre mes jambes… « Quoi qu'il arrive, tu seras toujours mon fils, rien ne me l'enlèvera jamais ! » ; « Tu aimeras encore ta mère lorsqu'elle sera vieille et laide ? », demandait-elle avec un éclat brillant dans les yeux. Était-ce bien à moi qu'elle devait poser ce genre de questions ?! Et ces histoires « drôles » ou coquines qu'elle me racontait, histoires de mari trompé, de roi homosexuel, d'enfants sexuellement précoces... Et ses histoires et secrets de famille, son enfance dure racontée sous le masque du « bon vieux temps ». J'étais donc son confident, j'étais un « enfant-réconfort ». Je buvais ses histoires et tentais de la consoler de certains passages dépressifs. Je lui caressais les cheveux comme à un enfant lorsqu'elle était fatiguée. Je devenais finalement « blindé » et plus adulte qu'elle, j'étais sage, très sage, et je devais tout le temps me tenir correctement, sauf quand cela l'arrangeait et qu'elle désirait cette proximité avec moi. Elle me disait qu'elle aurait aussi aimé avoir une petite fille, pour pouvoir parler de choses de filles, pour avoir une confidente. J'étais aussi cette petite fille, son « enfant-poupée ». Cette poupée qu'elle aurait voulu avoir étant petite. Par exemple, elle me coiffait durant de longs moments (elle aurait voulu être coiffeuse), bien qu'elle me fasse mal, ou bien elle m'habillait rudement et me disait encore de ne pas faire de « manières ». Elle me mettait de la laque comme à une femme. Elle me demandait si je n'aimais pas les femmes plus vieilles que moi, comme ce cousin de mon père. Elle m'homosexualisait aussi par ses soins, par ses histoires : à chaque fois qu'untel ou un autre, à la télé, était soi-disant homosexuel, elle me le faisait savoir avec excitation. Et d'autres soins encore : prise de température ou « suppos » accompagnés de paroles telles que : « Mais pourquoi tu râles ?! Souviens-toi, tu aimais pourtant bien cela quand tu étais petit ! Laisse-toi faire sinon je vais te faire mal ! ». À d'autres occasions, l'image des hommes qu'elle me renvoyait était celle d'êtres faibles et lâches, que les femmes ne pouvaient tenir « que par la braguette ! », disait-elle. C'est ce qu'elle voulait faire avec moi.

Mépris, méprise, emprise

La mainmise de ma mère sur mon intimité s'exerça longtemps. Je n'ai pas appris, enfant, à être autonome, à avoir mes propres désirs et ma propre vie. Le plus difficile à supporter est d'avoir dû participer à cette relation déstructurante. Il est en effet très gratifiant pour un enfant, surtout pour un garçon, d'occuper une place de compagnon quasiment adulte, auprès de sa mère. C'est naturel, l'enfant aspire à grandir, et j'ai été projeté à la place de mon père, qui était affectivement lointain. Ma mère s'en est servie pour combler ses manques infantiles et affectifs. J'étais très flatté d'occuper cette position privilégiée auprès d'elle et, en même temps, j'étouffais de ne pouvoir être moi-même, de ne pouvoir « prendre le large » et devenir un garçon, puis un homme. J'éprouvais une rivalité sourde pour mon père. Lui aussi, n'a guère aidé à briser cette fusion aliénante et s'est tenu loin de tout cela, acceptant même cette inclusion de son enfant dans sa vie conjugale. Il manifestait parfois une vague hostilité, mais plutôt contre moi que contre elle. Je ne savais plus où j'étais et me réfugiais dans mes pensées, dans ma bulle imaginaire, enfant surintellectualisé. Cela faisait de moi la presque parfaite illustration du petit « Œdipe »... à ceci près que la version psychanalytique mensongère prétend que c'est l'enfant qui est primairement séducteur, ce qui souligne à quel point il est insupportable pour beaucoup de gens d'admettre que c'est d'abord l'inverse qui se produit en réalité. À l'époque, immergé dans cette situation, je ne me rendais compte que d'un malaise confus et viscéral, mais sans savoir de quoi il s'agissait. Tout demeurait refoulé et amnésié. Tout cela n'éclata véritablement que plus tard, lorsqu'il fallut grandir et que je voulus vivre véritablement en homme.

Conclusion

Je n'ai pas tout raconté, mais certains peuvent penser que ceci n'est que broutilles, que c'est exagéré ou comme mes parents le pensent, que l'enfant que j'étais a « mal interprété » tout ce qui est arrivé. D'autres, je l'espère, prendront la mesure nuancée de ce que peut-être un abus psychique et sexuel.

J'ai voulu ici témoigner de plusieurs choses : tout d'abord, l'abus n'est pas que violence, il est aussi fait de séduction et de microtraumatismes cumulatifs, les gestes et paroles peuvent constituer un véritable climat abusif, un inceste moral auquel le passage à l'acte violent n'est pas nécessaire et cette accumulation est tout autant destructrice que beaucoup de maltraitances « visibles » : « Les abus sexuels sont aussi d'autant plus graves que l'agresseur contraint l'enfant à éprouver du plaisir. » Je me permets de m'adresser ainsi à celles et ceux qui, comme moi, ont eu l'impression de n'avoir rien connu de « si grave que cela » : l'abus ne se mesure pas forcément à l'aune de la violence manifeste, mais aux dégâts qu'il a créés.

Ensuite, je voulais témoigner de ce que les mères aussi peuvent abuser, maltraiter, voire tuer psychiquement ou réellement leur enfant, quelle que soit l'innocence qu'on tend à leur accorder sans hésitation, elles sont parfois plus discrètes mais leur emprise est réelle et peuvent venger leurs souffrances sur leurs enfants, comme les hommes, d'une façon différente mais tout aussi toxique. Le mettre à jour permettra peut-être à certains de s'en sortir.

Enfin, je veux témoigner du fait que nous pouvons ne pas rester les victimes silencieuses et irréductibles que nos abuseurs auraient pu faire de nous.

Vincent C. [250] »

L'inceste mère-fille :

L'inceste mère-fille est, pour Françoise Héritier, l'inceste le plus radical[251].
Témoignage d'une fille abusée sexuellement par sa mère :

---

250. Source : site Internet de l'association internationale des victimes de l'inceste. http://aivi. org/index.php?name=News&file=article&sid=572
251. (Françoise) HÉRITIER, *Les deux sœurs et leur mère*, Paris, Odile Jacob, 1993.

« Je vais tout d'abord raconter aujourd'hui ce que ma mère m'a forcé à faire et fait subir sous la violence de l'âge de 11 ans à 14/15 ans.

Je m'efforcerai ensuite d'énumérer les traumatismes que cela a engendrés dans ma vie actuelle avec la réminiscence de ce qui s'est passé et toute la charge émotive qui l'accompagne. Je conclurai avec l'espoir dans lequel je vis aujourd'hui et le travail que j'effectue en thérapie à l'aide de ma psychiatre sur le chemin de la guérison.

Tout a commencé après une très longue période de maltraitance physique et psychologique dans laquelle j'ai vécu ma petite enfance jusqu'à l'âge de 10/11 ans.

Ne pouvant plus se défouler sur mon petit corps à travers les coups qu'elle me portait, elle trouva un jour une nouvelle manière de me détruire : l'INCESTE.

J'avais 11 ans. Un soir, alors qu'elle faisait sa toilette dans la salle de bain, elle me fit signe de venir. Je m'exécutai, elle ferma la porte derrière moi et commença à se déshabiller. Je n'avais jamais vu ma mère nue et je fermai les yeux pour ne pas la voir de peur de faire une bêtise et de mourir terrassée en la regardant comme quand on regarde « Dieu ».

Elle m'enleva violemment les mains de devant les yeux et m'obligea à la regarder. Ensuite, elle prit ma main et m'obligea à caresser ses seins, son ventre et elle descendit sur son sexe, là je me raidis, et lui dis que je ne voulais pas, qu'elle devait me laisser partir. Plus je me raidissais et plus elle me serrait le poignet et maintenait ma petite main sur son sexe qu'elle me faisait caresser. Ensuite, de l'autre main, elle me saisit la tête, me força à m'agenouiller, me colla la tête sur son sexe et me demanda de la lécher avec ma langue. J'étais tétanisée par la peur et je ne pouvais même pas réagir. J'étais comme paralysée, mon esprit criait non et ma langue exécutait sous le dégoût de l'odeur de son sexe et le goût qui ressemblait à du poisson.

À cet instant je n'avais qu'une idée en tête : vite en finir pour pouvoir partir et j'eu l'impression que mon esprit se détachait de mon corps. Pendant toute la scène, elle continua à me tenir fermement, me blessant au poignet droit.

Une fois terminé, je courus m'enfermer dans les WC pour vomir et pleurer. J'y restai au moins 1 heure, avec la peur de croiser son regard et me demandant comment j'allais pouvoir vivre maintenant avec cette chose entre nous. Puis je sortis et là elle fit comme si de rien n'était. Moi, complètement meurtrie, j'allai me coucher sans manger tellement j'étais terrifiée.

Les scènes de la salle de bain se reproduisirent à n'en plus finir, comme un rituel le soir...

Vers 11 ans et demi, un soir, alors que j'étais en chemise de nuit sur mon lit en train de faire mon cartable pour le lendemain, elle entra brutalement, referma la porte derrière elle et s'assit à côté de moi en me disant : » Tu vas voir, je vais te montrer quelque chose dont tu ne pourras plus te passer ».

Elle m'écarta violemment les cuisses, instinctivement je les resserrai en lui disant que je ne voulais pas, que je n'avais pas envie.

Mais elle continua à m'écarter les cuisses en me regardant méchamment comme elle en avait l'habitude, de mon côté je résistais en essayant de lui enlever les mains et en me raidissant. Elle me bloqua alors fermement les bras en arrière avec sa main gauche et dirigea son autre main vers mon sexe.

Je criai, je me raidis et je perdis brutalement connaissance tellement j'étais tétanisée par la peur de ce qu'elle allait me faire.

Quand je repris connaissance, son doigt m'avait pénétrée. Je le sentais dans mon ventre, qui allait et venait c'était comme s'il allait ressortir par ma bouche, comme s'il allait me transpercer, je le sentais presque dans ma gorge, j'avais envie de vomir et je ne pouvais rien faire ni dire, j'étais paralysée par la peur.

Je lui criai que je ne voulais pas et elle me répondit de me taire et d'arrêter de bouger, que plus je bougerais et plus j'aurais mal et plus ce serait long. Son doigt s'agitait violemment et il frappait contre ce qu'aujourd'hui je peux appeler mon clitoris.

Elle cognait, cognait, moi j'avais la tête qui tournait, j'avais chaud, j'avais mal, mes oreilles bourdonnaient, j'ai senti un grand malaise en moi et j'ai reperdu connaissance.

Quand je revins à moi, elle avait arrêté et elle partait, me laissant sans force et meurtrie dans ma chair qui me cuisait. Mon corps tremblait, j'avais du mal à respirer, je ne pouvais pas bouger, j'étais comme clouée sur le lit...

Dans la nuit, je fus malade : mal de ventre, fièvre, vomissement... Elle décida donc de me garder à la maison jusqu'au début de la semaine suivante en me gavant de tranquillisants qui me clouèrent au lit toute la journée. Je ne vis pas de docteur...

Elle ne voulait pas que je parle. Cette scène se reproduisit, comme celle de la salle de bain, jusqu'à l'âge de 15 ans. Elle réussit à me faire croire que nous avions une relation privilégiée, que c'était notre secret, que j'avais beaucoup de chance qu'elle m'ait choisie. Sa perversité la poussait parfois à me pénétrer avec des objets comme des carottes, des bananes, des courgettes et des embouts d'ustensile.

Elle finit par me faire croire que j'aimais « ça », que j'étais faite pour ça et moi je croyais qu'elle pourrait m'aimer si je lui donnais du plaisir, je fixais ses yeux jusqu'à la voir se révulser et se remplir de plaisir.

Je croyais que pour ça elle m'aimerait, mais il n'en était rien, je redevenais à chaque fois après cette petite fille qu'elle haïssait... Elle m'a forcé après à le faire avec ses hommes et cela l'excitait... Mais là, c'est un autre sujet...

Voilà le triste récit de cet inceste maternel qui m'a demandé beaucoup de courage à écrire, tant la souffrance est encore omniprésente, j'y suis arrivée et seul cela compte, puisque chaque pas de franchi est un pas de plus vers la guérison.

Les souvenirs sont revenus il y a à peu près deux ans et je travaille à peine sur ce thème que depuis cet été, je dois apprendre à vivre avec et c'est dur.

Je ne dors plus la nuit, je reste prostrée habillée de larges vêtements qui cachent mon corps, je fais des crises de boulimie pour détruire ce corps, pour le rendre indésirable, je me mutile le bras droit en y gravant à la pointe d'un ciseau tous les mots qu'elle m'a dits et que j'entends la nuit (délire, hallucinations).

J'ai pris beaucoup de poids depuis le début de la thérapie en février 2001 (30 kg), mais plus particulièrement depuis cet été : près de 15 kg.

J'ai des crises d'angoisse terribles et spectaculaires avec des attaques de panique rien qu'à l'idée de devoir sortir de chez moi, je vis cloîtrée chez moi les volets fermés, prostrée une bonne partie de la journée, je ne dors que 4 h par jour de 6 h à 10 h et l'après-midi lorsque je suis exténuée à l'aide de médicaments.

Je n'ai plus de relations sexuelles avec mon mari depuis quatre ans.

Je passe des semaines entières sans pouvoir me laver intimement parfois au contraire je me lave toute la journée, je ne peux pas me regarder dans un miroir, je déteste mon corps et c'est pour cela que je lui fais mal et que je le cache.

Au moment où j'ai travaillé sur la scène de la salle de bain j'ai un jour rempli le frigo de poissons comme si j'avais inconsciemment besoin de me punir en sentant cette odeur qui me dégoûtait.

En thérapie depuis quelques semaines, je bute sur la scène de la chambre, je ressens encore toute cette violence et mon corps se souvient. J'ai très mal au bas ventre, j'ai des spasmes musculaires dans les cuisses.

C'est très dur et très éprouvant, j'ai du mal à regarder la scène en tant que spectatrice alors que je peux maintenant le faire pour la scène de la salle de bain.

Je me sens coupable et honteuse de n'avoir rien dit, rien fait, d'avoir participé à ce jeu pervers. J'ai parfois l'impression d'être ce qu'elle disait…

Je me sens coupable d'avoir éprouvé du plaisir à le faire, à avoir parfois eu envie de le faire… Je sais pourtant grâce à la thérapie qu'elle n'avait pas le droit de me le faire, qu'elle a été violente et monstrueuse avec moi, qu'elle n'a pas le droit de porter le nom de « mère », qu'elle est malade et que je n'avais pas le choix, que je lui ai dit que je ne voulais pas et que ce qui s'est passé, ce que j'ai ressenti n'a rien à voir avec une relation sexuelle normale et consentie…

Aujourd'hui j'ai très mal face à cette image de pénétration, face à la douleur toujours présente, face à la charge émotive qui s'en dégage, mais je continue de me battre car je sais que je VEUX y arriver et que je PEUX y arriver grâce à ma famille qui me soutient et à ma psy qui me guide vers la guérison.

Et puis il y a tous les membres du site Rayon de soleil sans qui je n'aurais eu la force et le courage d'écrire ce témoignage.

J'espère être, un jour très proche, enfin libre et heureuse d'aimer et d'être aimée, le combat est éprouvant et long mais je ne baisse pas les bras un jour viendra où je pourrai écrire mon histoire qui pourra être lue et surtout un jour viendra où, guérie, je pourrai à mon tour aider les autres en devenant psychologue. Je suis depuis la rentrée des études de psychologie par correspondance, c'est dur mais je vais y arriver. [252] »

---

252. Source : site Internet Rayon de soleil, site dédié aux personnes qui ont été victime d'abus sexuels. *http://www.rayondesoleil.org/index.php ?2005/09/27/16-l-inceste-maternel*

Reproduction d'un échantillon d'enquêtes

Sexe : F
Âge : 34
Profession : Étudiante assistante sociale.
Situation familiale : Pacsée.
Enfant(s) : 2
Définition de la violence : Acte physique ou moral qui a pour but de soumettre l'autre.
La violence a-t-elle un sexe ? Non.
Définition de la violence conjugale ? Pression morale, puis violence physique, puis perte de l'estime de soi.
Que pensez-vous des hommes qui battent leur femme ? Situation de souffrance, pas excusable pour autant, cependant compréhension de ses blessures. Souvent dans le déni.
Que pensez-vous des femmes qui battent leur homme ? Même chose mais un homme victime de sa femme aura plus de mal à le dénoncer.
Définition de la femme violente : Comme un homme, une femme violente reproduit souvent les violences subies par un parent. Plutôt violence psychologique.
Femme/criminelle ? Souffrance, non-communication, besoin d'aide, causes psychologiques à la violence.
La loi s'applique-t-elle avec la même rigueur aux deux sexes ? Non parce que les hommes se taisent et donc pas protégés par la loi.
Femme qui symbolise la violence : Devi (ouvrage de Christel Mouchard).
Lien Femmes/Histoire : Lutte pour leurs droits.
Femmes plus faibles physiquement que les hommes ? Pas toujours mais dans la majorité des cas.

Sexe : F
Âge : 54
Profession : Assistante médicale.
Situation familiale : Séparée.
Enfant(s) : 2
Définition de la violence : Comportement agressif, contrainte pour provoquer douleur et peine, façon de communiquer.
La violence a-t-elle un sexe ? Non.
Définition de la violence conjugale ? Un des partenaires exerce une domination sur l'autre par le biais d'agressions physiques, psychologiques ou sexuelles.
Que pensez-vous des hommes qui battent leur femme ? Aucun respect pour eux ou leur femme, machos.
Que pensez-vous des femmes qui battent leur homme ? Hommes faibles, la femme a pris le pouvoir sur eux.
Définition de la femme violente : La femme qui a souffert ou qui souffre encore reproduit des violences de l'enfance dont elle a été la victime.
Femme/criminelle ? Femme fatale, pouvoir de manipulation.
La loi s'applique-t-elle avec la même rigueur aux deux sexes ? Oui, violence jugée selon la gravité des crimes et non selon le sexe.
Femme qui symbolise la violence : Simone Weber, les sœurs Papin.
Lien Femmes/Histoire : Amazones.
Femmes plus faibles physiquement que les hommes ? Non dépend de la morphologie de la personne.

Sexe : F
Âge : 50
Profession : Assistante sociale.
Situation familiale : Célibataire.
Enfant(s) : 0
Définition de la violence : Tout acte physique ou psychologique visant à soumettre, contraindre une autre personne. Peut s'exercer contre soi (automutilation, suicide).
La violence a-t-elle un sexe ? Non, pas d'âge, pas de condition sociale.
Violences féminines : Solutions moins physiques, poison, psychologie (chantage).
Violences masculines : Plutôt physiques (chasse, guerre, armes à feu, armes blanches), viol typiquement masculin.
Définition de la violence conjugale ? Tout acte physique ou psychologique d'un conjoint sur un autre visant à le soumettre. Peut s'exercer de manière réciproque.

Que pensez-vous des hommes qui battent leur femme ? Première réponse de l'homme à son malaise. Homme qui ne sait pas communiquer, brimé dans d'autres domaines de sa vie, qui a des problèmes psychologiques, et qui ne considère pas sa femme comme son égal.

Que pensez-vous des femmes qui battent leur homme ? Hommes dominés, incapables de trouver leur place au sein du couple, hommes en grande souffrance, car à la violence qui leur est faite s'ajoute un rejet de la société pour des hommes considérés comme faibles.

Définition de la femme violente : Femme qui commet des actes violents, physiques, psychologiques. Violence mal comprise.

Femme/criminelle ? Parricides, infanticides, couple de mots pas plus étonnant qu'homme/criminel. Mais dans l'Histoire renvoie à un autre mot : empoisonneuse (Marie Besnard).

La loi s'applique-t-elle avec la même rigueur aux deux sexes ? Oui mais je pense que les femmes emprisonnées pour violence sont mieux traitées que les hommes, notamment les femmes avec enfants. On n'entend jamais parler d'évasion de femmes de prison.

Femme qui symbolise la violence : Charlotte Corday, Folcoche.

Lien Femmes/Histoire : L'Histoire a surtout retenu les femmes exceptionnelles.

Femmes plus faibles physiquement que les hommes ? Constitution musculaire de la femme est moindre par rapport à celle de l'homme, en cela oui. Mais on sait maintenant qu'elle est plus robuste et plus résistante à la douleur, elle vit plus longtemps.

Sexe : F
Âge : 35
Profession : Assistante de service social.
Situation familiale : Mariée.
Enfant(s) : 0
Définition de la violence : Acte verbal ou physique dont le but est de faire du mal à l'autre.
La violence a-t-elle un sexe ? Non, hommes comme femmes sont concernés. Mais les médias évoquent plutôt la violence des hommes contre les femmes alors, naturellement on pense que le phénomène est plus répandu chez les hommes. En effet, les reportages témoignent bien souvent des blessures subies chez les femmes que chez les hommes. Par ailleurs, dans nos représentations et dans notre éducation, l'image de la femme violente ne correspond pas à celle de la féminité et l'image de

l'homme victime ne correspond pas à celle de la virilité alors on pourrait penser que la violence a un sexe mais je ne vois pas les choses sous cet angle.

Définition de la violence conjugale ? Violence de toute nature (physique, verbale, psychologique, sexuelle) entre deux personnes qui vivent ensemble.

Que pensez-vous des hommes qui battent leur femme ? Ils ont un problème psychologique, violence comme moyen de communiquer ou d'exercer du pouvoir et de la domination.

Que pensez-vous des femmes qui battent leur homme ? La remarque établie pour les hommes est identique à celle des femmes qui battent leurs hommes mais je pense, dans ce cas, que le phénomène doit être encore plus difficile à vivre pour un homme car dans nos représentations être battu par une femme, c'est être faible. De même, dans notre éducation, la violence physique est un phénomène contre lequel les hommes sont armés et dont ils peuvent se défendre. Tout petit, il est fréquent d'entendre dire : « T'es un mec, tu ne vas pas pleurer ». Alors dans ces conditions, avec le poids de notre éducation et de notre société, les hommes doivent difficilement témoigner de leur vécu de la violence.

Définition de la femme violente : Femme ayant des gestes ou des propos agressifs en réponse à un environnement qu'elle aurait perçu comme négatif ou désagréable pour elle. La colère et la haine qui l'habitent l'empêchent alors d'entretenir des relations normales.

Femme/criminelle ? La femme renvoie à l'identité sexuelle et « criminelle » renvoie à un acte condamnable, répréhensible par la loi.

La loi s'applique-t-elle avec la même rigueur aux deux sexes ? Oui je pense. Le Code pénal ne s'attache pas aux sexes mais plutôt aux faits de violence et aux formes que la violence peut prendre, avec des circonstances aggravantes de l'infraction commise si le partenaire masculin ou féminin est concubin, pacsé…

Femme qui symbolise la violence :

Lien Femmes/Histoire : La place des femmes a beaucoup évolué, elles se sont battues pour avoir des droits identiques à ceux des hommes (droit de vote, parité, etc.). Tout ceci démontre que le statut de la femme s'est petit à petit modifié, pour en arriver à des modifications de représentations des sexes.

Femmes plus faibles physiquement que les hommes ? D'un point de vue morphologique et de manière générale, la constitution de la femme fait qu'elle est physiquement plus faible que l'homme. Je prendrai l'exemple du tennis pour illustrer mon propos car c'est un sport que je pratique. Lors d'un match, pour une femme c'est deux sets gagnants alors que pour un homme c'est trois sets gagnants.

La résistance n'est pas la même entre un homme et une femme, bien qu'il y ait parfois quelques exceptions.

Sexe : F
Âge : 41
Profession : Conseiller mobilité.
Situation familiale : Divorcée, vie maritale.
Enfant(s) : 0
Définition de la violence : Morale, physique (coups ou donner la mort), concerne tous les milieux sociaux.
La violence a-t-elle un sexe ? Non.
Définition de la violence conjugale ? C'est quand l'un des partenaires (ou les deux) fait souffrir moralement et/ou physiquement l'autre de façon continue.
Que pensez-vous des hommes qui battent leur femme ? Ce sont des brutes, il faut qu'ils aillent se faire soigner car il y a d'autres moyens de communiquer.
Que pensez-vous des femmes qui battent leur homme ? Ce sont des faibles, il faut qu'ils se fassent aider pour se soustraire à leur femme. Ils pourraient envisager de faire soigner leur épouse.
Définition de la femme violente : Agressive dans ses paroles et ses actes, coups, voire donner la mort, auquel cas il faut qu'elle aille se faire soigner.
Femme/criminelle ? Le crime de la femme peut avoir pour objectif la jalousie, l'appât du gain, la préservation d'un danger pour elle ou ses proches.
La loi s'applique-t-elle avec la même rigueur aux deux sexes ? J'espère, sinon ce serait injuste.
Femme qui symbolise la violence : La mégère apprivoisée ou la marâtre de Blanche Neige.
Lien Femmes/Histoire : La violence subie dans l'enfance se reproduit à l'âge adulte.
Femmes plus faibles physiquement que les hommes ? De façon générale oui, mais il y a des exemples où c'est l'inverse.

Sexe : F
Âge : 35
Profession : Conseillère en économie sociale et familiale.
Situation familiale : Célibataire.
Enfant(s) : 0
Définition de la violence : Agressions physiques, verbales ou morales.
La violence a-t-elle un sexe ? Non. Tout animal est capable de violence.

Violences féminines : Violences verbales.

Violences masculines : Violences physiques.

Définition de la violence conjugale ? Agressions physiques, verbales ou morales entre deux personnes étant en couple et qui se réitèrent.

Que pensez-vous des hommes qui battent leur femme ? Hommes qui ont eux-mêmes vécu des violences dans leur enfance. Ce vécu peut en partie expliquer, et non justifier, l'utilisation de la violence dans le cadre conjugal.

Que pensez-vous des femmes qui battent leur homme ? Ils ne devraient pas être battus. Je me demande dans leur histoire ce qui les pousse à ne pas réagir.

Définition de la femme violente : L'image qui me vient serait une femme toute rouge, les cheveux dans tous les sens criant et frappant tout autour d'elle ! Maintenant, passée la première image, je dirais qu'une femme violente peut agresser indifféremment une personne, un animal, etc. et de différentes façons (verbale, morale, physique). Si cette violence n'est pas traitée par thérapie, elle resurgira.

Femme/criminelle ? Bonnie Parker.

La loi s'applique-t-elle avec la même rigueur aux deux sexes ? Oui.

Femme qui symbolise la violence : Femmes qui battent leurs enfants.

Lien Femmes/Histoire : Les droits acquis par les Françaises au cours de l'Histoire.

Femmes plus faibles physiquement que les hommes ? Les femmes sont physiquement moins fortes mais plus fortes mentalement.

Sexe : F

Âge : 24

Profession : Étudiante.

Situation familiale : Célibataire.

Enfant(s) : 0

Définition de la violence : La violence pour moi est physique et psychique. Elle a des conséquences dévastatrices, autant sur la victime que sur son auteur, car souvent on s'aperçoit que les personnes violentes sont également en souffrance. C'est souvent un acte fait sur un autre ou sur soi-même et que l'on peut penser comme une mise en scène d'un conflit psychique. Cependant, la violence peut être également pensée comme moyen de défense, comme moyen de conserver notre vie dans une situation dangereuse et que l'on n'a pas provoquée.

La violence a-t-elle un sexe ? Non.

Définition de la violence conjugale ? Atteinte à la personne, d'une manière physique et psychique, de la part de son (sa) conjoint(e).

Que pensez-vous des hommes qui battent leur femme ? Qu'il faut les soigner, pour ne pas qu'ils continuent d'extérioriser leurs conflits personnels sur l'autre.

Que pensez-vous des femmes qui battent leur homme ? Un travail sur eux-mêmes aussi. Ils sont « passifs », « effacés », « abdiqués » de leur place d'homme...

Définition de la femme violente : Peut-être une femme impulsive, d'une humeur variant facilement, conflictuelle et sûrement avec une grande souffrance (peut-être même faiblesse) en elle.

Femme/criminelle ? La première question que je me poserai sera sur la femme qui est en couple avec un criminel (en supposant qu'elle soit au courant des activités de son conjoint et qu'elle ne s'y oppose pas). Peut-être deux « marginaux », la femme plus au niveau du ressenti, et le criminel, reconnu par la loi comme « marginal »...

La loi s'applique-t-elle avec la même rigueur aux deux sexes ? Pour moi, ce serait plus logique que quelqu'un soit jugé en fonction de son crime plutôt qu'en fonction de son sexe. Enfin, je pense qu'il n'y a pas de différence...

Femme qui symbolise la violence :

Lien Femmes/Histoire : Je pense qu'on peut parler d'un tel lien. L'évolution du statut de la femme dans la société, par exemple. Il y a même des documentaires consacrés à ce « lien ». Enfin, les femmes ont une histoire, mais les hommes en ont une aussi. Les « deux histoires » sont liées, elles ne font qu'une.

Femmes plus faibles physiquement que les hommes ? Je pense que la généralisation peut entrainer une confusion, mais peut-être que la majorité des femmes sont plus faibles physiquement que les hommes.

Sexe : F
Âge : 35
Profession : Auxiliaire de vie scolaire.
Situation familiale : Mariée.
Enfant(s) : 0
Définition de la violence : La violence est un acte agressif envers une personne. Cet acte peut être physique ou moral et peut s'apparenter au harcèlement.
La violence a-t-elle un sexe ? Non.
Violences féminines : Violences physiques (délinquance).
Violences masculines : Violences physiques typiquement masculines, mais aussi morales (harcèlement, sectes).
Définition de la violence conjugale ? La violence conjugale est une violence au sein du couple où l'un des conjoints est dominateur et l'autre est dominé.

Que pensez-vous des hommes qui battent leur femme ? Je pense que ce sont des personnes qui ne savent s'exprimer que par la violence et qui veulent soumettre leur moitié à leur volonté par tous les moyens. Leur acte n'est en rien excusable mais il témoigne du besoin d'un suivi psychologique et médical.

Que pensez-vous des femmes qui battent leur homme ? C'est, je pense, un sujet tabou dans notre société. Ce sont probablement des personnes fragiles manipulées par leur conjointe.

Définition de la femme violente : Une femme violente est une personne qui utilise la violence (physique et/ou morale) pour s'exprimer, régler un conflit ou obtenir ce qu'elle veut.

Femme/criminelle ? Je ne comprends pas bien le sens de la question, mais si l'on me demande ce que je pense des femmes criminelles, je retiens avant tout le mot « criminelles » et non le mot « femmes ». Pour moi, c'est avant tout l'être humain qui est concerné et pas son identité sexuelle.

La loi s'applique-t-elle avec la même rigueur aux deux sexes ? Non, la loi avantage plus les femmes…

Femme qui symbolise la violence : Domino Harvey.

Lien Femmes/Histoire : Oui, je pense que les femmes ont une histoire ; d'ailleurs beaucoup d'entre elles ont joué un rôle important dans l'Histoire de l'humanité. Je pense entre autres à des femmes politiques comme Cléopâtre, Catherine de Russie, Catherine de Médicis, Marie Antoinette, Aung San Suu Kyi ou à des personnages comme Marie Curie, Simone de Beauvoir, Simone Weil qui ont beaucoup œuvré pour l'émancipation des femmes.

Femmes plus faibles physiquement que les hommes ? Oui.

Sexe : F
Âge : 19
Profession : Étudiante.
Situation familiale : Célibataire.
Enfant(s) : 0
Définition de la violence : Volonté de faire mal à l'autre. Elle peut être physique ou verbale.
La violence a-t-elle un sexe ? Non, mais je pense que les hommes ont plus souvent recours à la violence que les femmes.
Violences féminines : Verbales.
Violences masculines : Physiques.

Définition de la violence conjugale ? Quand l'un des deux conjoints se comporte violemment vis-à-vis de l'autre. Cela peut se faire sous forme physique ou verbale.

Que pensez-vous des hommes qui battent leur femme ? Je pense qu'ils sont des enfoirés. Des personnes peu intelligentes qui ne savent pas régler leurs problèmes conjugaux autrement que par la violence.

Que pensez-vous des femmes qui battent leur homme ? Je pense que c'est aussi triste mais que c'est plus rare (bien que ça existe quand même malheureusement).

Définition de la femme violente : Une femme qui n'a pas toute sa raison ou qui est psychologiquement faible et qui ne sait pas extérioriser ses problèmes autrement que par la violence.

Femme/criminelle ?

La loi s'applique-t-elle avec la même rigueur aux deux sexes ? Je n'ai aucune idée, je ne m'étais jamais posé la question avant. Peut-être qu'un homme battu sera moins pris au sérieux qu'une femme battue (ce qui est normal).

Femme qui symbolise la violence : Clytemnestre. Bizarrement, j'ai eu du mal à trouver des noms de femmes violentes alors que des noms d'hommes violents me sont venus tout de suite.

Lien Femmes/Histoire : Il y a peu de femmes dont on retient le nom en Histoire. Trop souvent, on ne parle que des hommes. Je pense que c'est parce que les femmes jusqu'ici avaient peu de pouvoir.

Femmes plus faibles physiquement que les hommes ? Il y a une différence génétique au niveau des muscles et de la corpulence. Si une femme et un homme s'entraînent autant, l'homme sera toujours plus fort. Cependant, certaines femmes sont plus fortes que certains hommes.

Sexe : F
Âge : 33
Profession : AED.
Situation familiale : Mariée.
Enfant(s) : 2
Définition de la violence : La violence, c'est la manifestation d'un sentiment de colère exacerbée, qui ne peut se traduire que par les coups portés à l'encontre d'une personne physique ou d'un bien matériel (la violence existe dès qu'il y a atteinte) :
– la violence c'est la marque de la déraison : dans un état de furie, une personne n'est pas contrôlable dans l'immédiat, il faut du temps pour la raisonner, ou bien, si elle décide de se calmer par elle-même, c'est qu'un sentiment d'un autre ordre a pris le dessus, comme la peur, par exemple ou la dissuasion (une force dissimulée est

libérée à doses variables en fonction de la volonté de celui qui la recèle, ce qui revient à dire que la violence est maîtrisable par celui qui la distille ou la fait s'écouler à gros débit) ;

– la violence, c'est l'aboutissement d'une volonté latente de punir : l'explosion de la violence surprend, déroute. C'est un acte médité à l'avance, que la personne essaie de rendre le plus naturel possible aux yeux de tous ceux qui en sont témoins, y compris envers la victime. La violence ne sort pas du néant comme une flammèche. La violence c'est plutôt comme le soubassement d'un volcan rempli de plasma qui va faire exploser le couvercle ;

– la violence, c'est une fabrication sociétale : dès qu'une personne peut s'inspirer de l'utilisation des armes, des affrontements corporels à travers l'Histoire, la littérature, le cinéma et les jeux vidéo, puis passe à l'acte, cela fait état de conduite violente ;

– la violence, c'est le contraire d'un environnement sage, serein et fraternel.

La violence a-t-elle un sexe ? Soit elle est masculine, soit elle est féminine. La violence, celle des coups portés, peut se quantifier en fonction de la masse musculaire. Par contre, lorsque la violence correspond à des manipulations liées à la ruse, elle peut se quantifier en quotient intellectuel, mais là encore, elle ne peut pas être attachée spécifiquement au sexe féminin ou au sexe masculin. La violence n'est pas uniforme, donc elle est unique et propre à chaque individu. Mais, il n'est pas certain qu'il soit juste de parler de « caractère violent » pour désigner une personne, puisque la violence est plutôt un sentiment humain que chacun possède, et que chacun n'utilise pas de la même manière (les éléments déterminants et les éléments embrayeurs des personnes qui pratiquent la violence diffèrent de par l'existence propre à chaque individu : à chacun ses référents). La société produit autant de gens violents qu'il y a de spécialistes pour les encadrer.

Violences féminines/Violences masculines : Il n'existe pas des violences typiquement féminines et des violences typiquement masculines. Prenons l'exemple du viol. Le viol exercé par un homme sur une personne, qu'elle soit de sexe féminin ou masculin, est un acte qui procure du plaisir physique, c'est bien ainsi le but du violeur. C'est la même chose pour la femme. Toutefois, dans le cadre d'une guerre, le viol collectif apparaît pourtant comme l'apanage des hommes. Nous pouvons nous référer à ce que subissent actuellement les femmes dans le contexte de la guerre tribale du Congo. Le plaisir est subordonné à la destruction.

Définition de la violence conjugale ? Peut se définir comme la violence exercée dans le cadre restreint de la vie de couple (entre les deux époux, les deux concubins ou les deux pacsés). Ainsi, lorsque le couple n'est plus en phase, la séparation ou le dysfonctionnement en son sein peut donner lieu à des débordements liés à la violence.

Que pensez-vous des hommes qui battent leur femme ? Je pense que les hommes qui battent leur femme se servent de leur supériorité physique mais aussi de leur position sociale reconnue par tous (le mari est le chef de famille, il doit être respecté, il a plus de droits car plus de responsabilités : c'est lui qui doit être servi au foyer et non l'inverse) pour avoir le dessus. Par ailleurs, je pense que sans s'en rendre compte, les hommes qui battent leur femme transgressent les valeurs de la famille en semant sous leur propre toit la discorde, le vacarme et l'agitation. Les hommes qui battent leur femme trouvent des prétextes qui incriminent leur femme, la plupart du temps, pour justifier leur acte. Par là même, c'est pour eux un moyen de faire diversion quant à leurs agissements en dehors du domicile conjugal (par exemple, l'adultère).

Que pensez-vous des femmes qui battent leur homme ? Je pense que les hommes battus par leur femme sont des personnes aimantes et très préoccupées par le qu'en-dira-t-on au sein d'une société « machiste ». En somme, ils sont prêts à pardonner les coups à leur femme, uniquement par amour ou bien par timidité (par gêne, ils ne veulent pas « faire de vague » sur leur condition de maris battus). C'est un peu comme s'ils étaient des nounours malmenés : ils ont le sentiment d'être utiles malgré tout !

Je définirais une femme violente de la façon suivante : c'est une femme secrète, préoccupée, asservie dans le passé, peut-être victime d'une injustice ou d'une machination. Elle peut donc se sentir coupable de n'être pas assez forte pour lutter contre ses propres impulsions violentes mais elle se sent heureuse dès qu'elle a pu « régler ses comptes », au moment où sa victime montre des signes de faiblesse (fuite, appel au secours, isolement).

Définition de la femme violente .

Femme/criminelle ?

La loi s'applique-t-elle avec la même rigueur aux deux sexes ? Je pense que la loi s'applique avec la même rigueur aux hommes et aux femmes, étant donné que les délits et les crimes liés à la violence sont punis ou encadrés dans des structures similaires (il existe des prisons pour hommes et des prisons pour femmes, de même qu'il existe des foyers d'accueil et de réinsertion pour les deux sexes aussi).

Femme qui symbolise la violence : Il m'est impossible de citer un nom de femme qui symbolise la violence, à part peut-être Emma Bovary, personnage romanesque de Gustave Flaubert, qui s'empoisonne après avoir « empoisonné la vie » des autres !

Lien Femmes/Histoire : À propos du lien femme/Histoire, je pense qu'il est significatif, car beaucoup de femmes ont marqué l'Histoire par leur caractère fort en conduisant des troupes d'hommes : Jeanne d'Arc, Catherine de Médicis, Louise Michel.

Femmes plus faibles physiquement que les hommes ? Je ne pense pas que les femmes sont physiquement plus faibles que les hommes. Dans des affrontements au corps à corps, elles peuvent gagner, si elles sont plus costaudes ou plus habiles dans l'épreuve de la lutte. Toutefois, elles ne font pas partie de l'univers masculin, même si elles pratiquent les gestes des hommes. Ce sont deux mondes différents où les uns et les autres se côtoient, s'aiment, se tolèrent ou se détestent.

Sexe : F
Âge : 20
Profession : Étudiante.
Situation familiale : Célibataire.
Enfant(s) : 0
Définition de la violence : C'est plus facile à ressentir qu'à expliquer... Ça peut être une « force » qui pèse sur une ou plusieurs personnes moralement ou physiquement et qui l'empêche d'agir ou de penser librement. Après, il peut exister une violence plus ou moins légitime : comme la défense contre une oppression qui utiliserait la violence pour dominer, pour oppresser.
La violence a-t-elle un sexe ? Non.
Violences féminines/Violences masculines : Je pense que tout est construit par un système qui conduit certains hommes ou certaines femmes à agir « typiquement ». Le viol est potentiellement plus faisable pour les hommes que pour les femmes même s'il existe des viols dans les deux cas, après les hommes qui ne violent pas ne sont pas plus violents qu'une femme. Je crois que ce n'est pas très bien dit tout ça, mais je ne sais pas trop comment le tourner. En fait je crois que je m'éloigne du sujet et que le typiquement est de l'ordre du social, notre société a construit une violence qui collerait plus à l'image de l'homme comme la guerre... En ce qui concerne la femme, ça serait plus de l'ordre du mental comme l'hypocrisie.
Définition de la violence conjugale ? C'est une oppression qui peut être dans les deux sens : mentale ou/et physique. C'est peut-être dû à un amour trop passionnel où l'un des conjoints s'approprie l'autre.
Que pensez-vous des hommes qui battent leur femme ? Qu'ils ont besoin d'être « soignés ».

Que pensez-vous des femmes qui battent leur homme ? Ils sont autant des victimes que les femmes battues par leur homme, même s'il y a plus de femmes battues que d'hommes battus, il leur faut une assistance psychologique de la même envergure.

Définition de la femme violente : Je la définirais de la même façon qu'un homme violent : il faut la « soigner ». Ce genre de comportement est souvent dû à une enfance avec des événements douloureux.

Femme/criminelle ?

La loi s'applique-t-elle avec la même rigueur aux deux sexes ? Je ne sais pas du tout, je n'ai pas de chiffres en tête donc je ne suis sûre de rien.

Femme qui symbolise la violence : Rachida Dati ou Valérie Pécresse.

Lien Femmes/Histoire : Les femmes dans l'Histoire ne sont pas très représentées à part Jeanne d'Arc et des figures religieuses (Madeleine, etc.) qui sont loin d'être représentatives de la condition féminine et qui sont fabriquées pour une bonne part par des hommes.

Femmes plus faibles physiquement que les hommes ? Pour le coup, si on regarde objectivement les choses, que les hommes soient plus « forts physiquement », ça ne m'étonnerait pas. Peut-être que ça se passe encore une fois pendant l'éducation, dans laquelle on favorise les garçons pour l'effort physique et les filles à des jeux plus « soft » : poupées, marelles… Mais si on regarde les sportifs et sportives, on peut voir que des « championnes » d'une même catégorie comme au tennis, ne renvoient pas la balle aussi fort que des « champions ».

Je précise qu'en tant qu'humain nous ne pouvons justifier une discrimination de genres sous prétexte d'une différence de sexe.

Sexe : F
Âge :
Profession :
Situation familiale : Mariée.
Enfant(s) : 1
Définition de la violence : Violence physique et morale, c'est de la contrainte, de l'oppression voire de la répression.
La violence a-t-elle un sexe ? Non, elle peut émaner autant d'un homme que d'une femme.
Violences féminines : Les femmes c'est de l'ordre de la perfidie (pas d'exemples).
Violences masculines : Rencontré plus fréquemment chez les hommes sans doute, comme les femmes battues mais il ne faut pas en faire une généralité.

Définition de la violence conjugale ? Physique et morale : asservissement de l'autre par une pression ou des sévices.

Que pensez-vous des hommes qui battent leur femme ? C'est une forme d'impuissance.

Que pensez-vous des femmes qui battent leur homme ? C'est un homme qui a perdu le sens de la révolte.

Définition de la femme violente : une femme violente serait une « mégère », quelqu'un qui s'acharne avec ténacité sur sa « proie ».

Femme/criminelle ?

La loi s'applique-t-elle avec la même rigueur aux deux sexes ? Non parce que beaucoup de femmes ne portent pas plainte suite aux sévices de leur mari et que la justice est faite majoritairement par les hommes.

Femme qui symbolise la violence : Sorcière.

Lien Femmes/Histoire : Il y a très peu de femmes qui ont fait l'histoire de France et pourtant elles ont été déterminantes dans les prises de position (exemple : Carla Bruni sur l'affaire de l'extradition d'Italie).

Femmes plus faibles physiquement que les hommes ? Physiquement oui. Le mec, il t'envoie une beigne… Mais elles résistent longtemps : elles ont une capacité de résistance supérieure à l'homme.

Sexe : 19
Âge : F
Profession : Étudiante.
Situation familiale : Célibataire.
Enfant(s) : 0
Définition de la violence : Pour moi, la violence a plusieurs définitions. Elle peut être le recours à une attaque physique pour résoudre un conflit qui n'a pas pu être réglé par des mots. Mais cela peut également être une attaque directe, sans raison apparente, sur des personnes qui sont considérées comme plus faibles (les femmes, par exemple) ou sur un groupe de personnes dont la couleur de peau, la façon de s'habiller, ou n'importe quoi d'autre ne plaît pas à un autre groupe qui alors les prend pour cible. Je pense donc que la violence peut être légitime, lorsque l'on répond à une agression par exemple, ou bien irréfléchie. Elle peut aussi répondre à un besoin de s'exprimer, de libérer une certaine frustration. Ainsi la violence peut aussi être un moyen de libérer ses tensions lorsqu'elles ne peuvent plus être retenues. Je dirais donc que la violence ne peut être définie dans un sens unique, mais qu'elle est à mettre en relation avec un contexte précis sans lequel il est difficile de

connaître sa vraie signification. Il faut à cela ajouter que la violence peut être aussi verbale, parfois conjuguée à la violence physique, ce qui complique encore les choses. En bref la violence pour moi est l'expression de sentiments forts qui ne sont pas réprimés, par choix ou par besoin.

La violence a-t-elle un sexe ? Je ne pense pas que la violence ait un sexe, mais simplement qu'en général, les hommes ont plus tendance à se laisser aller aux pulsions physiques que les femmes lorsque l'occasion de faire preuve de violence se présente. Cependant, ceci est bien sûr une idée générale ; pour ma part, il m'est arrivé d'être agressée, et ma première intuition n'a pas été de rester tétanisée, mais de répondre avec violence, ce qui fut d'ailleurs payant, bien que je ne sois pas d'une constitution particulièrement forte.

Violences féminines : La violence féminine est souvent dans le discours et le comportement parfois manipulateur. Mais encore une fois, l'inverse peut être aussi tout à fait vrai. Dans l'ensemble, je pense néanmoins qu'il y a en effet des violences typiquement féminines et d'autres typiquement masculines.

Violences masculines : Je dirais très largement, et de façon très stéréotypée, que les hommes ont davantage recours aux poings.

Définition de la violence conjugale ? La violence conjugale est une agression physique ou verbale d'un mari/petit ami sur sa femme/petite amie ou *vice versa*, en raison d'un conflit qui peut avoir diverses origines : soit un problème de couple, soit un problème qui n'incombe qu'au mari ou qu'à la femme, comme l'alcool ou la jalousie maladive par exemple, et qui retombe sur l'autre parce qu'il se trouve à proximité et dans l'intimité. Bien sûr, il y a plein d'autres raisons possibles, j'imagine, mais ces deux-là me semblent les plus courantes. En tous les cas, il s'agit de quelque chose d'intolérable.

Que pensez-vous des hommes qui battent leur femme ? Ce sont certainement des hommes malheureux pour une raison ou pour une autre, mais cela ne justifie en rien leur conduite. À mon avis, la seule chose qu'ils méritent est la prison, doublée d'une thérapie efficace.

Que pensez-vous des femmes qui battent leur homme ? Les hommes battus par leur femme sont sûrement des personnes qui ont encore plus de mal que les femmes à en parler, puisque cette situation est plus rare que celle des femmes battues. Je pense qu'ils n'osent pas parler par peur de passer pour faibles. Très honnêtement, je pense qu'ils le sont, car malgré tout, un homme à mon avis a plus de force physique qu'une femme, et qu'ils ne rendent pas les coups par égard pour elles et aussi parce qu'ils risqueraient de passer pour des hommes violents aux yeux de la justice et ainsi s'attirer des ennuis. En tous les cas, la solution qui me paraît la plus raisonnable serait de se séparer, mais les choses sont parfois plus compliquées.

Définition de la femme violente : Une femme violente envers son mari/petit ami pour moi est une femme frustrée, qui fait preuve de violence pour prouver qu'elle est aussi forte qu'un homme (ce qui est stupide, car les femmes ont certes moins de force physique, mais ce n'est pas le seul atout de l'être humain, et les femmes ont d'autres forces que celle-ci). Une femme faisant preuve de violence conjugale devrait, tout comme un homme violent, faire un séjour en prison doublé d'une bonne thérapie.

Femme/criminelle ?

La loi s'applique-t-elle avec la même rigueur aux deux sexes ? Les femmes violentes étant tout de même plus rares que les hommes violents, je pense qu'elles bénéficient parfois d'un peu de clémence, ou au contraire d'une plus grande sévérité aux yeux de la loi. Cela dépend du caractère de celui ou celle qui les juge, mais dans l'ensemble je pense que ces situations appellent toujours un jugement au cas par cas.

Femme qui symbolise la violence : Je penserais à l'impératrice byzantine Irène, qui a fait aveugler son propre fils pour se maintenir au pouvoir.

Lien Femmes/Histoire : Les femmes ont eu un grand rôle à jouer tout au long de l'Histoire, mais ce dernier est moins évoqué que celui des hommes car il fut sans doute plus difficile à cerner. Je pense que les femmes ont toujours été derrière le trône/fauteuil/siège du pouvoir et l'ont influencé de façon plus ou moins discrète au fil des siècles, sans que les hommes ne s'en rendent forcément compte. Bien qu'elles soient souvent oubliées, les femmes et l'Histoire, à mon sens, sont très liées, sans que les contemporains s'en soient toujours rendu compte.

Femmes plus faibles physiquement que les hommes ? Oui, je pense que les femmes sont physiquement plus faibles que les hommes. Si ce n'était pas le cas, hommes et femmes seraient mélangés lors des épreuves des Jeux olympiques, par exemple. Mais il n'y a pas que cette force-là qui compte.

Sexe : M
Âge : 48
Profession : Médecin
Situation familiale : Séparé.
Enfant(s) : 2
Définition de la violence : « Est violent tout fait commis par un individu, volontairement ou non, qui entraîne une douleur physique ou psychologique. »

La violence a-t-elle un sexe ? Non, même si de mon point de vue l'homme présente des comportements de violence plus fréquents et plus intenses que la femme.

Violences féminines :

Violences masculines : Violence physique.

Définition de la violence conjugale ? Violence perpétrée au sein du couple.

Que pensez-vous des hommes qui battent leur femme ? Comportement inadmissible pour la société, ils doivent être stoppés sans délai, sévèrement sanctionnés et faire l'objet d'une évaluation psychiatrique.

Que pensez-vous des femmes qui battent leur homme ? Qu'il s'agit de victimes à aider.

Définition de la femme violente :

Femme/criminelle ? Un être humain qui commet un crime.

La loi s'applique-t-elle avec la même rigueur aux deux sexes ?

Femme qui symbolise la violence : Oui.

Lien Femmes/Histoire :

Femmes plus faibles physiquement que les hommes ? Oui si l'on considère ce qu'est en moyenne la différence de puissance musculaire.

Sexe : M
Âge : 23
Profession : Étudiant.
Situation familiale : Célibataire.
Enfant(s) : 0

Définition de la violence : Verbale et/ou physique, la violence est un acte brutal qu'une personne exerce sur une autre de façon occasionnelle ou répétée dans le temps. L'individu violenté subit alors les actes de la personne initiatrice (consciemment ou non) d'un acte de violence.

La violence a-t-elle un sexe ? La violence peut être indifféremment exercée par des personnes de sexe masculin que de sexe féminin, dans les mêmes proportions homme-homme/femme-femme/homme-femme.

Violences féminines/Violences masculines : Bien que l'on puisse peut-être noter dans les violences homme-homme/femme-femme/homme-femme des spécificités pour chacune, le contexte social est le facteur déterminant des formes de violences.

Définition de la violence conjugale ? La violence conjugale est une forme de violence (physique et/ou morale) au sein d'un couple où l'un agit de façon violente envers l'autre en lui faisant subir (consciemment ou non) un acte brutal.

Que pensez-vous des hommes qui battent leur femme ? Les hommes exerçant une violence physique sur leur femme le font très certainement de manière générale par machisme, dans le sens où ils considèrent la femme inférieure à l'homme. Cette tendance (traditionnelle et multiséculaire en Europe occidentale) peut dériver chez certains sujets vers la misogynie. Cependant, le fait qu'un homme considère que sa femme est inférieure à lui, lui devant obéissance et respect, n'implique pas pour autant le caractère violent qu'a alors l'homme. Les conditions dans lesquelles l'homme a évolué enfant (lui ayant donné des repères) agit de façon déterminante dans sa vie adulte, et c'est donc cet acquis que peut engendrer le fait qu'un homme batte sa femme (de façon d'ailleurs pas forcément consciente). Les caractères influent de manière importante sur le comportement des individus. Si un homme bat sa femme et que celle-ci a un caractère « à ne pas se laisser faire », la violence conjugale peut s'estomper ou au contraire empirer (l'homme voulant arriver à ses fins de domination).

Que pensez-vous des femmes qui battent leur homme ? Alors que la femme a subi pendant des siècles la domination (dans tous les domaines) de l'homme, le caractère violent d'une femme envers son mari peut être le fait de cette accumulation de soumission qui ressurgit. Là aussi, l'acquis durant l'enfance de la femme (influençant son caractère) est déterminant concernant sa façon d'agir dans sa vie d'adulte.

Définition de la femme violente : Il peut y avoir de très nombreux cas de femmes violentes. Une femme violente est une femme qui commet un acte brutal sur un individu, à des fins de domination, de façon consciente ou non.

Femme/criminelle ? La criminalité est communément associée à l'homme. Cependant, cela n'exclut pas que la femme puisse être criminelle. Le crime commis par la femme susciterait peut-être plus facilement un étonnement de la part du citoyen lambda que s'il s'agissait d'un acte commis par un homme, associé à l'image du guerrier.

La loi s'applique-t-elle avec la même rigueur aux deux sexes ? Si aujourd'hui les femmes et les hommes sont jugés sur le même pied d'égalité, il n'en a peut-être pas toujours été ainsi. Du fait que la femme n'est pas aussi facilement associée à la criminalité comme peut l'être un homme (cf. ci-dessus), il est possible que les peines encourues par les femmes criminelles aient été plus importantes que si un homme avait commis le même crime.

Femme qui symbolise la violence : Élizabeth Báthory.

Lien Femmes/Histoire : La femme a, au même sens que l'homme, une histoire. Bien qu'effacées devant la gent masculine jusqu'à récemment, les femmes ont une histoire qui leur est propre et différente selon les époques historiques.

Femmes plus faibles physiquement que les hommes ? Bien que la femme ait une constitution physiologique différente de l'homme, et qu'elle ait été mise au second plan par rapport à l'homme durant des siècles, il n'est sûrement pas une généralité de dire que les femmes sont physiquement plus faibles que les hommes.

Sexe : M
Âge : 20
Profession : Étudiant.
Situation familiale : Célibataire.
Enfant(s) : 0
Définition de la violence : La violence est un comportement humain visant à faire mal à autrui, physiquement ou moralement.
La violence a-t-elle un sexe ? Non, c'est un comportement humain global.
Violences féminines : Physiques.
Violences masculines : Femmes plus cérébrales.
Définition de la violence conjugale ? Atteinte portée au conjoint/compagnon visant à l'humilier ou le blesser.
Que pensez-vous des hommes qui battent leur femme ? Ils ont un manque à combler et feraient mieux de faire du sport pour se défouler.
Que pensez-vous des femmes qui battent leur homme ? Ils doivent se venger après à l'extérieur sur leurs collègues de boulot, etc.
Définition de la femme violente :
Femme/criminelle ? Le meurtre passionnel, des méthodes de meurtre « douces »…
La loi s'applique-t-elle avec la même rigueur aux deux sexes ? Tous les hommes naissent et demeurent libres et égaux en droit… et en sanctions.
Femme qui symbolise la violence : Évelyne Thomas.
Lien Femmes/Histoire : Leur statut a pu évoluer et elles sont plus présentes politiquement et historiquement depuis le début du XXᵉ siècle.
Femmes plus faibles physiquement que les hommes ? Ça dépend quels hommes et quelles femmes… On ne peut pas faire de généralités, la société a voulu imposer le fait que l'homme était plus fort, après c'est à voir…

Sexe : M

Âge : 37

Profession : Professeur de musique.

Situation familiale : Marié.

Enfant(s) : 2

Définition de la violence : Je pense qu'il y a deux sortes de violence : la violence physique et la violence psychologique. Il y a violence quand il y a victime. Et on peut se dire victime quand on a perdu confiance en soi, en les autres. Qu'on se referme sur soi. Qu'on ne sait plus où est la vérité, sa propre vérité.

La violence a-t-elle un sexe ? Je pense que les hommes utilisent plus la violence physique et que les femmes, quant à elles, elles utilisent la violence psychologique.

Définition de la violence conjugale ? La violence conjugale ça serait : « user de sa position de conjoint (ou d'époux) pour se permettre des actes ou des mots, sans limites dans leur intensité ».

Que pensez-vous des hommes qui battent leur femme ? Bien entendu, étant opposé à toute forme de violence, je suis contre celle-ci. Par contre, une femme sait utiliser la violence psychologique pour amener un mari à cette violence physique. Ce qui n'excuse pas l'homme violent mais qui peut expliquer, quelquefois…

Que pensez-vous des femmes qui battent leur homme ? Cette question me fait mal car ma femme a levé une fois la main sur moi et c'est ma fille de 14 ans qui m'a aidé à la retenir. Et j'ai honte. Je me suis senti petit. Si on parle de violence psychologique, je pense que ces femmes savent choisir leur proie. Consciemment ou inconsciemment d'ailleurs. Les hommes victimes sont des hommes qui ont été manipulés dans leur enfance. Qui n'ont pas confiance en eux et qui font tout pour être aimés. Jusqu'à se laisser maltraiter.

Définition de la femme violente :

Femme/criminelle ?

La loi s'applique-t-elle avec la même rigueur aux deux sexes ? En ce qui concerne la violence conjugale, elle ne peut être reconnue que s'il y a des preuves physiques (type de violence le plus souvent utilisée par les hommes). En ce qui concerne les violences psychologiques, aucune reconnaissance.

Femme qui symbolise la violence : Folcoche.

Lien Femmes/Histoire :

Femmes plus faibles physiquement que les hommes ? Je pense qu'une femme peut être plus forte physiquement qu'un homme. Ne serait-ce que d'un point de vue de corpulence, ou dans le cas d'une femme pratiquant la boxe…

Sexe : M
Âge : 18
Profession : Étudiant.
Situation familiale : Célibataire.
Enfant(s) : 0

Définition de la violence : Généralement, la violence renvoie à un acte physique : donner un coup, faire un geste brusque pour montrer son désaccord (repousser quelqu'un par, exemple). Mais, on peut aussi devenir violent sans les gestes, simplement en changeant l'intonation de sa voix. Nous (les êtres humains) avons souvent recours à la violence lorsqu'une situation ou les rapports avec notre entourage (pas de distinctions entre amis, familles et inconnus) deviennent tendus et qu'un climat délétère s'installe. La violence peut donc être un moyen de se faire remarquer (même s'il existe d'autres moyens de le faire) et finalement, elle est, d'une certaine manière, une réponse à une série d'événements pour le moins défavorables.

La violence a-t-elle un sexe ? Dans les mentalités de nos sociétés, la violence est systématiquement rattachée aux hommes. Rien qu'en regardant une publicité pour une voiture française, deux enfants étaient placés à l'arrière de la voiture et pouvaient avec leurs doigts interagir sur le monde extérieur. La fille s'amusait à faire des vagues sur un lac et le garçon détruisait les clôtures autour de la route. Même lorsque des parents apprennent que leur fille s'est battue avec quelqu'un, ils lui font la morale et lui rappellent qu'elle est une fille, que son comportement n'est pas adéquat avec son sexe. En fait, la femme est rattachée à la douceur et l'homme à la virilité (donc un peu de violence, se faire respecter), la mère donne à ses enfants tout son amour et le père fait respecter son autorité (gros cliché). Peut-être est-ce dû au fait que les femmes n'ont commencé à « exister » dans la société que très tardivement.

Violences féminines : La réponse que je vais donner aura un petit rapport avec mon cliché précédent (voir de mon expérience personnelle qui sait…). La violence féminine est plus verbale (insultes) même si les fessées ou claques envoyés « avec amour et détermination » sur les enfants sont de la violence physique. Pour ce qui est de la violence entre femmes, c'est très stéréotypé, on revient au bon vieux tirage de cheveux qui caractérise systématiquement un « combat » entre personnes de la gent féminine.

Violences masculines : Les hommes ont une grosse tendance à privilégier la violence physique, il est très commun d'entendre des histoires de friction entre hommes qui en sont arrivés aux mains (comme si l'honneur était sauf).

Définition de la violence conjugale ? Le fait d'être désagréable avec son conjoint, verbalement ou finir par lui donner des coups (avoir des mots et des gestes déplacés).

Que pensez-vous des hommes qui battent leur femme ? La violence n'est pas la meilleure façon pour régler certains problèmes car elle en créé d'autres, mais chaque individu à des critères spécifiques qui le poussent à agir ainsi (ses gestes ne sont peut-être que le résultat d'événements antérieurs l'ayant perturbé plus jeune et qui ressurgissent d'un coup et l'entrainent dans une telle violence). Je tiens à dire que je ne défends pas les hommes qui battent leur femme, mais que l'on devrait s'intéresser à tous les éléments qui l'ont amené à être violent avant de faire des jugements rapides.

Que pensez-vous des femmes qui battent leur homme ? Idem qu'au-dessus. Pour la définition d'une femme violente, c'est une histoire de tempérament. Comme les hommes, certaines femmes sont plus agressives que d'autres (ici le passé de l'individu refait surface, car c'est ceci qui le conditionne).

Définition de la femme violente :

Femme/criminelle ?

La loi s'applique-t-elle avec la même rigueur aux deux sexes ? Aucune idée, en tout cas pour un principe d'égalité ce serait bien. Mais alors, tient-on aussi compte de l'équité entre les individus ?

Femme qui symbolise la violence : Catwoman. Plus sérieusement, pour l'époque moderne ou toute l'Histoire ? Parce que des femmes symbolisant la violence ça ne court pas les rues… Le terme « violent » renvoie à une action « mauvaise » et « femme » à « douceur », termes totalement opposés.

Une seule femme « célèbre » historiquement me vient à l'esprit : Jeanne d'Arc (aïe… je touche à une icône historique). Pas parce qu'elle représente la violence suprême, mais parce qu'à ma connaissance historique (peut-être limitée), c'est la seule femme ayant pris les armes (il y avait aussi Marianne sur le tableau de la Delacroix). D'ailleurs, j'ai lu quelque part qu'elle aurait dit un jour que sa mission divine était de « bouter les Anglais hors de France » (si ça ce n'est pas de l'incitation à la violence !).

Après, je ne connais pas d'autres femmes ayant pris part à l'Histoire, du moins l'histoire française, vu que mes connaissances sont surtout portées vers l'Antiquité… Eurêka !

Les Amazones étaient très violentes dans le genre, je n'ai plus le souvenir de la chef « symbolique » dont Hercule déroba la ceinture pour accomplir l'un de ses douze travaux. En tout cas, peuplade féminine très axée sur la guerre, les Amazones sont même venues en aide aux Troyens lors de la guerre de Troie et leur chef (encore oublié le nom) s'était fait transpercer par un javelot d'Achille. L'existence de ces dernières n'est que du mythe… Tiens, direction la question suivante.

Lien Femmes/Histoire : Sommes-nous sûrs que des femmes telles que Jeanne d'Arc ou les Amazones aient réellement pris les armes ? L'une héritera de la voix de Dieu (Maradona, quant à lui, aura droit des siècles plus tard à la main divine) et les autres vivront en communauté sectaire rejetant toute présence masculine sauf pour se reproduire. Est-ce que cette image de la femme guerrière ne fut pas inventée pour revigorer l'esprit des hommes lassés par des années de combats dont les résultats étaient toujours en leur défaveur, ou pour les inciter à améliorer leur façon de combattre car des femmes étaient prétendues meilleures qu'eux et ainsi toucher leur égo ?

La prise des armes par une personne qui est toujours représentée comme douce, aimante et surtout docile peut servir de propagande pour faire comprendre aux combattants que si elles se battent c'est parce que la situation est critique (ici avec Jeanne d'Arc). J'ai beaucoup parlé du « mythe » mais pour ce qui est du réel, je n'en sais trop rien… L'Histoire est souvent liée aux actions masculines. Donc sur ce sujet, je ne pourrais rien répondre.

Femmes plus faibles physiquement que les hommes ? Bonne question. Ce qui est sûr, c'est que si la championne de France du lancer de marteau m'en met une, je tombe dans le coma ! Cela répond un peu à question. On reste un peu dans les clichés hommes/femmes, où l'homme possède une image violente et est donc considéré plus fort qu'une femme (physiquement). C'est comme le « mythe » que les filles sont plus intelligentes que les garçons, tout ce travail, le cerveau comme les muscles et l'intelligence et les capacités physiques ne sont que le fruit de ce travail. Personnellement, je ne pense pas que les femmes soient plus faibles physiquement que les hommes, car à la naissance nous sommes tous égaux. Au fur et à mesure que nous grandissons, nous nous fabriquons… certaines avec des masses de muscles et d'autres avec une tête bien remplie.

Sexe : F
Âge : 28
Profession : Doctorante.
Situation familiale : Mariée.
Enfant(s) : 0
Définition de la violence : La violence prend différents aspects, pour moi elle est un geste, une parole, un acte de groupe qui va à l'encontre de la liberté de chacun, encore faut-il savoir ce qu'est la liberté… À voir.

La violence a-t-elle un sexe ? Non, la sensibilité et la liberté de chacun dépendent du vécu et non du sexe donc la violence peut atteindre ou être provoquée par n'importe qui.

Définition de la violence conjugale ? Pression morale ou physique exercée par l'un ou l'autre des conjoints dans un cadre très fermé et trop discret et donc violence vécue dans la solitude.

Que pensez-vous des hommes qui battent leur femme ? Je ne les comprends pas et surtout ne les tolère pas : la violence conjugale vient du fait qu'une personne croit que l'autre est sa possession.

Que pensez-vous des femmes qui battent leur homme ? Idem.

Définition de la femme violente : Une femme blessée sinon je ne vois pas pourquoi la violence.

Femme/criminelle ?

La loi s'applique-t-elle avec la même rigueur aux deux sexes ? J'espère.

Femme qui symbolise la violence : Bonnie Parker.

Lien Femmes/Histoire :

Femmes plus faibles physiquement que les hommes ? Oui.

Sexe : F
Âge : 30
Profession : Postdoctorante.
Situation familiale : Célibataire.
Enfant(s) : 0
Définition de la violence : Toute forme d'intervention (évidente ou pas) sur la volonté de quelqu'un.

La violence a-t-elle un sexe ? Non.

Violences féminines/Violences masculines : Non. Pour moi, la différence est le rôle. C'est le statut (social, travail, etc.) qui produit et rend possible l'apparition de violences spécifiques.

Définition de la violence conjugale ? Violence dans le couple.

Que pensez-vous des hommes qui battent leur femme ? C'est une mauvaise chose.

Que pensez-vous des femmes qui battent leur homme ? Mauvaise chose. Dont on ne parle même pas, car c'est une chose qui va contre l'image « naturelle » que nos sociétés ont des hommes et des femmes.

Définition de la femme violente : Une femme qui essaie d'obtenir ce qu'elle veut à tout prix.

Femme/criminelle ?

La loi s'applique-t-elle avec la même rigueur aux deux sexes ? Non. C'est plus simple pour les femmes.

Femme qui symbolise la violence : Médée, ou, comme déjà dit, Lucrezia Borgia. Violence, amour, folie…

Lien Femmes/Histoire :

Femmes plus faibles physiquement que les hommes ? Pas forcément. Mais généralement oui.

Sexe : F

Âge : 27

Profession : Mère au foyer.

Situation familiale : Pacsée.

Enfant(s) : 1

Définition de la violence : La violence c'est l'acte de porter atteinte à autrui dans le but de lui faire du mal ! Que ce soit violence verbale ou physique.

La violence a-t-elle un sexe ? Non.

Violences féminines : Non.

Violences masculines : Non.

Définition de la violence conjugale ? La violence conjugale a plusieurs tournures, la plus grave est celle qui pousse l'un ou l'autre à ne pas exister dans son couple et qui par défaut fera souffrir les enfants.

Que pensez-vous des hommes qui battent leur femme ? De nos jours, ça arrive très souvent. Le problème c'est que ces actes sont trop peu souvent déclarés et restent des souvenirs avec les années, même si parfois certaines situations peuvent nous pousser à bout, il faut rester le plus zen possible, messieurs !

Que pensez-vous des femmes qui battent leur homme ? Bien que trop peu souvent exprimé, cela existe. Certaines femmes frappent leur mari, claquent des objets, jettent en pleine figure, c'est aussi grave que si l'homme frappe !

Définition de la femme violente : Une femme violente c'est une personne qui frappe, insulte à tout va sans réfléchir ! Le problème c'est qu'une femme violente va pourtant devenir mère pour certaines ! Voir le résultat !

Femme/criminelle ?

La loi s'applique-t-elle avec la même rigueur aux deux sexes ? En France non, l'égalité des sexes face à la loi n'est pas appliquée contrairement à des pays comme les États-Unis ou le Mexique !

Femme qui symbolise la violence : Tina Turner.

Lien Femmes/Histoire :
Femmes plus faibles physiquement que les hommes ? Non, je ne le pense pas !
Une femme peut se surpasser pour son enfant ou à cause de la peur ! Je pense aussi
à l'accouchement : certains hommes ne supporteraient pas ces heures de souffrance !

Sexe : M
Âge : 19
Profession : Étudiant.
Situation familiale : En couple.
Enfant(s) : 0
Définition de la violence : C'est une action qui peut être physique ou verbale, la
violence physique étant le niveau supérieur dans la hiérarchie de la violence. Cette
action est amenée par la haine d'une personne mais cette haine peut être due à une
vengeance ou un motif quelconque et même inexistant et la violence peut être
répréhensible par la loi.
La violence a-t-elle un sexe ? La violence n'a pas de sexe ni d'âge puisque toute
personne peut s'emporter et donc cet emportement peut arriver de n'importe qui.
Violences féminines/Violences masculines : Pour moi, il n'existe pas de violence
typique puisque l'on peut voir que, par exemple, un homme peut battre sa femme
mais il arrive que ce soit l'homme qui soit maltraité et mis plus bas que terre donc les
agissements d'un homme ou d'une femme ne sont pas si différents de l'un à l'autre.
Définition de la violence conjugale ? Ce sont des disputes dans un couple qui ont
dépassé la violence des mots et ils en sont donc venus à se battre pourrait-on dire,
mais il arrive que la violence des mots soit aussi forte que les gestes.
Que pensez-vous des hommes qui battent leur femme ? Je pense que c'est un acte
inadmissible de battre une femme car l'homme n'est pas là pour effrayer une femme
mais pour la protéger et avant tout la respecter comme étant son égal. Les hommes
qui battent leur femme, pour ma part, devraient être enfermés car cette action est
inhumaine.
Que pensez-vous des femmes qui battent leur homme ? Les hommes battus par
leurs femmes sont dans la même situation que précédemment car hommes et
femmes se doivent respect. D'ailleurs, quand on se met en couple, c'est par amour
de l'autre et non par haine.
Définition de la femme violente : Une femme violente est une femme qui ne
respecte rien et qui préfère frapper avant de discuter, mais on peut dire que cette
personne est vulgaire dans ses paroles et dangereuse pour les autres tout en étant
consciente qu'elle est violente.

Femme/criminelle ? Une femme criminelle me fait penser à une femme qui a commis des délits plus ou moins graves et qui a fait de la prison ou qui est recherchée par la police et criminelle me fait penser également à la violence contre une personne qui peut avoir été blessée légèrement ou gravement ou même tuée.

La loi s'applique-t-elle avec la même rigueur aux deux sexes ? Dans la loi, on nous dit que nous sommes tous égaux mais en pratique on nous donne l'impression que certaines fois, pour la femme, la justice est clémente. Mais dans d'autres cas, elle peut être plus sévère donc elle n'est jamais de même rigueur pour ma part.

Femme qui symbolise la violence : Athéna, qui est la déesse de la guerre, symbolise pour moi la violence.

Lien Femmes/Histoire : Pour moi ce lien représente la montée de la place de la femme dans la société d'aujourd'hui mais avant cela la femme a dû dans l'Histoire se battre pour obtenir les droits qu'elle possède à présent. La femme a donc une histoire propre à elle-même.

Femmes plus faibles physiquement que les hommes ? Les femmes ont souvent un physique inférieur à celui des hommes, mais certaines femmes n'ont rien à envier aux hommes. Une femme peut être moins forte qu'un homme, cela ne l'empêchera pas d'avoir le dessus psychologiquement.

Sexe : M
Âge : 21
Profession : Étudiant.
Situation familiale : Célibataire.
Enfant(s) : 0
Définition de la violence : Pour moi, la violence est l'expression brutale de réactions physiques, verbales… qui vont nuire à quelqu'un et l'affecter, sous divers aspects.

La violence a-t-elle un sexe ? Je ne pense pas que la violence soit le propre de l'homme (être masculin) mais plutôt de l'être humain !

Violences féminines : Je crois que les violences masculines et féminines n'ont pas le même profil mais que les dégâts engendrés peuvent être comparables, qu'ils soient physiques ou psychologiques…

Violences masculines : Ce serait l'image d'un couple qui ne se supporterait plus, pour lequel la vie à deux, sous le même toit, deviendrait impossible car elle déboucherait sur des reproches reflétant les incompatibilités des deux personnes.

Définition de la violence conjugale ?

Que pensez-vous des hommes qui battent leur femme ? Arriver à battre la personne avec laquelle on vit (et qu'on aime peut-être encore) me semble une hérésie et en même temps, ne serait-ce pas là le signe d'une « faiblesse » trahissant l'incapacité du mari à trouver une autre alternative pour pallier ses problèmes de couple et préférant montrer sa domination physique ?

Que pensez-vous des femmes qui battent leur homme ? Je pense qu'il s'agirait là d'un homme totalement démuni, incapable de faire face autrement qu'en se soumettant à sa femme (par amour pour elle ?). Car elle a pris le dessus sur lui et le bat pour lui reprocher ses faiblesses ?

Définition de la femme violente : Femme violente… peut vouloir dire une femme qui se réfugie derrière la violence parce qu'elle l'a vécue plus jeune (image des parents) ou une personne qui ne se maîtrise plus et éclate soit physiquement, soit dans la violence de ses propos…

Femme/criminelle ? À première vue, ces deux mots semblent opposés… L'image de la femme me semble « pure », belle, projetée à l'idée de la future mère. Comment concilier la représentation de celle qui peut donner la vie à celle d'une criminelle, capable de tuer et donc mettre fin à quelque chose ?

La loi s'applique-t-elle avec la même rigueur aux deux sexes ? Je crois sincèrement qu'on aurait plus tendance à trouver des circonstances atténuantes à une femme qui bat son mari alors que l'inverse est considéré comme inexcusable !

Femme qui symbolise la violence : J'ai du mal à en trouver une particulièrement mais je penserais plutôt à ces femmes qui ont servi sous le régime des nazis…

Lien Femmes/Histoire : Ce lien est de plus en plus présent et d'actualité. (Rôle/statut /enjeux/pouvoir…)

Oui, je crois que les femmes ont tellement eu du mal à être reconnues dans l'Histoire (que ce soit au niveau des religions, de la société, de leurs compétences professionnelles ou autres…) qu'on ne cessera de parler des femmes et leur reconnaissance que grâce à l'Histoire… et que leur statut est en permanente évolution par rapport à celui des hommes… Certainement parce qu'elles endurent des choses auxquelles les hommes n'ont pas eu à faire face ?

Femmes plus faibles physiquement que les hommes ? Cela fait partie des clichés de la société mais ne s'applique pas à toutes les femmes ! (Mettre au monde un enfant paraît un exploit physique, impensable pour les hommes !)

Sexe : F
Âge : 28
Profession :
Situation familiale : Mariée.
Enfant(s) : 0

Définition de la violence : La violence est l'arme du faible, celui qui n'a pas d'arguments qui tiennent la route pour se faire entendre, la violence est une façon de soumettre celui qui n'est pas en accord avec nous et être violent soit physiquement soit mentalement signifie que l'on n'accepte pas cette impuissance.

La violence a-t-elle un sexe ? Non.

Violences féminines/Violences masculines : Je ne pense pas qu'il existe de violence typiquement féminine ou masculine. Cela dépend juste du caractère de la personne.

Définition de la violence conjugale ? La violence conjugale c'est une manière de se prouver qu'on a le dessus sur son partenaire, qu'il est soumis car on a besoin de se rassurer par la force.

Que pensez-vous des hommes qui battent leur femme ? Les hommes qui battent leur femme sont des faibles qui, en rabaissant l'autre à l'état d'objet, se sentent mieux et ont l'impression de gérer une situation qui leur échappe.

Que pensez-vous des femmes qui battent leur homme ? C'est la même chose pour les femmes, cependant je pense qu'un homme peut battre sa femme sans que la situation même implique sa femme au centre du problème, tandis que pour une femme, je pense qu'elle a des motivations qui impliquent directement son mari (du moins c'est ce qu'elle pense).

Définition de la femme violente : Une femme violente est une femme qui ne sait pas contrôler sa nervosité et qui, n'arrivant pas à gérer le problème, trouve la violence comme remède.

Femme/criminelle ? Cela m'évoque le sentiment d'être dépassé par les événements et de rentrer dans une folie meurtrière.

La loi s'applique-t-elle avec la même rigueur aux deux sexes ? La loi est très différente selon les pays, par exemple un homme qui tue sa femme dans un crime passionnel aux USA aura une peine moins lourde qu'une femme. En revanche, en France, je pense que les juges sont plus indulgents avec une femme qui tue ses enfants parce que cela parait tellement irréel et inacceptable qu'elle a forcément un problème mental qui justifie son acte, à mon humble avis ça n'est pas justifié.

Femme qui symbolise la violence : Marie Trintignant, c'est le premier nom qui me vient à l'esprit, elle est le symbole de la violence poussée à l'extrême c'est-à-dire la mort.

Lien Femmes/Histoire : Tout être humain a une histoire… mais la Femme avec un grand « F » a une histoire bien à elle en fonction du pays dans lequel elle a évolué, l'histoire de la femme africaine n'est pas la même que celle de la femme européenne, par exemple… On dit souvent que derrière chaque grand homme se cache une grande femme, je pense que c'est assez vrai, les hommes qui ont marqué l'Histoire ont souvent eu des femmes fortes à leurs côtés. Dans la vie, je sais que quand un homme tient à sa femme il est souvent influencé par ses opinions et une femme peut aussi bien être à la source du succès de son mari que causer sa perte…

Femmes plus faibles physiquement que les hommes ? Incontestablement nous sommes plus faibles physiquement que les hommes en ce qui concerne certains points comme soulever des objets lourds, se battre ou autre (bien qu'il y ait des exceptions !), mais je pense qu'une femme qui est malade est beaucoup plus forte pour lutter qu'un homme, c'est une sorte de force physique aussi. Quand une femme est dans une situation où elle peut perdre un être cher, elle peut avoir une force surhumaine pour le sauver, je pense que le mental de la femme est relié à sa force physique. Le cas de l'accouchement en est une preuve également, si le cerveau des femmes gardait en mémoire l'intensité de la souffrance liée à l'accouchement, elles n'auraient jamais plusieurs enfants, c'est prouvé médicalement. Le cerveau efface le souvenir de cette douleur pour donner la force mentale suffisante d'assumer une prochaine grossesse, c'est assez magique tout ça !

Sexe : M
Âge : 50
Profession : Professeur.
Situation familiale : Marié.
Enfant(s) : 1
Définition de la violence : Une déstabilisation insupportable.
La violence a-t-elle un sexe ? Non.
Violences féminines : Non pas de violences sexuées.
Violences masculines : Idem.
Définition de la violence conjugale ? Lorsqu'il n'y a plus le respect de l'autre.
Que pensez-vous des hommes qui battent leur femme ? Ils manquent de respect par rapport à leur épouse et ils ont eux-mêmes atteint des limites de vie.
Que pensez-vous des femmes qui battent leur homme ? Ils leur ont laissé prendre trop d'importance.
Définition de la femme violente : C'est quelqu'un qui physiquement et moralement ne respecte pas la place de l'autre.
Femme/criminelle ?
La loi s'applique-t-elle avec la même rigueur aux deux sexes ? Pas l'impression.
Femme qui symbolise la violence : Jeanne d'Arc.
Lien Femmes/Histoire : Pas assez considéré.
Femmes plus faibles physiquement que les hommes ? Oui.

Sexe : F
Âge : 50
Profession :
Situation familiale : Mariée.
Enfant(s) : 2
Définition de la violence : La violence c'est de faire du mal à autrui, que ce soit par la force ou la pensée.
La violence a-t-elle un sexe ? Non, la violence ne peut avoir de sexe. Elle peut frapper à tout niveau.
Violences féminines/Violences masculines : Je ne pense pas que certaines formes de violence soient plus masculines ou féminines, car je pense que chaque être humain est capable de beaucoup de choses.
Définition de la violence conjugale ? La violence conjugale peut être le fait de donner des coups, mais aussi, d'agir sur le mental d'une personne.
Que pensez-vous des hommes qui battent leur femme ? Pour moi, c'est une chose que j'aurais beaucoup de mal à supporter ; je pense que si cela devait arriver cela n'arriverait certainement pas deux fois, car je le démonterais.
Que pensez-vous des femmes qui battent leur homme ? Les femmes n'ont pas plus le droit de battre un homme ; je pense que tout problème peut être réglé autrement.
Définition de la femme violente : Une femme violente est une femme perturbée et qui doit avoir des problèmes, et qui ne sait pas comment les régler autrement que par la violence.
Femme/criminelle ?
La loi s'applique-t-elle avec la même rigueur aux deux sexes ? Normalement car la loi n'a pas de sexe.
Femme qui symbolise la violence : La mère de famille qui a congelé ses trois bébés il y a quelque temps, je ne me rappelle plus son nom.
Lien Femmes/Histoire : Oui, toutes les femmes font partie de l'Histoire, car si les hommes écrivent l'Histoire, les femmes y contribuent.
Femmes plus faibles physiquement que les hommes ? Oui et non car une femme bien sportive et entraînée peut être plus forte qu'un homme. Mais même sans parler des muscles, les femmes sont souvent plus futées que les hommes.

Sexe : M
Âge : 33
Profession : Infirmier.
Situation familiale : En couple.

Enfant(s) : 0

Définition de la violence : C'est une agression physique ou morale d'une personne ou d'un groupe contre une autre personne ou envers soi-même.

La violence a-t-elle un sexe ? Non, même si la violence physique est quand même plus masculine et la psychologique et/ou envers soi est plus féminine.

Définition de la violence conjugale ? Pouvoir et contrainte exercés sur et contre l'autre, instrumentalisation de son conjoint.

Que pensez-vous des hommes qui battent leur femme ? Ils sont méprisables et méritent d'être jugés pour ça, pourtant ils s'en tirent trop souvent.

Que pensez-vous des femmes qui battent leur homme ? C'est plus rare je pense, mais personne ne devrait être battu par son conjoint quel que soit son sexe.

Définition de la femme violente : Une femme qui n'évaluerait pas la portée de ses actes, de ses agressions, j'aurais tendance à l'assimiler à une certaine hystérie.

Femme/criminelle ? Ça ne colle pas avec l'image que j'ai de la femme, même si cela existe. Je ne m'explique pas ce qui fait d'un être humain un criminel

La loi s'applique-t-elle avec la même rigueur aux deux sexes ? Tout dépend aussi de la médiatisation, j'espère que oui malgré tout.

Femme qui symbolise la violence : Je pense aux sœurs Papin.

Lien Femmes/Histoire : Bien sûr qu'elles ont une histoire, les femmes historiques sont d'autant plus mises en lumière.

Femmes plus faibles physiquement que les hommes ? Morphologiquement oui, mais elles se rattrapent sur plein d'autres niveaux.

Sexe : M
Âge : 27
Profession : Étudiant.
Situation familiale : Célibataire.
Enfant(s) :

Définition de la violence : La violence est tout acte, qu'il soit physique ou verbal, qui porte une atteinte morale ou physique à autrui.

La violence a-t-elle un sexe ? Non la violence n'a pas de sexe, elle est commune à toutes et tous.

Violences féminines/Violences masculines : Aucun sexe n'a de monopole sur la violence, je veux dire par là qu'on la retrouve autant chez l'homme que chez la femme, il n'y a aucune distinction quantitative que l'on peut faire, mais nous pouvons cependant relever certaines nuances. Je dirais que les violences physiques sont provoquées par les hommes et les violences psychiques, plus sournoises, par les femmes.

Définition de la violence conjugale ? Violence faite à un homme ou une femme par son ou sa conjointe.

Que pensez-vous des hommes qui battent leur femme ? Ce sont des hommes qui ont des problèmes avec le regard qu'ils ont sur eux-mêmes, ils extériorisent leurs frustrations car ils ne peuvent pas maitriser leurs émotions, s'il y a violence c'est qu'il y a une très grande faiblesse et fragilité.

Que pensez-vous des femmes qui battent leur homme ?

Définition de la femme violente :

Femme/criminelle ? C'est une association très rare. Bien qu'aucun être n'ait le monopole de la violence, ça parait toujours plus étrange d'imaginer une femme criminelle qu'un homme criminel.

La loi s'applique-t-elle avec la même rigueur aux deux sexes ? Je n'ai pas vraiment d'avis sur cette question, mais je dirais qu'il y a probablement une indulgence supplémentaire pour les femmes.

Femme qui symbolise la violence : Marine Le Pen. Il n'y a pas d'autre nom qui me vient à l'esprit…

Lien Femmes/Histoire : Les femmes ne sont pas vraiment entrées dans l'Histoire, dans le sens où l'histoire des femmes (hormis dans des romans comme chez Zola) n'a pas beaucoup été relatée dans les livres ou dans l'enseignement, mais ça découle de la logique, de la place qu'elles occupaient dans la société précédemment. En y réfléchissant, il m'est très difficile de citer une femme qui est véritablement entrée dans l'Histoire, à part les reines où quelques-unes comme Germaine Tillion, Lucie Aubrac, Marie Curie, Simone Veil, etc. Autrement dit, elles n'entrent véritablement qu'à partir de la deuxième moitié du XXᵉ siècle.

Femmes plus faibles physiquement que les hommes ?

Sexe : M
Âge : 19
Profession : Étudiant.
Situation familiale : Célibataire.
Enfant(s) : 0
Définition de la violence : La violence est le résultat d'une attitude, d'un état d'esprit dont résulte un comportement concret (paroles, actes). La personne violente ne prend pas en considération le respect dû à autrui. C'est pour cela qu'elle se permet d'agir selon sa propre et unique volonté, allant souvent à l'encontre de ce que souhaite la personne violentée.

La violence a-t-elle un sexe ? Non. Différentes violences existent mais chacune peut être attribuée aux deux sexes.

Violences féminines : Oui. À nuancer cependant car tout n'est pas absolu. On retrouve souvent chez les hommes la pratique d'une violence verbale (insultes) ou physique (contre homme ou femme) qui résulte davantage d'un état de colère ou de stress. On aurait plutôt tendance à définir la violence typiquement féminine comme une violence résultant d'un désir de vengeance ou de maintien. Plus souvent des menaces (violence morale, harcèlement moral).

Violences masculines :

Définition de la violence conjugale ? Violence entre deux personnes d'un même couple. Violences physiques mais aussi verbales.

Que pensez-vous des hommes qui battent leur femme ? On retrouve souvent chez l'homme violent un désir et une nécessité de reproduire un schéma familial vécu lors de la petite enfance. L'enfant n'ayant eu qu'un modèle basé sur (ou du moins comportant) la violence, reproduit ce même schéma à l'âge adulte, il reproduit ce comportement à des fins affectives pour un comportement qui le rassure (ce qu'il connaît). Ce sont souvent des personnes mentalement affaiblies qui n'ont que rarement (voir jamais) eu de rapports de violence physique avec des hommes. Certaines personnes parlent plus d'un comportement plus lâche que névrosé.

Que pensez-vous des femmes qui battent leur homme ? Souvent pas pris au sérieux, les hommes battus par leur femme sont enfermés dans un rapport affectif avec cette dernière et n'osent pas parler de ces violences qu'ils subissent de peur de ne pas être pris au sérieux. C'est une violence qui n'est pas encore reconnue de nos jours, non pas d'un point de vue judiciaire, mais plutôt en ce qui concerne les mœurs. Je pense des hommes battus qu'ils ne sont pas forcément faibles mais plutôt attachés à la relation qu'ils entretiennent et ne veulent pas la casser.

Définition de la femme violente : Une femme violente peut être dans la plupart des cas « castratrice », c'est-à-dire autoritaire, despotique, et se livrant bien évidemment à des violences physiques et/ou verbales. On peut aussi penser à un rapport de possessivité envers l'homme violenté. Peut-être une volonté de contrôle total par la pratique de violences régulières pour maintenir de façon permanente une pression psychique.

Femme/criminelle ? Je ne pense pas à une femme criminelle au sens de violente car l'effet de société qui est plutôt focalisé (en termes de violence conjugale) sur la violence d'homme à femme et la femme est souvent exempt de cette violence. Cette expression m'évoque surtout l'image d'une femme pratiquant le vol ou la complicité dans un crime. Pas l'image d'une femme à l'initiative d'un crime contre le conjoint. Éventuellement en cas de défense.

La loi s'applique-t-elle avec la même rigueur aux deux sexes ? Non. Comme dit précédemment, les hommes sont peu pris au sérieux, même si on peut noter une évolution (lente et peu flagrante).

Femme qui symbolise la violence : Nikita (personnage du film éponyme de Luc Besson), mais pas représentative pour moi de la violence conjugale.

Lien Femmes/Histoire : Les femmes sont très peu relatées dans les ouvrages historiques. On peut sans doute expliquer cela par l'état de la femme dans la société avant les années 1960. Leur rôle ou leurs fonctions ayant été limités, elles n'avaient sans doute pas la possibilité de faire « parler d'elle » ou de marquer l'Histoire de leur présence et de leurs actions. On peut supposer que les femmes jouant actuellement un rôle (politique, artistique, etc.) seront mentionnées plus tard ou du moins relatées dans des ouvrages historiques.

Femmes plus faibles physiquement que les hommes ? Oui. Du moins en majeure partie. Il est bien sûr question de force physique.

Sexe : F
Âge : 18
Profession : Étudiante.
Situation familiale : Célibataire.
Enfant(s) :
Définition de la violence : C'est le fait d'user de gestes ou de paroles brusques et dénués de diplomatie sans que la nécessité le justifie.
La violence a-t-elle un sexe ? Non.
Violences féminines/Violences masculines . On a plutôt tendance à voir les violences féminines comme celles des mots et les violences masculines comme celles des gestes. Je pense qu'actuellement aucune n'a vraiment de genre particulier.
Définition de la violence conjugale ? C'est quand un des conjoints exerce une pression sur l'autre, l'accable, use de manipulation, la frappe ou l'insulte.
Que pensez-vous des hommes qui battent leur femme ? C'est un geste de faiblesse et de lâcheté inacceptable.
Que pensez-vous des femmes qui battent leur homme ? C'est moins courant et difficile à concevoir. J'ai du mal à émettre un avis là-dessus car je n'arrive pas à me le représenter.
Définition de la femme violente : Une femme qui use de brutalité, dans ses mots ou dans ses gestes.

Femme/criminelle ? Vous voulez dire une femme criminelle ? Je trouve qu'une femme est de nature plus perverse qu'un homme, je considère qu'une femme a toujours une idée manipulatrice ou machiavélique derrière la tête. Je trouve cela encore plus grave.

La loi s'applique-t-elle avec la même rigueur aux deux sexes ? Non. Les femmes sont davantage protégées.

Femme qui symbolise la violence : Ce serait tout simplement une femme qui bat ses enfants, par exemple... Je n'ai pas d'exemple en tête...

Lien Femmes/Histoire : Oui, et peut-être une histoire différente de celle des hommes, par leur combat et les libertés qu'elles ont dû conquérir et qui étaient naturellement acquises par les hommes.

Femmes plus faibles physiquement que les hommes ? Sur un plan purement physique, oui. Mais je pense que le mental exerce une influence considérable sur le physique qui peut très bien placer à niveau équivalent les hommes et les femmes.

Sexe : F
Âge : 18
Profession : Étudiante.
Situation familiale : Célibataire.
Enfant(s) :
Définition de la violence : Elle peut être morale ou physique. C'est quand une personne use de sa force sur quelqu'un pour le contraindre à faire quelque chose, pour son propre plaisir ou bien sous le coup de la colère. Battre quelqu'un ou bien harcèlement moral.

La violence a-t-elle un sexe ? Non, un homme tout comme une femme peut être violent(e). Même si on entend souvent dire ce que les hommes sont plus violents que les femmes, censées être douces, gentilles, attentionnées, etc. contrairement à la brute, colérique. Hum, très peu pour moi.

Violences féminines/Violences masculines : Peut-être que les femmes sont plus sournoises, plus fines que les hommes. Par exemple, au lycée, les gars avaient plus tendance à se battre pour régler leur problème alors que les filles se faisaient des coups bas comme entacher la réputation de l'autre, etc. Bref, les hommes plus physiques et les femmes plus morales, mais il ne faut pas non plus tomber dans le caricatural.

Définition de la violence conjugale ? C'est quand l'un des conjoints, aussi bien l'homme que la femme, s'en prend physiquement ou moralement à l'autre : le battre, l'injurier sans arrêt, etc.

Que pensez-vous des hommes qui battent leur femme ? Pour moi ce sont des lâches, car ils croient que c'est plus facile de tout régler par la violence alors que ce n'est pas le cas. Ils se croient supérieurs car ils sont plus forts physiquement alors ils en profitent, mais quand on aime réellement quelqu'un, on le traite avec respect et on ne le violente pas, enfin, sauf s'il a le consentement de l'autre…

Que pensez-vous des femmes qui battent leur homme ? D'après moi, qu'il s'agisse d'un homme – chose dont on entend rarement parler, pourtant ça existe tout comme les hommes violés par des femmes – ou d'une femme, c'est la même chose : ils ne doivent pas se laisser faire, ils doivent se défendre d'une manière ou d'une autre : essayer de faire ouvrir les yeux de son partenaire sans tomber dans les promesses (« je ne recommencerai plus »), engrenage sans fin. Ils doivent quitter le domicile conjugal ou même demander le divorce s'ils sont mariés, et, au pire des cas, prévenir la police et porter plainte.

Définition de la femme violente : Une femme qui est impulsive, qui ne sait pas se contrôler, qui est brutale, aussi bien dans ses gestes que dans ses paroles, une femme qui bat son enfant.

Femme/criminelle ? Une femme qui tue son mari ou sa belle-mère ? Non, pour moi c'est la même chose qu'avec un homme : une personne qui commet un crime puni par la loi : entrave à la justice, complot, vol qualifié, meurtre.

La loi s'applique-t-elle avec la même rigueur aux deux sexes ? J'avoue ne m'être jamais vraiment posé la question. Peut-être qu'une femme aura un jugement moins sévère contrairement à un homme, celle-ci pouvant être considérée comme plus fragile, ou, si elle a un enfant, pourrait plus « attendrir » ? Je ne sais pas.

Femme qui symbolise la violence : Aileen Wuornos, première tueuse en série aux États-Unis : le film *Monster* avec Charlize Theron et Christina Ricci. J'ai tout de suite pensé à cela, peut-être aussi parce que je ne connais pas d'autres noms de femmes ?

Lien Femmes/Histoire : D'après moi, c'est indéniable, les femmes ont bien un lien avec l'Histoire : tout d'abord parce qu'elles n'avaient pas du tout la même manière de vivre que les hommes, avant : femmes au foyer, hommes aux champs/travail. Donc chacun d'eux a sa propre histoire.

De plus, le fait qu'elles aient pu acquérir le droit de vote, de travailler ou d'ouvrir un compte bancaire sans avoir besoin du consentement de leur mari, aller à l'école. Aujourd'hui encore, avec la tentative, réussie ou pas, de la parité homme/femme, ou bien des progrès, des améliorations que les femmes arrivent à avoir en Europe ou bien dans les pays islamistes/musulmans : travailler, pantalon, etc.

Femmes plus faibles physiquement que les hommes ? Je pense oui. Généralement, les hommes sont plus grands, plus musclés que les femmes. Par exemple, chez moi : mon père arrive beaucoup plus facilement à passer le motoculteur que ma mère. Mais cela n'empêche en rien les femmes de faire les mêmes choses que les hommes : par exemple travailler dans le secteur du bâtiment. C'est juste qu'elles s'y prennent autrement face aux différentes situations. Mais bon, après il ne faut pas non plus avoir une vision trop restrictive des choses, je connais des filles qui sont bien plus fortes physiquement que certains garçons.

Sexe : F
Âge : 18
Profession : Étudiante.
Situation familiale : Célibataire.
Enfant(s) :
Définition de la violence : La violence peut être verbale et/ou physique entre individus.
La violence a-t-elle un sexe ? Non, bien que les hommes soient plus violents que les femmes, elles peuvent cependant être violentes envers autrui.
Violences féminines/Violences masculines : Les femmes ont tendance à être violentes verbalement mais ceci dit, elles peuvent en arriver aux mains. Quant aux hommes, ils ont tendance à utiliser d'abord la violence physique.
Définition de la violence conjugale ? Un individu qui est battu par son conjoint et/ou le conjoint qui dénigre sans arrêt son conjoint.
Que pensez-vous des hommes qui battent leur femme ? Ce sont des individus faibles qui ont un manque de confiance en eux, et qui ont besoin de prouver leur force en battant leur femme.
Que pensez-vous des femmes qui battent leur homme ? Idem que la question précédente.
Définition de la femme violente : Une femme qui a toujours besoin de dénigrer les autres et qui, lors d'une dispute, n'arrive pas à se maîtriser et par conséquent devient violente physiquement.
Femme/criminelle ? Deux individus qui s'aiment malgré leur différence.
La loi s'applique-t-elle avec la même rigueur aux deux sexes ? La loi ne s'applique pas toujours avec la même rigueur aux hommes et aux femmes, parce que l'image de la femme est douce comparée à celle des hommes.
Femme qui symbolise la violence : Véronique Courjault.
Lien Femmes/Histoire : Les femmes ont toujours un lien dans l'Histoire, même si elles étaient dans l'ombre, elles avaient toujours une influence importante sur leur

mari. Les femmes ont une histoire, prenons par exemple le mouvement féminin qui s'est battu pour avoir les mêmes droits que les hommes (exemple : le droit de vote). **Femmes plus faibles physiquement que les hommes ?** Je pense que les femmes sont physiquement plus faibles que les hommes à cause de leur morphologie.

Sexe : F
Âge : 17
Profession : Étudiante.
Situation familiale : Célibataire.
Enfant(s) :
Définition de la violence : La violence est le fait de faire du mal de manière consciente ou inconsciente, qui peut traduire un mal-être profond ou juste un plaisir sadique. Elle peut se traduire autant par la forme physique (coups, viols, séquestration, racket, blessures) que psychologique (chantage, rabaissement, insultes, manipulation…). La victime devient le souffre-douleur de l'agresseur et est déshumanisée.

La violence a-t-elle un sexe ? Non, la violence est universelle, elle peut toucher tout âge, sexe, religion… La violence a juste une raison.

Violences féminines/Violences masculines : Dur de choisir… On a plutôt tendance à penser que les hommes axent leur violence par le physique (coups, blessures) et on penserait donc plutôt à l'inverse que les femmes seraient plus « douées » pour les violences psychologiques… Même si ça reflète sans doute l'avis populaire, je trouve que ce sont des préjugés simplistes, car la violence sera différente selon la personnalité de l'individu qui l'engendre et la manière dont il cherche à toucher sa victime (dans quel but ?).

Définition de la violence conjugale ? À la violence dans le couple (homo ou hétéro), quand deux personnes sont liées par un pacte social, émotionnel, des sentiments qui se veulent à la base de l'amour, mais qui peuvent vite tourner à des sentiments beaucoup plus malsains et égoïstes.

Que pensez-vous des hommes qui battent leur femme ? Les premiers mots qui me viennent à l'esprit sont « affreux, scandaleux, terrible, honteux ». Le fait de vouloir engendrer de la violence sur autrui dans le but de lui nuire soit parce qu'on est soi-même mal, soit parce qu'on a besoin de se sentir plus puissant, et toute raison quelconque me semble inexcusable. Puis après, on se dit qu'il faudrait les comprendre, chercher leur mal-être, les causes de la violence. Si ça n'aboutit pas, ils ne méritent pas la compagnie de l'autre.

Que pensez-vous des femmes qui battent leur homme ? Il en est de même que pour la réponse 4. On en parle moins, c'est proportionnellement peut-être plus rare ou plus tabou, mais ça existe. Donc il faut agir.

Définition de la femme violente : Que ça soit un homme ou une femme, je la définirais comme quelqu'un qui, soit par plaisir, soit par inconscience, détruit de manière physique ou psychologique quelqu'un d'autre. Une femme violente ne s'arrête pas forcément au stade d'épouse : ça peut très bien être une mère ou une fille violente.

Femme/criminelle ? Une réalité à ne pas négliger. Et qui doit disparaître.

La loi s'applique-t-elle avec la même rigueur aux deux sexes ? Je ne me suis jamais posé la question. Mais j'espère bien, oui.

Femme qui symbolise la violence : Je n'ai pas de nom d'une femme ayant vraiment existé. Je pense en premier aux légendes grecques, avec Méduse, ou les harpies de la mythologie, qui envoutaient les hommes et étaient symbole de destruction. Ou les belles-mères des Disney, la sorcière de Blanche Neige, par exemple. Rien de bien historique.

Lien Femmes/Histoire : Je ne comprends pas la question. Tout le monde a une histoire, les femmes ne sont pas une exception.

Femmes plus faibles physiquement que les hommes ? À la majorité oui, du moins on a au premier abord tendance à penser ça. Mais le contraire n'est pas absurde.

Sexe : F
Âge : 19
Profession : Étudiante.
Situation familiale : Célibataire.
Enfant(s) :
Définition de la violence : Attitude volontaire ou involontaire qui pousse quelqu'un à blesser (physiquement, moralement…) autrui.
La violence a-t-elle un sexe ? Pas particulièrement. Je pense plutôt que les formes de violences sont différentes selon les sexes.
Violences féminines/Violences masculines : Je pense que la violence faite par les hommes est une violence plus directe qui vise plutôt à blesser. La violence féminine vise elle plutôt à blesser de manière morale. Cette vision est, je pense, quand même à nuancer dans la mesure où il y a de plus en plus de similitudes entre la violence féminine et masculine. Je pense que la violence féminine a tendance à se durcir.
Définition de la violence conjugale ? De la violence au sein d'un couple.

Que pensez-vous des hommes qui battent leur femme ? Je pense que ce sont des personnes qui ont des problèmes liés à leur passé, à une mauvaise définition de « l'expression de leurs sentiments »… Je pense que ce sont des gens qu'il faut considérer au sein de la société et il est très important de chercher à comprendre les raisons de leurs actes.

Que pensez-vous des femmes qui battent leur homme ? Je trouve que la violence féminine est un sujet un peu plus délicat car jugé comme un peu plus « tabou » au sein de la société. Je pense que la violence conjugale est exercée autant par les hommes que par les femmes et qu'elle touche toutes les catégories sociales. Pour moi, une femme violente est également une personne qui a des problèmes liés en grande partie à son vécu.

Définition de la femme violente :

Femme/criminelle ?

La loi s'applique-t-elle avec la même rigueur aux deux sexes ? Je ne sais pas trop, mais je pense que la loi devrait en tous les cas s'appliquer de manière égalitaire pour les hommes et les femmes !

Femme qui symbolise la violence : Une réponse un peu influencée par mon récent voyage en Pologne et mes lectures actuelles : Irma Grese est pour moi un symbole de la cruauté nazie qui a, durant la Seconde Guerre mondiale, tué des milliers de personnes. Sinon, je pense que la violence nous concerne tous de manière plus ou moins directe et plus ou moins forte.

Lien Femmes/Histoire : Je pense que c'est un lien très important mais encore trop peu étudié, bien que de très bonnes recherches aient été faites sur ce sujet et que ce lien est de plus en plus mis en évidence.

Femmes plus faibles physiquement que les hommes ? On a tendance à mettre en effet cette image, mais je ne suis pas sûre que les femmes soient physiquement plus faibles que les hommes, il n'y a qu'à voir les combats de boxe, catch… où les femmes font, au contraire, preuve d'une grande force physique.

Sexe : F
Âge : 18
Profession : Étudiante.
Situation familiale : Célibataire.
Enfant(s) :
Définition de la violence : La violence se caractérise par une agression, qu'elle soit physique, verbale ou mentale, d'un être ou d'un objet.

La violence a-t-elle un sexe ? Bien qu'elle peut être en lien avec les hormones sexuelles mâles, la violence revêt différents visages et acteurs et elle n'a donc pas de sexe.

Violences féminines/Violences masculines : Je dirais qu'il existe un large éventail de violences, mais il me semble que les hommes usent davantage de violences physiques.

Définition de la violence conjugale ? Agression directe ou indirecte du conjoint, qu'elle soit physique, verbale ou mentale.

Que pensez-vous des hommes qui battent leur femme ? Je pense que chaque cas est différent. C'est peut-être un moyen d'exprimer des choses sur lesquelles on ne peut pas mettre de mots ou que l'on n'arrive pas à résoudre. Quoi qu'il en soit, il s'agit d'un acte qui ne peut être accompli que par une personne émotionnellement déséquilibrée et qui est condamnable, quels qu'en soient les motifs.

Que pensez-vous des femmes qui battent leur homme ? Comment définiriez-vous une femme violente ? Je pense que ces hommes sont malheureusement peu entendus pour tout un tas de raisons. Selon moi, une femme violente n'est pas forcément une femme qui va agresser physiquement, elle peut l'être de manière plus sournoise. Une femme violente peut même être une femme qui a des idées extrêmes, tyranniques... sans pour autant les réaliser.

Définition de la femme violente :

Femme/criminelle ? Je n'ai pas d'exemple en tête mais je pense que si chacun se regarde, on retrouvera des violences qui existent, mais à notre échelle, puisque la violence est typique des Hommes.

La loi s'applique-t-elle avec la même rigueur aux deux sexes ? En théorie, je pense que oui. En pratique, à différents degrés selon les lois, mais il paraît évident que ce n'est souvent pas le cas.

Femme qui symbolise la violence :

Lien Femmes/Histoire : Je pense qu'il s'agit d'un lien très fort mais peu visible « à œil nu » puisque souvent absent des sources historiques.

Femmes plus faibles physiquement que les hommes ? Tout dépend de la définition de « faible ». S'il s'agit de force, il est clair que physiologiquement, les hommes sont dotés d'un développement musculaire plus important. En revanche, on ne peut nier que de manière générale, les femmes sont plus nombreuses et vivent plus longtemps, même si cette moyenne tend à diminuer dans notre société.

Sexe : M
Âge : 18
Profession : Étudiant.
Situation familiale : Célibataire.
Enfant(s) :
Définition de la violence : C'est une incompréhension de l'autre, et en réponse on essaye de l'atteindre moralement ou physiquement.
La violence a-t-elle un sexe ? Non, pas du tout.
Violences féminines/Violences masculines : Je ne pense pas. Mais la violence physique est plus utilisée chez les personnes de sexe masculin alors que la violence morale est plus utilisée chez les femmes, mais il ne faut pas généraliser.
Définition de la violence conjugale ? C'est une personne qui veut montrer sa supériorité sur une autre dans un couple.
Que pensez-vous des hommes qui battent leur femme ? Je pense que ce sont des personnes qui sont folles, pas bien moralement.
Que pensez-vous des femmes qui battent leur homme ? Je pense que se sont aussi des personnes qui sont folles, pas bien moralement. C'est une femme qui atteint, physiquement ou moralement, la dignité d'autrui, qui atteint ce qui fait de lui un être à part entière.
Définition de la femme violente :
Femme/criminelle ?
La loi s'applique-t-elle avec la même rigueur aux deux sexes ? Je n'en sais rien.
Femme qui symbolise la violence : Je n'ai pas de nom qui me vient à l'idée.
Lien Femmes/Histoire : La femme a été souvent mise de côté, son rôle a été souvent placé en position secondaire. Mais on dit que derrière chaque homme de pouvoir se cache une femme de pouvoir. Et je pense que les femmes ont toujours eu une place à part entière (exemple : les régentes sous la royauté…).
Femmes plus faibles physiquement que les hommes ? Physiquement ? C'est possible, en même temps chaque individu est différent. Mais elles compensent cette différence par le moral : une femme est plus forte mentalement.

Sexe : F
Âge : 19
Profession : Étudiante.
Situation familiale : Célibataire.
Enfant(s) :
Définition de la violence : Une agression physique ou psychologique (verbale).

La violence a-t-elle un sexe ? Non, même si l'on assimile fréquemment la violence physique à l'homme. À tort.

Violences féminines : Non. Statistiquement, sans doute, mais d'après moi non.

Violences masculines :

Définition de la violence conjugale ? Maltraitance (physique, psychique, morale...) du conjoint.

Que pensez-vous des hommes qui battent leur femme ? Je pense qu'il est déplorable d'en arriver aux coups. C'est la traduction de problèmes graves, psychologiquement.

Que pensez-vous des femmes qui battent leur homme ? Je pense qu'il existe un tabou très fort à ce sujet. Dans notre société, il est impensable qu'un homme soit victime de violences de la part d'une femme, supposée être moins forte physiquement. En plus de vivre une situation dégradante, ils peuvent rencontrer des problèmes de crédibilité quant à leur mal-être. Une femme violente est avant tout une personne déséquilibrée, en souffrance, et qui n'arrive pas à trouver une alternative à cette violence dans son mode de communication.

Définition de la femme violente :

Femme/criminelle ? Je ne sais pas, mais je l'espère.

La loi s'applique-t-elle avec la même rigueur aux deux sexes ?

Femme qui symbolise la violence : Margaret Thatcher. Choix sans doute fortement influencé par des convictions politiques, mais j'ai trouvé que son mandat avait été marqué par la violence, le refus de compromis, le conflit et la lutte.

Lien Femmes/Histoire : Je pense que les femmes font partie intégrante de l'Histoire. L'intérêt qu'on leur porte et le rôle qu'elles jouent varient sans doute en fonction des sociétés, mais elles sont une « constante ».

Femmes plus faibles physiquement que les hommes ? Je pense que les rôles sociaux conditionnent grandement le recours à la force physique. Sur le plan médical ou anatomique, je ne sais pas.

Sexe : F
Âge : 21
Profession : Étudiante.
Situation familiale : Célibataire.
Enfant(s) :
Définition de la violence : La violence est une douleur provoquée par un acte ou une personne, elle est douloureuse à plus ou moins grande échelle et peut être tant morale, psychologique que physique.

La violence a-t-elle un sexe ? Pour moi, la violence n'a pas de sexe, mais plutôt issue elle-même d'une blessure. C'est un peu comme le cycle de l'œuf et de la poule... Je pense que les femmes sont en général plus auteurs de violences verbales, et les hommes physiques : c'est comme ça au départ, à l'école primaire, les filles se crêpent le chignon en se disant « mon sac est plus beau que le tien, toi t'es moche et moi je suis belle... », tandis que les garçons en viennent plus vite aux mains.

Définition de la violence conjugale ? La violence conjugale n'est que le résultat d'une incompréhension, d'un manque de dialogue, mais est aussi une pulsion, une nervosité accumulée (on se tait, on subit, puis arrive la goutte d'eau qui fait déborder le vase) et je dirais aussi une fierté, ou du moins une quête d'amour-propre.

Que pensez-vous des hommes qui battent leur femme ? Battre sa femme ou son homme n'est pas une solution. L'amour peut être parfois si fort que la personne peut subir ces violences sans bouger, « par amour » et par la peur de la perte, que ce soit pour l'homme ou la femme. La violence est utilisée par les faibles, psychologiquement parlant, pour cacher justement cette faiblesse. Le soin devrait se situer sur cette dimension psychologique. Je plains vraiment les deux, celui qui subit parce qu'il aime, et celui qui agit parce qu'il n'a pas été aidé.

Que pensez-vous des femmes qui battent leur homme ? Je fais la différence entre les gens qui battent pour cacher leur faiblesse psychique et ceux qui sont atteints d'une pathologie car ces derniers ne sont même pas conscients de leurs actes ni de leurs répercutions. Les femmes qui battent leurs maris sont certes des personnes en grande souffrance, mais attention à ne jamais excuser sous prétexte d'une faiblesse, d'une souffrance. Ceci est valable pour l'être humain en général.

Définition de la femme violente :

Femme/criminelle ? Femme-criminelle = criminelle (donc dangereuse par définition) + très hargneuse (toujours le côté psychique prédominant chez la femme).

La loi s'applique-t-elle avec la même rigueur aux deux sexes ?

Femme qui symbolise la violence : Une femme qui symbolise la violence... Deux me viennent à l'esprit : Margaret Thatcher pour la violence psychologique, et la belle-mère de Blanche Neige, violente verbalement et physiquement.

Lien Femmes/Histoire : Bien sûr que les femmes ont une histoire ! Depuis toujours elles ont dû se battre doublement pour obtenir ce qui était acquis pour les hommes ! Ce combat perpétuel existe depuis toujours, et n'est pas terminé ! Pour autant, je ne suis pas féministe, mais plutôt humaine. Par exemple, les femmes n'avaient pas leur place à l'église au Moyen Âge, encore moins dans la musique et ce, jusqu'à l'époque baroque (environ dans les années 1700, avec l'arrivée du bel canto et le déclin des castrats), et même dans les mœurs, rien n'est encore rentré dans l'ordre ! Ce n'est pas demain que nous aurons une présidente.

Femmes plus faibles physiquement que les hommes ? Il faut bien l'admettre, physiquement, nous avons moins de possibilités que les hommes ; cela dit, rien n'est figé, et il ne faut pas faire de généralités. Pour ma part, j'ai moins de force que mon chéri, et j'en suis très contente : il peut me porter comme une princesse pour me mettre au lit, cette différence n'est donc pas forcément une faiblesse !

Sexe : M

Âge : 27

Profession : Ingénieur.

Situation familiale : Célibataire.

Enfant(s) :

Définition de la violence : La violence caractérise tout acte, toute pensée ou toute parole brusque, alliant la puissance, dans un but destructeur ou au moins dans un but de souffrance.

La violence a-t-elle un sexe ? La violence est humaine – elle n'a donc pas de sexe. Toute forme de violence peut être générée par un homme ou par une femme.

Définition de la violence conjugale ? Tout acte, pensée ou parole visant à faire souffrir l'autre de manière consciente ou inconsciente.

Que pensez-vous des hommes qui battent leur femme ? Les personnes battant leur conjoint ont un problème psychologique connu ou inconnu.

Que pensez-vous des femmes qui battent leur homme ? Même définition que pour un homme : qui fait du mal autour de soi ou à soi-même.

Définition de la femme violente : La violence n'est malheureusement pas toujours condamnée et n'est donc pas forcément criminelle. Tout comme une criminelle peut agir sans violence (dans le cas d'un vol, par exemple). Je pense qu'il n'y a pas d'association à faire.

Femme/criminelle ?

La loi s'applique-t-elle avec la même rigueur aux deux sexes ? Si ce n'est pas le cas, elle le devrait. Mais je pense effectivement qu'on est souvent plus clément avec une femme qu'avec un homme.

Femme qui symbolise la violence : Bonne question : Ségolène Royal peut l'être vis-à-vis de Nicolas Sarkozy. Pink l'est parfois dans ses clips, une femme peut l'être vis-à-vis de son mari.

Lien Femmes/Histoire : Les femmes ont une histoire, mais il est vrai qu'on s'y intéresse depuis bien moins longtemps. Aujourd'hui l'équilibre tend néanmoins à se faire de plus en plus et les femmes entrent dans l'Histoire.

Femmes plus faibles physiquement que les hommes ? Euh, là je ne veux pas être misogyne mais malheureusement c'est physique ! Évidemment il y a aura des exceptions à la règle, mais globalement je pense que oui.

Sexe : M
Âge : 30
Profession : Enseignant.
Situation familiale : Célibataire.
Enfant(s) : 0

Définition de la violence : « Un contact brutal entre deux corps » ; je reste vague parce que je ne crois pas que 1) la notion ne s'applique qu'à l'humain et 2) même si c'est le cas, qu'elle implique une volonté de nuire, une hostilité de l'un des partis…

La violence a-t-elle un sexe ? Non, paradoxalement, j'ai le sentiment que « la violence » est même quelque chose d'assez abstrait…

Violences féminines/Violences masculines : Typiquement, non, mais je crois qu'il y a des dominantes.

Définition de la violence conjugale ? L'irruption de la brutalité entre des gens mariés. Désolé, je ne trouve pas mieux que cette paraphrase de la question !

Que pensez-vous des hommes qui battent leur femme ? Curieuse question ! J'ai envie de répondre : « Et vous ? » Et d'ailleurs, que pensez-vous de la guerre ? Comme tout le monde, je suis heureux de vivre dans un pays qui la condamne et s'efforce de l'empêcher…

Que pensez-vous des femmes qui battent leur homme ? Curieuse situation cette fois ! J'en pense ce qu'Ariste en dit à Chrysale dans *Les Femmes savantes* : « Son pouvoir n'est fondé que sur votre faiblesse ».

Définition de la femme violente : Comme pour un homme, c'est une personne qui ne parvient pas à maîtriser ses pulsions ; ou bien c'est une femme qui a une délirante volonté de puissance, auquel cas c'est une femme « virilisée » : un monstre !

Femme/criminelle ? « Un contact brutal entre deux corps » ; je reste vague parce que je ne crois pas que 1) la notion ne s'applique qu'à l'humain et 2) même si c'est le cas, qu'elle implique une volonté de nuire, une hostilité de l'un des partis… Le couple femme/criminelle évoque pour moi un acte de folie, il me semble que les hommes sont capables d'une violence « rationnelle » inconnue aux femmes (?).

La loi s'applique-t-elle avec la même rigueur aux deux sexes ? Non, je ne pense pas. Mais je me demande quelle serait la loi la meilleure : celle qui distingue les sexes au nom de leur différence « naturelle », ou celle qui entend « corriger la nature » en rendant hommes et femmes parfaitement « égaux en droit » (et donc en peine) ? Coquille vide, cette notion de « nature », utile à n'importe quelle idéologie…

Femme qui symbolise la violence : Bonnie Parker, les sœurs Papin, Médée…

Lien Femmes/Histoire : Certes ! « On ne naît pas femme… » Les femmes ont une histoire, et qu'elles ont elles-mêmes constitué en objet d'étude, ces dernières décennies. Il était temps ! La misogynie aussi a une histoire, comme l'image de la femme (« la vocation du féminin » !) dans le regard des mâles… Je pense à ce gredin de Claudel : « La femme est un être sur qui pèse l'exigence pratique », n'est-ce pas un éloge aux allures de corset ? Mais Dieu lui pardonne sûrement, il n'a pas connu la pilule !

Femmes plus faibles physiquement que les hommes ? Ça me semble difficilement contestable… mais elles sont physiquement bien plus belles aussi !

Sexe : M

Âge : 48

Profession : Enseignant.

Situation familiale : Célibataire.

Enfant(s) :

Définition de la violence : Tout acte portant atteinte à l'intégrité physique, morale, intellectuelle, etc. d'un être vivant (humain, animal, végétal).

La violence a-t-elle un sexe ? Non.

Définition de la violence conjugale ? Droit, autorité ascendance, pouvoir, que s'arroge l'un des conjoints, profitant de la faiblesse de l'autre.

Que pensez-vous des hommes qui battent leur femme ? Une personne qui ne peut contrôler ses pulsions est répugnante et dangereuse.

Que pensez-vous des femmes qui battent leur homme ? Manque de personnalité, soumis sans volonté.

Définition de la femme violente : Incontrôlable, dangereuse, un paradoxe ambulant mais pourtant…

Femme/criminelle ? Misère incommensurable.

La loi s'applique-t-elle avec la même rigueur aux deux sexes ? Non.

Femme qui symbolise la violence : Celle qui tue son enfant ou ses enfants (la dernière, j'ai oublié le nom) et puis Margaret Thatcher aussi.

Lien Femmes/Histoire : Lien d'autant plus étroit qu'elles sont, depuis Adam et Ève, responsables toujours condamnées. Et pourtant toujours victimes. Oui, elles ont une histoire hélas parallèle aux hommes, se rencontreront-ils un jour ?

Femmes plus faibles physiquement que les hommes ? Oui, malgré une belle évolution.

Sexe : M
Âge : 20
Profession : Étudiant.
Situation familiale : Célibataire.
Enfant(s) :
Définition de la violence : La violence serait, pour moi, un acte agressif qui porte atteinte aux droits, aux actions ou à la santé de personnes avec une visée malsaine. Le but est de faire souffrir et d'imposer une contrainte, cela peut être utilisé pour démontrer quelque chose comme une supériorité ou revendiquer des droits ou autre…

La violence a-t-elle un sexe ? La violence est peut-être souvent rattachée aux hommes par rapport aux guerres, ou autres combats qui apparaissent entre eux. On distingue donc peut-être plus de violence chez un homme. L'homme est (dans les mœurs) peut-être vu plus agressif que la femme. La vision de la violence est peut-être plus masculine au premier contact.

Violences féminines/Violences masculines : Les violences féminines et les violences masculines sont pour moi identiques car elles sont exécutées dans un même but, et souvent de la même façon. La violence ne peut être différente selon le sexe.

Définition de la violence conjugale ? La violence conjugale est la violence exercée dans un couple par une personne, de manière physique ou psychologique. Cette personne impose son influence sur l'autre par ce biais.

Que pensez-vous des hommes qui battent leur femme ? La violence est un acte extrême qui ne doit pas apparaitre dans une relation sociale normale. Les hommes qui battent leur femme ont peut-être un souci psychologique, ils sont malades, mais ces actes pour moi ne doivent pas exister et les hommes qui battent leur femme doivent être suivis, et si cela continu, arrêtés.

Que pensez-vous des femmes qui battent leur homme ? Le problème est le même. Les femmes qui battent leur homme doivent être punies de la même façon.

Définition de la femme violente : Violence et femmes ne sont peut-être pas liées dans nos esprits (ou en tout cas dans le mien), mais la violence peut faire partie de chaque être humain, quel que soit son sexe. Une femme violente est donc aussi agressive qu'un homme violent.

Femme/criminelle ?

La loi s'applique-t-elle avec la même rigueur aux deux sexes ? Si la question est au présent, hommes et femmes font face (en tout cas je l'espère) à la même rigueur devant la loi. Mais je ne sais pas s'il existe des différences au niveau juridique, pendant les procès entre hommes et femmes. Désolé.

Femme qui symbolise la violence : Le premier nom qui me vient à l'esprit est celui de Marianne, symbole de la Révolution française de 1789, Révolution sanglante, surtout après avec les périodes qui suivent (la Terreur, etc.).

Lien Femmes/Histoire : La femme a peut-être une place trop peu importante par rapport à celle de l'homme dans l'Histoire. Les personnages qui ont marqué l'Histoire (ou que l'on a retenus) sont majoritairement de sexe masculin. Cela laisse peu de place pour les femmes.

Femmes plus faibles physiquement que les hommes ? Les hommes cultivent peut-être plus leur physique que les femmes. Ils sont peut-être plus habitués à développer leur puissance physique que les femmes, ce qui les rend généralement plus forts qu'elles. Mais une femme entrainée physiquement peut sûrement rivaliser avec un homme. (Autant dire que je n'aimerais pas me retrouver contre la championne olympique de boxe !)

Sexe : M

Âge : 18

Profession : Étudiant.

Situation familiale : Célibataire.

Enfant(s) :

Définition de la violence : La violence physique est pour moi un ou des actes prodigués volontairement à l'encontre d'une autre personne dans le but de lui faire mal. Il existe aussi des violences verbales, psychologiques, etc. Chaque violence est adaptée et utilise les armes dont elle dispose.

La violence a-t-elle un sexe ? Les différentes formes de violences sont pratiquées par les deux sexes.

Violences féminines/Violences masculines : La violence physique me semblerait plus masculine, néanmoins je ne pense pas qu'il existe des violences exclusivement féminines ou masculines. Les causes, par contre, de la violence peuvent être plus rattachées à un sexe qu'à un autre. Par exemple, la violence comme moyen de conquête ou de domination me semble plus masculine. Un exemple de violence masculine plus terre-à-terre : on voit beaucoup plus rarement des femmes se battre ou se disputer (violence verbale) au volant d'une voiture ou à cause d'une impolitesse automobile. De même, dans les films, les romans, etc. L'empoisonnement me semble une violence plus féminine que masculine. Le viol ou l'inceste me semblent être des violences plus masculines, même si on ne doit pas manquer de cas qui montrent le contraire.

Définition de la violence conjugale ?

Que pensez-vous des hommes qui battent leur femme ? Ce comportement n'est pas admissible. Si je reconnais que la violence bien utilisée peut être un moyen efficace et justifié au service de certaines causes, je pense qu'en aucun cas ce type de comportement ne peut résoudre des problèmes conjugaux ou améliorer les relations.

Que pensez-vous des femmes qui battent leur homme ? Il serait sexiste de tolérer pour les femmes ce que l'on ne tolère pas pour les hommes. Une femme violente est une femme qui use de la violence tout simplement… non ?

Définition de la femme violente :

Femme/criminelle ?

La loi s'applique-t-elle avec la même rigueur aux deux sexes ? Je pense que malheureusement la loi favorise beaucoup les femmes dans tous les domaines. Tout citoyen à besoin d'être protégé. Favoriser un citoyen en invoquant son sexe, c'est créer une injustice dans le système judiciaire. Si j'étais une femme, je me révolterais contre ces lois qui favorisent les femmes car je les trouverais humiliantes. La tolérance ou le favoritisme est parfois une forme de mépris.

Femme qui symbolise la violence : Médée qui, selon la mythologie, tue ses enfants (elle les égorge, je crois) ou peut-être la Corriveau (qui empoisonnait ses maris.)

Lien Femmes/Histoire : Les femmes ont souvent été reléguées au second plan de l'Histoire, toutefois elles n'étaient pas absentes du pouvoir, soit par leur mariage soit par leur influence (Lucrèce Borgia, Madame de Maintenon…) Néanmoins, les femmes qui détenaient du pouvoir étaient souvent l'objet de rumeurs sordides ou tout au moins dégradantes… (Lucrèce Borgia, Marie Antoinette…)

Femmes plus faibles physiquement que les hommes ? Oui, je pense que les femmes sont physiquement plus faibles que les hommes mais les différences n'empêchent pas l'égalité. C'est comme si l'on demandait si les hommes ont moins de seins que les femmes. Cependant, il existe surement des contre-exemples comme des femmes de 2 mètres pour 100 kilos de muscles…

Sexe : M
Âge : 20
Profession : Étudiant.
Situation familiale : Célibataire.
Enfant(s) :
Définition de la violence : La violence correspond surtout pour moi aux actes physiques. En effet, la violence verbale comme certains la définissent n'est pas à mes yeux une véritable violence. Ainsi, la violence est pour moi un acte produit par une personne sur un autre individu par des coups physiques, des altercations physiques entre des personnes quel que soit leur sexe. Mais il y a plusieurs niveaux de violence : cela peut être un simple soufflet, un coup de poing ou plus important encore avec les violences avec armes. Puis il faudrait encore définir la violence par ses différentes sortes : les actes prémédités étant une violence différente des violences qui font immédiatement suite à des accrochages de tous les jours (par exemple, une bagarre qui éclate en fin de soirée est une violence, mais beaucoup moins importante à mes yeux). Les différents degrés de violence aussi définissent ce qu'elle est : la violence pour vengeance, le meurtre prémédité et intéressé sont pour moi totalement différents, même s'ils se soldent par la mort d'un individu. Question très difficile que de définir la violence !
La violence a-t-elle un sexe ? La violence n'a pour moi aucun sexe. Il est vrai qu'on parle plus de violence avec les hommes mais les femmes peuvent aussi être à l'origine d'actes violents. La violence est une notion qui n'est pas une question de genre, chaque individu peut commettre un acte violent quel que soit son sexe.
Violences féminines/Violences masculines : Il n'existe pas pour moi des violences typiquement féminines ou masculines. Certaines violences sont peut-être plus masculines que féminines, comme par exemple les bagarres qui concernent peu de filles (je crois).
Définition de la violence conjugale ? La violence conjugale correspond à la violence dans un couple. Elle peut aussi bien être une violence engendrée par l'homme que par la femme. C'est une des violences les plus graves à mon avis puisqu'elle se fonde sur une relation durable qui évolue en actes violents. La violence conjugale touche vraisemblablement plus de femmes que d'hommes, en tout cas les victimes féminines de cette violence en parlent plus.
Que pensez-vous des hommes qui battent leur femme ? Les hommes qui battent leur femme sont des hommes qui font cela car la seule façon pour eux de se sentir forts, c'est de frapper une femme. Bref, ils ne méritent pas que l'on s'intéresse plus à eux !

Que pensez-vous des femmes qui battent leur homme ? Les hommes battus par leurs femmes. Sujet très peu connu, mais je pense que en terme de violence conjugale, l'homme battu par sa femme correspond plutôt au dernier stade d'un processus de désintégration du couple.

Définition de la femme violente :

Femme/criminelle ?

La loi s'applique-t-elle avec la même rigueur aux deux sexes ? Je pense que la loi s'applique avec la même rigueur aux hommes qu'aux femmes. Cependant, une femme n'est généralement pas violente par nature, elle a souvent de bonnes raisons de commettre un crime, c'est mon avis.

Femme qui symbolise la violence : Une femme qui symbolise pour moi la violence est l'impératrice Irène. Génie politique qui n'a pas hésité à faire énucléer son fils dans la chambre où elle avait accouché pour pouvoir prendre sa place sur le trône de l'Empire byzantin.

Lien Femmes/Histoire : Le lien femme/Histoire est très intéressant. En effet, on a tendance à ne retenir que les grands noms de l'Histoire et le plus souvent on fait abstraction des femmes (dans la mémoire collective). Mais de nombreuses femmes méritent beaucoup de reconnaissance au niveau historique. Les hommes écrivent l'Histoire en privilégiant les grands hommes politiques ou les militaires. Mais je pense que les choses doivent changer et redonner aux femmes la place qu'elles méritent dans l'Histoire. Il ne faut pas oublier que les femmes sont aussi de véritables chefs d'État talentueuses : l'impératrice Irène, Cléopâtre, Catherine de Médicis, Catherine de Russie sont des personnages historiques d'une politique parfois bien plus efficace que celle des hommes de leur époque. Sans oublier les femmes qui ont changé le cours de l'Histoire à leur façon par la culture ou la recherche, par exemple.

Femmes plus faibles physiquement que les hommes ? Je pense cependant que, physiquement, l'homme est plus fort que la femme. Je m'explique : étant sportif est assistant souvent à des compétitions, l'homme est physiquement plus fort que la femme au niveau de la performance. Mais on ne peut pas douter qu'une femme puisse être plus forte physiquement qu'un homme !

Sexe : F
Âge : 19
Profession : Étudiante.
Situation familiale : Célibataire.
Enfant(s) :

Définition de la violence : La violence est quelque chose que nous possédons tous en nous. C'est une sorte de pulsion qui est plus ou moins réfrénée selon notre personnalité mais qui toujours, à un moment ou à un autre, fini par sortir ne serait-ce qu'un court instant, elle est latente. Par exemple, si l'on se fait agresser, la peur peut engendrer chez certaines personnes la violence, car la défense physique ou verbale est une sorte de violence, pour se préserver. Ou alors on peut tout simplement être un agresseur qui est devenu celui qu'il est peut-être à cause de la violence (violence physique étant enfant par un ou ses deux parents, violence verbale et/ou physique à l'école, subissant le racket ou autre...). Mais la violence peut aussi être quelque chose d'interne à soi. Il y a par exemple des gens qui se font souffrir pour éviter de causer des souffrances aux autres (entailles sur les bras, etc.), ceux qui sont boulimiques ou anorexiques. Se faire vomir est une forme de violence... Ceux qui ont une forme de violence nerveuse (qui peut faire apparaître des traces sur le corps, comme le psoriasis, par exemple), ou encore les personnes qui se suicident, ultime violence sur soi. La violence peut aussi permettre de se soulager. Les artistes parfois s'en servent sur leurs toiles ou dans leurs musiques. Les sportifs utilisent aussi la violence pour se soulager, comme ceux qui pratiquent les arts martiaux, et qui sont très doués dans ce domaine, en sachant pertinemment que s'ils se font agresser ils perdront sûrement leurs moyens, mais c'est un défouloir... Il peut aussi y avoir une violence que je qualifierais de « journalière ». Je pense particulièrement aux personnes dont la vie est rude et qui ont des difficultés pour subvenir aux besoins de leurs familles. Donc, ils se font « violence » tous les jours, en s'astreignant à un travail qui peut être difficile... Et pourtant ils le font, pour que leurs enfants puissent aller à l'école, pour qu'ils puissent étudier et avoir une vie différente de la leur... Je pense que la violence sous cet angle-là n'est pas forcément une mauvaise chose, même si elle n'est pas évidente à assumer. Je pense que tout le monde possède une forme de violence, mais la plupart d'entre nous apprennent à la canaliser avec l'âge. Ce sont peut-être les enfants qui sont le plus ouvertement touchés par la violence, alors que chez les adolescents c'est plus interne... Avec l'âge, on apprend à l'équilibrer, je crois.

La violence a-t-elle un sexe ? Comme je l'ai dit précédemment, je pense que la violence touche tout le monde. Cependant, elle n'est pas la même que l'on soit homme, femme, enfant, ou personne âgée.

Violences féminines/Violences masculines : Je pense que oui. Je crois que la violence masculine est plus sur l'instant (même s'il y a toujours des exceptions à la règle). Un homme violent, dans son action, va certainement frapper, crier, vociférer puis quand il aura fini, et bien ce sera fini ! Alors que la violence féminine (sauf exceptions) est plus sur la durée, c'est une violence d'usure ! Il y a toujours des petites phrases méchantes, répétitives, qui fatiguent, des harcèlements, etc. Mais une femme peut être aussi très violente physiquement avec comme armes de prédilection corporelles les ongles et les dents. Sinon, je pense qu'une femme est plus à l'aise dans la violence avec un objet quel qu'il soit plutôt qu'avec ses poings. Pour les hommes, je ne sais pas trop vu que je n'en suis pas un, mais je pense qu'il y a moins de rancune sur la durée, et donc la violence, même si elle est toujours là, se présente de manière plus passagère.

Définition de la violence conjugale ? Pour moi, la violence conjugale ne peut exister que si les deux personnes du couple sont fautives. Si l'un des deux est violent, c'est que l'autre, à un moment donné, s'est laissé faire, ou n'a pas osé intervenir sous le choc de la surprise, ou sous la menace, ou même à cause de l'amour. Et je pense aussi que la violence conjugale ne se passe pas que le jour, mais aussi la nuit. Le mari peut très bien violer son épouse et inversement. De plus, il y a aussi les violences « menaces » par exemple : « Si tu ne (me) fais pas ça, je fais du mal à ton enfant, etc. ». Mais bon, je ne suis pas sûre ce que je viens d'écrire parce que c'est une situation que je ne connais pas… Mais ce n'est pas grave, je donne mon avis quand même !

Que pensez-vous des hommes qui battent leur femme ? Tout d'abord je pense que ce n'est pas bien… mais bon, ça on pouvait s'y attendre ! En revanche, je pense qu'il y a peut-être une raison qui doit certainement, comme dans toutes les pathologies psychologiques, remonter à l'enfance. Peut-être a-t-il lui-même été battu par son père ou sa mère et donc il reproduit le même schéma ? Ou peut-être a-t-il eu un père absent et subi des violences de la part de sa mère, alors il ne sait pas comment s'y prendre et, pour lui, son attitude est normale, car il peut aimer passionnément sa femme et la battre… Même si c'est étrange comme comportement et inacceptable, ça existe. Certains hommes peuvent être violents verbalement et même physiquement car ils ont peur du débat ou de la discussion avec leur femme, car cela pourrait les mettre en position de faiblesse face à elles, alors ils deviennent stupides et violents. Après, cela peut aussi être par jalousie, possession, etc., donc il est incapable de maîtriser ses comportements, ses émotions et ses gestes. Il y a l'exemple de la femme qui possède une bonne situation et qui est reconnue par son entourage, l'homme avec qui elle vit est alors jaloux car il est moins bon. Il devient donc violent pour chercher à la dominer et à se revaloriser pour se dire « c'est moi le plus fort, tu ne peux rien contre moi ! » (Mais bon voilà, après je ne suis pas sûre…)

Que pensez-vous des femmes qui battent leur homme ? Je pense que c'est un cas déjà plus rare, mais qui existe quand même. Je crois que si les hommes se laissent battre par leurs femmes, c'est qu'ils ont eu un rapport de violence avec leur mère. Enfin plutôt des mères envers leurs fils. Pour eux donc, cette relation peut être normale et peut-être même qu'ils recherchent cette violence, parce que ça peut être un « manque ». Mais bon… après, peut-être que ce sont simplement des hommes faibles, sans caractère propre, et donc dans un sens cette violence les rassure, ils se disent qu'ils n'ont pas à assumer ce rôle de violence eux-mêmes. Pour certains hommes, se laisser battre c'est fuir leurs responsabilités et donc laisser la femme gérer le couple, car beaucoup d'hommes ont peur de ne pas être à la hauteur.

Définition de la femme violente :

Femme/criminelle ?

La loi s'applique-t-elle avec la même rigueur aux deux sexes ? Pour cette raison je ne sais pas. Cependant, je pense qu'on trouvera plus facilement des excuses aux femmes qu'aux hommes. Mais pourquoi ? Je ne sais pas. Ce n'est pas juste qu'on trouve des excuses aux femmes et pas aux hommes sous prétexte qu'elles sont un peu plus faibles physiquement.

Femme qui symbolise la violence : Ce n'est pas vraiment une personnalité, mais j'imagine souvent (pour le thème de la violence) une femme assez grosse et pas très belle, sur un marché, en train de crier et de vociférer parce qu'elle agresse quelqu'un verbalement pour une raison quelconque. Je dirais que c'est assez impressionnant et parfois effrayant… Mais je n'ai pas de nom…

Lien Femmes/Histoire : Je pense que derrière chaque grand homme de l'Histoire, il y a quelque part une femme qui lui donne ses idées et son avis et que ça le guide plus ou moins dans ses actes. Mais je n'ai pas de preuves concrètes, seulement des bribes de choses que j'ai entendues par-ci par-là, à l'école ou il me semble cette année aussi. Je crois que l'une des maîtresses de Louis XIV le guidait (mais j'ai peur de dire une grosse ânerie là…). Enfin bon c'est ce que je pense. Ceci dit, il y a eu des femmes qui ont gouverné, des pharaonnes, des régentes, des reines, etc. Je pense qu'elles ont toujours été présentes dans l'Histoire même si elles n'ont pas toujours gouverné.

Femmes plus faibles physiquement que les hommes ? Oui en effet, je pense qu'on n'a pas la même morphologie, ni les mêmes capacités physiques, puisqu'à la base nous sommes là pour la procréation, alors que l'homme est là pour la protection… Mais bon c'est loin à la base. Cependant, il est certain que si une femme s'entraîne au combat, muscle son corps, etc., elle sera très forte et pourra vaincre certains hommes, mais ça se voit surtout à la télévision, le modèle de la « super femme » capable de vaincre n'importe quel homme… Maintenant, je doute fort que le jour où une femme normale se fait agresser, ce soit un minet qui le fasse, néanmoins ça ne doit pas empêcher une femme de se défendre, à coup de griffes et de dents !

RÉFÉRENCES BIBLIOGRAPHIQUES

Source

ABRICOSSOFF (Glarifa), *L'Hystérie aux XVIIe et XVIIIe siècles*, Paris, G. Steinheil, 1897.

ALESSON (Jean), *Les femmes décorées et les femmes militaires*, Paris, Melet G. libraire-éditeur, 1891, 3ᵉ édition.

ANDRAL (Gabriel), *Cours de pathologie interne professé à la Faculté de médecine de Paris*, Bruxelles, J. B. Tircher, 1839.

Assemblée nationale, rapport d'information n° 1799 tome 1. « Violences faites aux femmes : mettre enfin un terme à l'inacceptable », Mission d'information, juillet 2009.

BODIN (Jean), *Le fléau des démons et sorciers*, A. Nyort, D. du Terroir, 1616.

BOURQUELOT (Félix), *Cantique latin du XIIe siècle à la gloire d'Anne Musnier*, Paris, 1844.

CÈRE (Émile), *Madame Sans-Gêne et les femmes soldats. 1792-1815*, Paris, Plon, 1894.

CHAUDOIN (E.), *Trois mois de captivité au Dahomey*, Paris, Hachette, 1891.

COQUELET (Louis), *Éloge de la méchante femme, dédié à mademoiselle Honesta*, Paris, Antoine de Heuqueville, 1731.

DAREAU (François), *Traité des injures dans l'ordre judiciaire, ouvrage qui renferme particulièrement la jurisprudence du Petit-Criminel*, Paris, Prault père, 1775.

DIDEROT (Denis), D'ALEMBERT, *Encyclopédie ou Dictionnaire raisonné des sciences, des arts et des métiers*, Genève, chez Pellet, 1778.

Dissertation dans laquelle on prouve que la femme n'est pas inférieure à l'homme, BnF, texte imprimé (S. l. n. d.).

DUBOIS (Frédéric), *Histoire philosophique de l'hypochondrie et de l'hystérie*, Paris, Deville-Cavellin, 1833.

FIGUEUR (Marie-Thérèse) épouse SUTTER, *La vraie Madame Sans-Gêne. Les campagnes de Thérèse Figueur, dragon aux 15ᵉ et 9ᵉ régiments, 1793-1815*. Écrites sous sa dictée par Saint-Germain Leduc, Paris, Guillaumin, 1894.

FIGUEUR (Marie-Thérèse) dite « SANS-GÊNE », *Histoire de la dragonne. Les campagnes d'une guerrière enrôlée dans les armées de la Révolution et du Premier Empire, 1793-1815*, Paris, Cosmopole, 2004.

FOÀ (Édouard), *Le Dahomey. Histoire, géographie, mœurs, coutumes, commerce, industrie. Expéditions françaises (1891-1894)*, Paris, A. Hennuyer, 1895.

FURETIÈRE (Antoine), *Dictionnaire universel*, La Haye, A. et R. Leers, 1690.

GUYON (Claude-Marie) (abbé), *Histoire des Amazones anciennes et modernes*, Paris, 1740, 2 vol., Bruxelles, 1741, traduit en allemand par (J. G.) KRUNITZ, Berlin, 1763.

GRANIER DE CASSAGNAC (Adolphe), *Histoire des causes de la Révolution Française*, Paris, Henri Plon, 1856, 2ᵉ édition, tome 3.

HÉRODOTE, THUCYDIDE, *Œuvres complètes*, Paris, Gallimard, « La Pléiade », 1964.

HOBBES (Thomas), AUBREY (John), *De Cive ou les Fondements de la politique*, Paris, Sirey, « Publications de la Sorbonne. Série Documents ; 32 Philosophie politique », 1981.

INSTITORIS (Henry), SPRENGER (Jacques), *Le Marteau des sorcières*, Paris, Plon, 1973.

JOUSSE (Daniel), *Traité de la justice criminelle de France*, Paris, chez Debure père, 1771, 4 vol.

LA FONTAINE (Jean de), *Fables*, Paris, Le Livre de Poche « Classiques de poche », 2002.

LE MOYNE (Pierre), *La Gallerie des femmes fortes*, Lyon, Les libraires de la Compagnie de Jésus, 1677.

LEBRUN DE CHARMETTES (Philippe-Alexandre), *Histoire de Jeanne d'Arc, surnommée la Pucelle d'Orléans, tirée de ses propres déclarations, de cent quarante-quatre dépositions de témoins oculaires, et des manuscrits de la bibliothèque du roi de la tour de Londres*, Paris, A. Bertrand, 1817.

MICHELET (Jules), *La Sorcière*, Paris, 1862, rééd. Garnier-Flammarion, 1966.

NAUDÉ (Gabriel), *Apologie pour les grands hommes soupçonnez de magie*, Amsterdam, P. Humbert, 1712 (dernière édition). (Jacques) OLIVIER, *Alphabet de l'imperfection et malice des femmes*, Paris, chez la veuve de R. Daré, 1658.

PLUTARQUE, « Conduites méritoires des femmes », *Œuvres morales*, Paris, Les Belles Lettres, tome 4, 2002.

PLUTARQUE, *Les vies des hommes illustres*, trad. par FLACELIÈRE (Robert), CHAMBRY (Émile), Paris, Les Belles Lettres, 1969.

POULTIER D'ELMOTTE (François-Martin), *Convention nationale. Les Femmes inutiles, congédiées des armées*, Paris, Impr. nationale (s. d.).

PRUDHOMME (Louis-Marie), *Répertoire universel, historique, biographique des femmes célèbres, mortes ou vivantes*, Paris, Achille Désauges, 1826, tome 1ᵉʳ.

DE PUISIEUX (Madeleine), DE PUISIEUX (Philippe-Florent), *Dissertation dans laquelle on prouve que la femme n'est pas inférieure à l'homme*, traduit de l'anglois, Londres, 1751.

DE PUISIEUX (Madeleine), DE PUISIEUX (Philippe-Florent), *Le triomphe des dames*, traduit de l'anglois de Miledi P****, Londres, 1751.

QUICHERAT (Jules), « Procès de condamnation de réhabilitation de Jeanne d'Arc », *La revue des deux Mondes*, tome 15, Paris, Bureau de la *Revue des deux Mondes*, 1846.

SAINT AUGUSTIN, « Traité de l'immortalité de l'âme », in *Œuvres complètes*, Bar-le-Duc, L. Guérin, 1864-1873, vol. 3.

SAINT AUGUSTIN, *Rétractations*, livre Ier, traduction d'(Henry) DE RIANCEY (site de l'abbaye Saint-Benoît de Port-Valais : http://www.abbaye-saint-benoit.ch/saints/augustin/retractationes/index.htm#_Toc524190768).

TARNOWSKY (Pauline), *Les femmes homicides*, Paris, Félix Alcan, 1908.

TRANCHANT (Alfred), LADIMIR (Jules), *Les femmes militaires de la France : depuis les temps les plus reculés jusqu'à nos jours*, Paris, Cournol, 1866.

Bibliographie

ABDULLAH-KHAN (Noreen), *Male Rape. The Emergence of a Social and Legal Issue*, Palgrave Macmillan, 2008.

ADLER (Freda), S. LAUFER (Williams), O. W. MUELLER (Gerhard), *Criminology*, Boston ; Massachusetts ; Burr Ridgde (Ill.) : Mc Graw-Hill, cop. 1998.

ALMEIDA-TOPOR (Hélène d'), *Les Amazones. Une armée de femme dans l'Afrique précoloniale*, Paris, éditions Rochevignes, 1984.

Amnesty International, *Les violences faites aux femmes en France : Une affaire d'État*, Paris, Autrement « Mutations », n° 241.

Amour et violence, collectif, Paris, Desclée de Brouwer, « Études carmélitaines », 1946.

ANDRÉ (Jacques) (dir.), *Incestes*, Paris, PUF, 2001.

ARENDT (Hannah), *Condition de l'homme moderne*, Paris, Pocket, 1992.

ARENDT (Hannah), *Du mensonge à la violence*, Paris, Pocket, 1989.

ARENDT (Hannah), *Les origines du totalitarisme*, Paris, Seuil, 2005.

BADINTER (Élisabeth, *Fausse Route*, Paris, Odile Jacob, 2003.

BADINTER (Élisabeth, *L'un est l'autre, des relations entre hommes et femmes*, Paris, O. Jacob, 2004.

BADINTER (Élisabeth, *Le conflit, La femme et la mère*, Paris, Flammarion, 2010.

BERGSON (Henri), Les deux sources de la morale et de la religion, *chapitre IV*, Paris, PUF, 1992 (5e éd.).

BERTAUD (Jean-Paul), *La Révolution armée. Les soldats-citoyens et la Révolution française*, Paris, Robert Laffont, 1979.

BERTAUD (Jean-Paul), *La vie quotidienne des soldats de la Révolution, 1789-1799*, Paris, Hachette, 1985.

BERTOLDI (Silvio), *Le signore della svastica : protagoniste e vittime del Reich di Hitler*, Milano, Rizzoli, 1999.

BESNIER (Anne), *La violence féminine, du vécu au transmis*, Paris, L'Harmattan, 2004.

BLACK (Jeremy), GREEN (Anthony), *Gods, Demons and Symbols of Ancient Mesopotamia*, London, British museum press for the Trustees of the British museum, 1992.

R. BLIER (Thomas), *La violence des autres*, Paris, L'Harmattan, 2007.

BONAFOUX-VERAX (Corinne), « Femmes entre guerre et paix », in *Guerres, paix et sociétés 1911-1946*, Paris, Atlande « Clefs concours », 2004.

BONNEFOUS (Édouard), JANSEN (Sabine), AGRAPART-DELMAS (Michèle), BORNSTEIN (Serge) (coll.), *Violence : de la psychologie à la politique*. Actes du colloque tenu le jeudi 24 novembre 2005, Paris, Émile Bruylant, 2007.

BOULOUMIÉ (Arlette) (dir.), *Mélusine moderne et contemporaine*, Lausanne-Paris, L'Âge d'Homme, 2001.

BOURQUE-BÉLANGER (Émilie), « Les femmes violentes dans le cinéma hollywoodien à l'ère Reagan », *Communication, lettres et sciences du langage*, Revue électronique, Vol. 2, n° 2, printemps 2008.

BRENOT (Philippe), *Les violences ordinaires des hommes envers les femmes*, Paris, Odile Jacob, 2008.

BROWNMILLER (Susan), *Against Our Will : Men, Women, and Rape*, New York, Simon and Schuster, 1975.

CAIR-HÉLION (Olivier), *Les femmes de la Bible*, Gerfaut, 2009.

CARIO (Robert), *La criminalité féminine. Approche différentielle*, thèse de doctorat, Sciences criminelles, Pau, 1985, ex. dactylographié.

(CARIO (Robert), *Les femmes résistent au crime*, Paris, L'Harmattan, 1997.

CARMONA (Michel), *Une affaire d'inceste. Julien et Marguerite de Ravalet*, Paris, Perrin, 1987.

CHESNAIS (Jean-Claude), *Histoire de la violence en Occident de 1800 à nos jours*, Paris, Robert Laffont, 1981.

CHETCUTI (Natacha), JASPARD (Maryse), SALOMON (Christine), ROMITO (Patrizia), *Violences envers les femmes. Trois pas en avant deux pas en arrière*, Paris, L'Harmattan « Bibliothèque du féminisme », 2007.

CHIANTARETTO (Jean-François), « À propos de la première transgression », *Topiques* n° 92, L'Esprit du temps, 2005.

Cossy (Valérie), Deidre (Dawson), *Progrès et violence au XVIII⁰ siècle*, actes du séminaire Est-Ouest tenu en 1997, Paris ; H. Champion « Études internationales sur le dix-huitième siècle », 2001.

Couchard (Françoise), *Emprise et violence maternelles : étude d'anthropologie psychanalytique*, Paris, Dunod, « Psychismes », 2003.

D'Cruz (Shani), *Violence, Vulnerability and Embodiment : Gender and History*, Londres, Blackwell, 2005.

Dahan (Gilbert), « Histoire de l'exégèse chrétienne au Moyen Âge », *Annuaire de l'École pratique des hautes études (EPHE), Section des sciences religieuses*, 115 (2008).

Dauphin (Cécile), Farge (Arlette) (dir.), *De la violence et des femmes*, Paris, Pocket, 1999.

Delpa (François), *Les tentatrices du diable : Hitler, la part des femmes*, Paris, L'Archipel, 2005.

Desan (Suzanne), "Constitutionnal Amazons. Jacobin Women's Clubs in the French Revolution", *Re-creating Authority in Revolutionary France*, Rutgers University Press, New Jersey, 1992.

Descamps (Marc-Alain), « Lilith ou la permanence d'un mythe », *Imaginaire & Inconscient*, n° 7, 2002.

Deschacht (Jean-Marc), Génuit (Philippe), « Femmes agresseuses sexuelles en France », Ciavaldini (André), Balier (Claude) (dir.), *Agressions sexuelles : pathologies, suivis thérapeutiques et cadre judiciaire*, Paris, Masson, 2000.

Dieu (François), Suhard (Pascal), *Justice et femme battue. Enquête sur le traitement judiciaire des violences conjugales*, Paris, L'Harmattan, 2008.

van Dijk (Susan) *et al.*, *Writing the History of Women's Writing. Toward an International Approach*, Amsterdam, Royal Netherlands Academy of Arts and Sciences, 2001.

Drouet (Jean-Baptiste), *Les maltraitances invisibles. Les nouvelles violences morales*, Paris, Le Cherche Midi, « Documents », 2008.

Dulong (Claude), *La vie quotidienne des femmes au grand siècle*, Paris, Hachette « Littérature », 1984.

Edelman (Nicole), « Culture, croyances et médecine (XIX⁰-XX⁰ siècle) », *Revue d'histoire du XIX⁰ siècle*, n° 25, 2002.

Edelman (Nicole), *Les métamorphoses de l'hystérique. Du début du XIX⁰ siècle à la Grande Guerre*, Paris, La Découverte, 2003.

ENVEFF, enquête commanditée par le Service des Droits des femmes et le Secrétariat d'État aux Droits des femmes, en partenariat avec l'ANRS, la CNAF, le FAS, l'IHESI, l'OFDT, le Conseil régional d'Île-de-France, le Conseil régional de Paca et la mission de recherche Droit et Justice.

FAINSILBER (Liliane), *Éloge de l'hystérie masculine : sa fonction secrète dans les renaissances de la psychanalyse*, Paris, L'Harmattan, 1996.

D. FELDMAN (Marc), *Playing sick ? Untangling the Web of Munchausen Syndrome, Munchausen by Proxy, Malingering [and] Factitious Disorder*, New York, Routledge, 2004.

KANDEL (Liliane) (sous la direction de), *Féminismes et Nazisme*, en hommage à Rita Thalmann, Tours, Cedref, Publication de l'université Paris 7 – Denis Diderot, 1997.

FREUD (Sigmund), *Abrégé de psychanalyse*, Paris, PUF, 1970.

FRIGON (Sylvie), *L'homicide conjugal au féminin, d'hier à aujourd'hui*, Montréal, Les éditions du remue-ménage, 2003.

FROMM (Erich), *The Anatomy of Human Destructiveness*, Londres, Jonathan Cape, 1973.

GALTUNG (Johan), *Des mondes pour la paix*, Caen, Le Mémorial pour la paix, 2003.

GAUVARD (Claude), *Violence et ordre public au Moyen Âge*, Paris, Picard « Les Médiévistes français », 2005.

GIMBUTAS (Marija), *Le langage de la déesse*, Paris, Des femmes, DL, 2005.

GINZBURG (Carlo), *Le fromage et les vers. L'univers d'un meunier du XVIᵉ siècle*, Paris, Aubier, 1980 (1ʳᵉ éd. 1976).

GINZBURG (Carlo), PONI (Carlo), « Le nom et la manière : marché historiographique et échange inégal », *Le Débat*, nº 17, 1981.

GIRARD (René), DE BAECQUE (Antoine), WIEVIORKA (Michel), GLUZMAN (Semyon), RICŒUR (Paul), *Violences d'aujourd'hui, violence de toujours. XXXVIIᵉˢ rencontres internationales de Genève 1999*, textes de conférences et des débats, Lausanne, L'Âge d'Homme, 1999.

GIRARD (René), *La violence et le sacré*, Paris, Hachette « Pluriel », 1995.

GODINEAU (Dominique), *Citoyennes tricoteuses : les femmes du peuple à Paris pendant la Révolution française*, Paris, Perrin « Femmes et Révolution », 2004.

GODINEAU (Dominique), « De la guerrière à la citoyenne. Porter les armes pendant l'Ancien Régime et la Révolution française », Clio, nº 20, 2004.

GUSDORF (Georges), *La Vertu de force*, Paris, PUF, 1957.

HAASE-DUBOSC (Danièle), *Femmes et pouvoirs sous l'Ancien Régime*, Marseille, Rivages, 1991.

L. HAESEVOETS (Yves-Hiram), *L'enfant victime d'inceste. De la séduction traumatique à la violence sexuelle*, Bruxelles, De Boeck Université « Oxalis », 2ᵉ édition, 2003.

HALPERN (Catherine), BITTON (Michèle), *Lilith, l'épouse de Satan*, Paris, Larousse, « Dieux, mythes et Héros », 2010.

HARI (Albert), *Découvrir toutes les femmes de la Bible*, Ottawa, Novalis, 2007.

HARRATI (Sonia), VAVASSORI (David), M. VILLERBU (Loïck), « La criminalité sexuelle des femmes : Étude des caractéristiques psychopathologiques des femmes auteures d'agressions sexuelles », in TARDIF (Monique) (Éd.), *L'Agression Sexuelle : Coopérer au-delà des frontières*, Cifas, 2005.

HAYEZ (Jean-Yves), DE BECKER (Emmanuel), *L'enfant victime d'abus sexuel et sa famille : évaluation et traitement*, Paris, PUF « Monographies de la psychiatrie de l'enfant », 1997.

HEGEL (Georg Wilhelm Friedrich), *Phénoménologie de l'Esprit*, Paris, PUF, « Revue de Métaphysique et de Morale », 2007.

HEIDENSOHN (Frances), *International Perspectives in Criminology : Engendering a Discipline*, Open University Press, 1995.

HÉRITIER (Françoise), *Les deux sœurs et leur mère*, Paris, Odile Jacob, 1993.

W. HICKEY (Eric), *Serial Murderers and Their Victims* (3th edition), Belmont, CA, Wadsworth/Thomson Learning, 2002.

HIRIGOYEN (Marie-France), *Le harcèlement moral : la violence perverse au quotidien*, Paris, La Découverte & Syros et édition de poche Pocket, 1998.

HIRIGOYEN (Marie-France), *Les nouvelles solitudes*, Paris, La Découverte, 2007.

HIRIGOYEN (Marie-France), *Malaise au travail. Harcèlement moral : démêler le vrai du faux*, Paris, La Découverte & Syros et édition de poche Pocket, 2001.

Historiens & Géographes, dossier « Histoire des femmes », extraits des numéros 392, 393, 395.

HUNYADI (Mark), *Violences d'aujourd'hui, violence de toujours*. XXXVIIes Rencontres internationales de Genève, 1999 ; textes des conférences et des débats, GIRARD (René), DE BAECQUE (Antoine), WIEVIORKA (Michel), GLUZMAN (Semyon), RICŒUR (Paul), Lausanne ; [Paris] : L'Âge d'homme, 2000.

JAQUIER (Véronique), VUILLE (Joëlle), *Les femmes : jamais criminelles, toujours victimes ?*, Paris, Éditions de l'Hèbe, « La question », 2008.

LASPARD (Maryse), *Les violences contre les femmes*, Paris, La Découverte « Repères : sociologie », 2005.

JONES (Ernest), *Le Cauchemar*, Paris, Payot, 1973.

JONHSON (Michael P.), "Domestic violence : The intersection of gender and control" in L. O'TOOLE (Laura), R. SCHIFFMAN (Jessica), KITER EDWARDS (Margie) (dir.), *Gender Violence : Interdisciplinary Perspectives*, 2nd edition, New York, New York University Press, 2007.

JONHSON (Michael P., *Intimate Terrorism, Violent Resistance, and Situational Couple Violence*, Boston, Northeastern University Press, 2008.

KERSHAW (Ian), *L'opinion allemande sous le nazisme. Bavière, 1933-1945*, Paris, CNRS Éditions, 2002.

Références bibliographiques

KNOPP (Guido), *Les femmes d'Hitler*, Paris, Payot, 2003.

KORNEMANN (Ernst), *Femmes illustres de l'Antiquité*, Paris, Horizons de France, 1958.

LACEY (Kate), *Feminine Frequencies. Gender, German Radio, and the Public Sphere, 1923-1945*, Ann Arbor (Mich.),The University of Michigan Press "Social History, Popular Culture and Politics in Germany", 1996.

LAPIED (Martine), « La place des femmes dans la sociabilité et la vie politique locale en Provence et dans le Comtat sous la Révolution française » in *Femmes et politique en Provence (XVIII*-*XX*° *siècle)*, LAPIED (Martine), RICHARD (Éliane) (dir.), *Provence Historique*, T XLVI, fasc. 186, oct-déc 1996.

LAPIED (Martine), « Parole publique des femmes et conflictualité pendant la Révolution dans le Sud-est de la France », in *La prise de parole publique des femmes sous la Révolution française*, FAURÉ (Christine), GEOFFROY (Annie) (dir.), AHRF n° 344, 2006.

LAPIED (Martine), « Les femmes entre espace public et espace privé pendant la Révolution française » in *Georges Duby, regards croisés sur l'œuvre – Femmes et féodalité*, BLETON-RUGET (Annie), RUBELLIN (Michel) (dir.), Presses Universitaires de Lyon, 2000.

LAPIED (Martine), « Conflictualité urbaine et mise en visibilité des femmes dans l'espace public de l'Ancien Régime à la Révolution, en Provence et dans le Comtat Venaissin », in *Les usages politiques des conflits urbains. France méridionale. Italie, XV*-*XIX*° *siècles*, KAISER (Wolfgang) (dir.), *Provence Historique* n° 202, 2001.

LAPIED (Martine), « La visibilité des femmes dans la Révolution française », in *La Révolution française, au carrefour des recherches*, LAPIED (Martine), PEYRARD (Christine) (dir.), Publications de l'université de Provence, « Le temps de l'histoire », 2003.

LAPIED (Martine), « Les Provençales actrices de la révolution ? L'exemple des Arlésiennes », in *Pour la Révolution française, recueil d'études en hommage à Claude Mazauric* réunies par LE BOZEC (Christine), WAUTERS (Éric), Public de l'université de Rouen, 1998.

LAPIED (Martine), GUILHAUMOU (Jacques), « Les femmes dans les archives des comités de surveillance des Bouches-du-Rhône », in *Femmes entre ombre et lumière. Recherches sur la visibilité sociale (XVI*-*XX*° *siècles)*, ouvrage collectif du GRFM, Paris, Publisud, 2000.

LEVI (Giovanni), *Le pouvoir au village. Histoire d'un exorciste dans le Piémont du XVII*° *siècle*, Paris, Gallimard, 1989 (1ʳᵉ éd. 1985).

MALINCONI (Nicole), *Vous vous appelez Michelle Martin*, Mayenne, Delanoël, 2008.

MARTIN (Del), *Battered Wives*, Volcano Press, 1981.

MARTIN (Michael), *Sorcières et magiciennes dans le monde gréco-romain*, Paris, Le Manuscrit, 2004.

MARTIN (Jean-Clément), *La révolte brisée. Femmes dans la Révolution française et l'Empire*, Paris, Armand Colin, 2008.

MARUANI (Margaret) (dir.), *Femmes, genre et sociétés. L'état des savoirs*, Paris, La Découverte, 2005.

MEYRAN (Régis), *Les mécanismes de la Violence. États, institutions, individu*, Paris, Sciences Humaines, 2006.

MICHAUD (Robert), *Ben Sira et le judaïsme*, Paris, Le Cerf « Lire la Bible », 1988.

MITCHELL (Juliet), *Frères et sœurs : sur la piste de l'hystérie masculine*, Paris, Des Femmes-A. Fouque, 2008.

MOMMESSIN (Anne-Marie), *Femmes criminelles. Coupables hier... innocentes aujourd'hui*, Levallois-Perret, Altipresse, 2010.

MOPSIK (Charles) (traducteur), *La Sagesse de ben Sira*, Rieux-en-Val, Verdier, « Les Dix paroles », 2004.

MORIN (Edgar), *La Méthode*, Paris, Seuil, 1981.

MORIN (Edgar), *Le paradigme perdu : la nature humaine*, Paris, Seuil, 1991.

MORINEAU (Michel), *Incroyables gazettes et fabuleux métaux. Les retours des trésors américains d'après les gazettes hollandaises, XVIᵉ-XVIIIᵉ siècles*, Londres-New York-Sydney, Cambridge University Press-Maison des Sciences de l'Homme, Paris, 1985 (22ᵉ éd.).

MORSIANI (Alberto), *Quentin Tarantino*, Paris, Gremese « Les Grands cinéastes », 2009.

NORA (Pierre) (ss la dir.de), *Les lieux de mémoire*, Paris, Gallimard « Quarto », 1997, 3 vol.

PANCER (Nira), *Sans peur et sans vergogne. De l'honneur et des femmes aux premiers temps mérovingiens (VIᵉ-VIIᵉ siècles)*, Paris, Albin Michel « Histoire », 2001.

PARENT (Colette), DIGNEFFE (Françoise), *Féminisme & criminologie*, Paris, De Boeck-Wesmael, 1998.

PARENT (Marie-Josée), in la *Gazette des femmes*, Québec, publiée par le Conseil du Statut de la femme, vol. 20, n° 4, novembre-décembre 1998.

PEWZNER (Évelyne), *Temps et Espaces de la Violence*, Paris, Sciences en situation « Sens critique », 2006.

POIRET (Anne), *L'ultime tabou. Femmes pédophiles. Femmes incestueuses*, Paris, Patrick Robin éditions, 2006.

POLLACK (Otto), *The Criminality of Women*, Philadelphia, University of Pennsylvania Press, 1950.

RENNEVILLE (Marc), « L'anthropologie du criminel en France », *Criminologie*, vol. 27, n° 2.

REYNAUD (Emmanuel), *Les femmes, la violence, et l'armée. Essai sur la féminisation des armées*, Paris, Fondation pour les études de défense nationale, 1988.

RIOT-SARCEY (Michèle), « L'historiographie française et le concept de genre » in *Revue d'histoire moderne et contemporaine*, n° 4, 2000.

Références bibliographiques

Rocco (Aldo), *Les Femmes battues se rebellent*, Paris, Alban Éditions, « Thèmes d'aujourd'hui », 2007.

Rousseau (Vanessa), « Ève et Lilith. Deux genres féminins de l'engendrement », *Diogène*, n° 208, 2004.

Schmitt-Pantel (Pauline), « De la construction de la violence en Grèce ancienne : femmes meurtrières et hommes séducteurs » in (Cécile) Dauphin, (Arlette) Farge (dir.) *De la violence et des femmes*, Pocket, Paris, 1999.

Schubert (Helga), *Judasfrauen*, Deutscher Taschenbuch Verlag GmbH & Co., 1995.

Shaw (Margaret), "Conceptualizing Violence by Women", in Dobash (R.E.), Dobash (R.P.), Noaks, (L.) (dir.), *Gender and Crime*, London, University of Wales Press, 1995.

Sigmund (Anna-Maria), *Women of the Third Reich*, NDE Publishing, 2000.

Simmel (Georg), *Le conflit*, Dijon, Circé, « Poche », 2003.

Sorlin (Pierre), *Sociologie du cinéma : ouverture pour l'histoire de demain*, Paris, Aubier Montaigne, 1977.

Steinmetz (Suzanne), *Behind Closed Doors : Violence in the American Family*, Londres, Transaction publ., 2007.

Steinmetz (Suzanne), *Handbook of Marriage and the Family*, New York-Londres, Plenum Press, 1988.

Stephenson (Jill), "The Nazi Organisation of Women 1933-39", in Stachura (Peter) (éd.) *The Shaping of the Nazi State*, New York-London, Barnes & Noble, 1978.

Stephenson (Jill), *The Nazi Organisation of Women*, London, Barnes & Noble, 1981.

Thebaud (Françoise), *Écrire l'histoire des femmes et du genre*, Fontenay-aux-Roses, ENS éditions, 1998.

Théry (Irène), *La distinction de sexe. Une nouvelle approche de l'égalité*, Paris, Odile Jacob, 2007.

Tsikounis (Myriam), *Éternelles coupables. Les femmes criminelles de l'Antiquité à nos jours*, Paris, Autrement, 2008.

Tulard (Jean), Fayard (Jean-François), Fierro (Alfred) (dir.), *Histoire et dictionnaire de la Révolution française, 1789-1799*, Paris, Laffont, 1987.

Tupet (Anne-Marie), *La magie dans la poésie latine*, Paris, Les Belles Lettres, 1976.

Vautrelle (Hervé), *Qu'est-ce que la violence ?*, Paris, Vrin, « Chemins philosophiques », 2009.

Verdon (Rachel), la *Gazette des femmes*, Québec, publiée par le Conseil du Statut de la femme, vol. 27, N° 3, novembre-décembre 2005.

VERLAAN (Pierrette), DÉRY (Michèle) (dir.), PAHLAVAN (Farzaneh), BESNARD (Thérèse), *Les conduites antisociales des filles. Comprendre pour mieux agir*, Québec, PU Québec, « Travail social », 2006.

VIDON (Nicole), « L'abus sexuel au féminin », in CARIO (Robert) et HÉRAUT (Jean-Charles) (dir.), *Les abuseurs sexuels : quel(s) traitement(s) ?*, Paris, L'Harmattan, « Science criminelle », 1998.

Violence en famille. Conflits privés, pudeurs publiques, dire, rendre justice réparer ?, IHESI, Les Cahiers de la sécurité intérieure, Paris, n° 28, 1997.

Violence(s) au féminin. Femmes délinquantes, femmes violentes, femmes déviantes, Les cahiers de la sécurité n° 60, Paris, INHES, 1er trimestre 2006.

VISSIÈRE (Isabelle), *Procès de femmes au temps des philosophes ou la violence masculine au XVIIIe siècle*, Paris, éditions des Femmes, 1985.

VRONSKY (Peter), *Femmes serial killers. Pourquoi les femmes tuent ?*, Paris, Balland, 2009.

WATREMEZ (Vanessa), « Élargissement du cadre d'analyse féministe de la violence domestique masculine à travers l'étude de la violence dans les relations lesbiennes » in *Études féministes*, Lyon, Labrys, n° 1-2, juillet/décembre 2002.

WELZER-LANG (Daniel), *Les hommes violents*, Paris, Payot « Petite Bibliothèque Payot », 2005.

Références bibliographiques

Table des matières

Dans la même collection,
dirigée par Jean-Charles Gérard et Luis de Miranda

La théorie des mèmes
Susan Blackmore

Qui sont les Russes ?
Alla Sergueeva

Ainsi parlait Zarathoustra
Friedrich Nietzsche

Le triomphe des bactéries
Antoine Andremont
Michel Tibon-Cornillot

Paris, ville catin
Andrew Hussey

Paris, ville rebelle
Andrew Hussey

Archéologies du futur
Fredric Jameson

Penser avec la science-fiction
Fredric Jameson

Mad in USA
Michel Desmurget

Le mouvement ouvrier
Camille Saint-Jacques

Homo Sapiens 2.0
Gérard Ayache

Le cauchemar de Marx
Denis Collin

Ni d'Ève ni d'Adam
Marie-Joseph Bertini

Sexualité et prison
Arnaud Gaillard

Adam Smith à Pékin
Giovanni Arrighi

Les Adorables de Zoroastre
Traduit par Éric Pirart

Qui sont les Allemands ?
Jean-Louis de la Vaissière

Vous souhaitez chroniquer cet ouvrage ?
Envoyez votre texte à l'adresse suivante : **chronique@maxmilo.com**
Une sélection de chroniques sera publiée sur notre site Internet.

Composition et mise en pages : FACOMPO, LISIEUX

Achevé d'imprimer en janvier 2011
par Normandie Roto Impression s.a.s., 61250 Lonrai
N° d'impression : 110043
Dépôt légal : février 2011

Imprimé en France